Javier Moro est né en Espagne en 1955. Scénariste, il a vécu de longues années aux États-Unis où il a collaboré avec de nombreux réalisateurs, parmi lesquels Ridley Scott. Il est l'auteur du *Pied de Jaipur* (Albin Michel), des *Montagnes de Bouddha* (NiL éditions), d'*Une passion indienne* et du *Sari rose*. Il a aussi écrit avec Dominique Lapierre *Il était minuit cinq à Bhopal*.

DU MÊME AUTEUR

Le Pied de Jaipur
Quand reste la rage de vivre
*Albin Michel, 1996*

Les Montagnes de Bouddha
L'odyssée de deux jeunes nonnes
tibétaines éprises de liberté
*NiL Éditions, 2000*

Il était minuit cinq à Bhopal
*(en collaboration avec Dominique Lapierre)*
*Robert Laffont, 2001*

Le Sari rose
*Robert Laffont, 2010*
*et « Points Grands Romans », n° P2652*

Javier Moro

# UNE PASSION INDIENNE

ROMAN

*Traduit de l'espagnol*
*par Bernadette Andréota*

*Robert Laffont*

TEXTE INTÉGRAL

TITRE ORIGINAL
*Pasión india*
ÉDITEUR ORIGINAL
Editorial Seix Barral, Barcelone


ISBN 978-2-7578-3880-8
(ISBN 2-221-10680-6, 1re publication)

*Au petit rajah Sébastien*
*et à sa mère la princesse Sita*

La Providence a créé les maharajahs
pour offrir un spectacle au monde.

Rudyard KIPLING

On doit sans faute emmener à la chasse une fois par semaine les enfants des deux sexes et quand ils ont grandi ils doivent, habituellement, passer deux semaines par an à chasser le tigre.

*Notes sur l'éducation d'un gouvernant*
(maharajah de Gwalior,
General Policy Durbar, 1925)

La Passion n'attend pas.

*Kama-sutra* 2-3-2

## L'EMPIRE DES INDES BRITANNIQUES AU DÉBUT DU XX$^{e}$ SIÈCLE

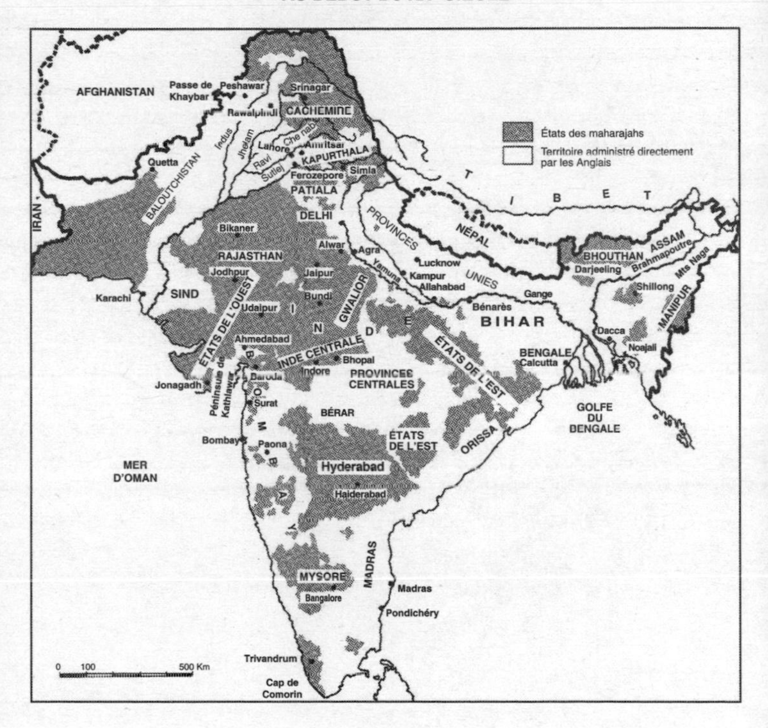

*Première partie*

# La vie est un conte de fées

# 1

28 novembre 1907. Le calme règne sur l'océan. La mer d'Arabie, lisse comme une tache d'huile, s'étend au-delà des ténèbres. En sillonnant les eaux côtières de l'Inde, le SS *Aurore*, un vaisseau de huit mille tonnes de la compagnie des Messageries maritimes, laisse derrière lui de douces ondulations à la surface de l'eau. Des colonnes de fumée s'échappent de ses deux hautes cheminées blanches serties d'un bandeau bleu qui s'estompe dans la nuit tropicale. L'hélice tourne régulièrement. Le bateau a quitté Marseille il y a quatre semaines, rempli de fonctionnaires coloniaux anglais et français, de missionnaires, et des familles des colons et des militaires en poste à Pondichéry ou à Saigon, la dernière escale. À Marseille, ils se plaignaient du froid de cette fin d'octobre, mais ils souffrent maintenant de la chaleur humide qui pousse certains d'entre eux à dormir sur le pont. L'air est de plus en plus dense, comme si même la lune était capable de le réchauffer. La température exquise des premières escales, Tunis et Alexandrie, n'est plus qu'un lointain souvenir. Certains passagers de première classe ont passé l'après-midi à tirer sur des mouettes et des albatros. Ils s'entraînent pour les grandes parties de chasse qui les attendent.

Allongées sur les charlottes du pont supérieur, deux femmes observent les poissons qui scintillent dans l'océan ; certains rebondissent contre la coque du navire, d'autres atterrissent sur le sol en teck où un mousse les ramasse et les met dans un seau, avant de les rejeter par-dessus bord.

La plus jeune des deux femmes est une Espagnole qui vient d'avoir dix-sept ans. Elle s'appelle Ana Delgado Briones. Elle est élégamment vêtue d'une robe en soie verte de chez Paquin, et ses cheveux bruns et bouclés sont retenus en un chignon qui fait ressortir la finesse de son cou. Elle porte des boucles d'oreilles en perles. Son visage est ovale, ses traits réguliers et ses grands yeux noirs et langoureux. L'autre femme, Mme Dijon, âgée d'une quarantaine d'années, est sa dame de compagnie. Elle a quelque chose de la pie et on la prendrait pour une institutrice de province si elle ne portait une tenue aussi recherchée : jupe blanche jusqu'aux chevilles, corsage en mousseline et grande capeline de paille.

– Ce soir, pendant le dîner, chut, pas un mot ! chuchote Mme Dijon d'un air complice, en posant un doigt sur ses lèvres. D'accord, Anita ?

L'Espagnole acquiesce. Elles sont invitées à dîner à la table du commandant, pour le dernier jour du voyage. La jeune femme a du mal à y croire. La traversée a duré une éternité. Les premiers temps, elle a voulu mourir tant elle avait mal au cœur ; elle suppliait sa dame de compagnie de l'autoriser à débarquer à la prochaine escale. « Le mal de mer ne dure pas... », lui répondait Mme Dijon pour l'apaiser. Lola, sa femme de chambre, une jeune fille frêle et pétulante de Málaga qui voyage en cabine de troisième classe avec une multitude de pèlerins musulmans de retour de La Mecque, avait elle aussi envie de mourir : « C'est pire que se trouver au fond d'une guimbarde ! » criait-elle à chaque fois qu'on l'appelait pour qu'elle monte s'occuper de sa « dame ». Mais Lola a cessé d'avoir mal au cœur quand la mer s'est calmée, tandis qu'Anita a continué à souffrir de nausées et de vertiges. Elle a hâte de se retrouver à terre. Voilà plus d'un an qu'elle rêve de son nouveau pays. « À quoi ressemblent les Indes ? » se demande-t-elle chaque fois qu'un passager fait la remarque que, là bas, tout est différent de ce qu'un Européen peut connaître et même imaginer.

À cause de son mystère et de son charme, Ana Delgado a été le point de mire de tous les regards et de tous les commérages pendant la traversée. Ses somptueux bijoux révèlent la jeune fille fortunée, mais son tempérament original et sa façon de s'exprimer, dans un mauvais français à l'accent andalou, évoquent une origine incertaine… Elle est déroutante, ce qui, ajouté à sa beauté et à son esprit, attire les hommes comme des mouches. Un passager anglais lui a offert une broche, un camée de deux roses entremêlées s'ouvrant sur un petit miroir. D'autres sont moins raffinés. Un officier de l'armée coloniale française l'a surnommée « Taille de guêpe » en la croisant dans les escaliers. Anita a reçu le compliment d'un air coquin, tout en exhibant la bague en platine et diamants qu'elle porte à l'annulaire de la main droite. Cela a suffi pour faire taire le Français et les autres curieux, qui n'arrivent toujours pas à deviner qui est cette singulière passagère.

À l'appel du dîner, les deux femmes descendent au restaurant, un vaste salon aux murs laqués, avec une estrade où six musiciens vêtus de smokings à queue-de-pie jouent des airs de Mendelssohn. Les tables rondes aux nappes brodées et recouvertes de la porcelaine de Limoges la plus fine sont éclairées par des chandeliers en verre de Bohême, qui tintent lorsque la mer se fait houleuse. Les autres convives du commandant sont trois membres du corps diplomatique français nommés à Pondichéry.

– Je dois vous avouer qu'un grand mystère plane sur votre personne, ose un des Français. À ce jour, nous ignorons toujours le but de votre voyage aux Indes, et la curiosité nous démange.

– Je vous l'ai déjà dit une fois, monsieur. Nous allons chez des amis anglais qui habitent Delhi.

Anita et Mme Dijon se sont mises d'accord sur ce petit mensonge. Elles sont décidées à garder leur secret jusqu'au bout. Mais personne ne les croit, ni les diplomates français, ni l'équipage, ni aucun des passagers. Une jeune femme si jolie, couverte de bijoux et, en plus, espagnole, qui se rend seule dans l'Inde de 1907, voilà une chose tout à fait insolite.

– Demain, à Bombay, la chaleur sera encore plus suffocante, lance Mme Dijon pour faire diversion.

– C'est un climat pénible auquel il est difficile de s'habituer. L'Inde ne convient pas à tout le monde, intervient un des Français en regardant Anita du coin de l'œil.

– J'y ai vécu avant de devenir veuve…, s'obstine Mme Dijon.

– Ah oui ? Où donc ?

Malgré tous ses efforts, la dame de compagnie a du mal à détourner l'attention de son interlocuteur. Il est bien difficile de garder un secret. Anita n'aime pas mentir mais elle sait qu'elle doit se taire. Ce sont les ordres du rajah. C'est peut-être pour cela qu'elle n'a pas profité pleinement de la traversée. Elle était isolée des autres par ce silence imposé. Et même si elle avait pu parler… Comment leur raconter son histoire ? Comment dire qu'elle part aux Indes se marier à un roi ? Comment expliquer que là-bas, dans l'État lointain du Kapurthala, on l'attend comme une souveraine ? À dix-sept ans, elle est sur le point de devenir la reine d'un pays qu'elle ne connaît pas… Non, on ne peut pas raconter cela à n'importe qui. Le rajah a raison : c'est tellement invraisemblable qu'il vaut mieux se taire. Parfois, elle-même n'arrive pas à y croire, elle s'imagine vivre un rêve. Sa vie a tellement changé depuis trois ans. Elle a cessé de jouer avec ses poupées pour se marier civilement à un rajah indien à la mairie de Saint-Germain-des-Prés, à Paris. Presque incrédule, elle regarde ses doigts fins sertis de bagues. C'était il y a un mois, dans un Paris pluvieux et mélancolique. « Quelle cérémonie ! Si froide et si triste ! » Cela ne ressemblait pas au mariage d'une princesse mais à une simple formalité. Endimanchés, ses parents, sa sœur Victoria, le rajah, son aide de camp et elle-même sont entrés dans la mairie. Anita et le rajah en sont ressortis mariés, quelques minutes après, sans pompe ni musique, ni riz, ni amis, ni bal. Un mariage comme celui-là n'est pas un vrai mariage. Le repas de noces s'est ensuite déroulé à la brasserie Lipp, avec au menu une choucroute arrosée de vin d'Alsace et de champagne, comme pour un simple jour de fête. Elle qui avait toujours rêvé de se marier en blanc, à l'église, entourée de ses amies d'enfance, dans son quartier de Málaga, après avoir chanté le *Salve Rocio* ! Voilà ce qu'est un vrai mariage, bien différent de cette marche funèbre parisienne. En pensant à son père, elle a le cœur serré. Pauvre don Ángel Delgado de los Cobos, si digne avec sa grosse moustache grise et son air d'hidalgo, mais tellement triste quand il lui a fait ses adieux à la sortie de Chez Lipp, le visage trempé de pluie, ou peut-être de larmes, après avoir remis sa préférée au « roi maure », comme ils appelaient le rajah au tout début, avant de le connaître. Certes, il envoyait sa fille vers un destin hors du commun. Mais c'était contraint et forcé. D'abord par sa femme qui, initialement opposée aux désirs du rajah, avait changé d'opinion devant l'opulence des cadeaux que sa fille recevait. Par les voisins ensuite, qui avaient fait pression sur lui, par les amis et surtout par les habitués du Nouveau Café du Levant à Madrid, où se retrouvaient l'écrivain Valle-Inclán, le peintre Ricardo Baroja, Leandro Oroz, et tous ceux qui avaient conspiré pour qu'Anita devienne une princesse orientale. « On ne peut pas rater une telle occasion », avait affirmé très sérieusement Valle-Inclán à Candelaria Briones, la mère d'Anita, quand elle lui avait raconté la proposition du rajah d'emmener sa fille. « Et l'honneur ? avait répondu Mme Candelaria. – Cela peut facilement s'arranger, avait tranché l'écrivain. Exigez le mariage !

– Qu'il vienne avec tous ses papiers se marier dans les règles, comme le font les gens honnêtes », avait ajouté le peintre Oroz.

Cela avait finalement été la seule condition imposée par le ménage Delgado, un mariage pour sauver l'honneur. C'était la seule manière de préserver la dignité de sa famille. Pourtant, don Ángel aurait préféré ne jamais se séparer de sa fille.

À Paris, en ce matin grisâtre, le rajah tenait parole. Il se mariait civilement afin de rassurer les parents de sa bien-aimée. Mais, pour lui non plus, ce n'était pas le véritable mariage. Le vrai aurait lieu dans son pays. Anita l'y rejoindrait en bateau puis en train. Il serait semblable aux contes des *Mille et Une Nuits*. Même dans ses rêves les plus éblouissants elle ne pouvait l'imaginer, comme il le lui expliqua ce jour-là pour la consoler.

Durant ce séjour à Paris, le malheureux don Ángel ne perdait pas seulement Anita. Son autre fille, Victoria, avait rencontré un Américain dont elle était tombée amoureuse. Ses deux filles devenaient du jour au lendemain deux absences. Et tout cela à cause d'un roi d'Orient. Son père avait le cœur brisé et Anita le savait. Tous les soirs, elle pensait à lui avant de s'endormir. Elle pensait aussi à sa mère et à sa sœur, mais avec moins de chagrin. Elle les savait plus fortes, et puis sa mère avait obtenu ce qu'elle avait toujours voulu : ne plus avoir de soucis d'argent.

« Merci, Altesse », murmure donc Anita avant de commencer sa prière à la Vierge de la Victoire, *sa* vierge, la sainte patronne de Málaga, tandis que le bateau illuminé vogue vers le pays des mille millions de dieux.

# 2

À l'aube, le SS *Aurore* approche de la côte et vire en direction du port de Bombay. Anita et Mme Dijon sont appuyées au bastingage du pont supérieur. La ville surgit à l'horizon, tache douce et sombre enveloppée de brouillard. Des bateaux de pêche à voile triangulaire et à mât unique sillonnent les eaux de la baie. Les pêcheurs *kolis* qui les conduisent sont les premiers habitants de Bombay. Ils ont été les premiers à voir débarquer, il y a trois siècles, les Portugais qui ont baptisé l'endroit *Bom Bahia*, origine du nom actuel. Les kolis croyaient que ces hommes corpulents, à la peau rougeâtre et brillante, qui venaient de Goa, étaient des animaux mythologiques sortis d'un épisode du Mahabharata, la grande saga épique de l'hindouisme. La conquête de Goa avait semé mort et destruction. Temples hindous et mosquées rasés, mariages forcés de musulmanes faites prisonnières, le tout au nom d'un Dieu nouveau qu'on disait magnanime et compatissant. La colonisation portugaise de l'Inde n'avait pas commencé comme une histoire d'amour entre l'Orient et l'Occident.

– Mais les kolis ont eu de la chance !

Mme Dijon connaît bien l'histoire de la ville. Son mari a été professeur de français à St. Xavier's School, le fleuron des institutions scolaires britanniques de la ville.

– Les Portugais ne savaient pas quoi faire du bourbier insalubre qu'était Bombay. Le roi décida alors de l'offrir en dot à Charles II d'Angleterre quand celui-ci épousa Catalina de Bragance.

– Cette ville est donc un cadeau de mariage ? demande Anita, émue et rendue nerveuse par leur arrivée imminente.

Sur la rive, elles aperçoivent des hommes accroupis qui s'aspergent avec des cruches d'eau selon le rituel matinal du bain, une invention indienne que les Anglais puis les autres Européens ont mis plus de cent ans à adopter. Des buffles à la peau noire et brillante se traînent au milieu des cabanes en brique aux toits de feuilles de palme. À l'embouchure d'un ruisseau, des femmes au torse nu lavent leurs cheveux tandis que leurs enfants barbotent dans l'eau sale. Une forêt de mâts, de grues et de cheminées annonce la proximité du port : goélettes arabes, jonques chinoises, cargos battant pavillon américain, frégates de l'armée anglaise, bateaux de pêche… La promenade maritime, avec ses palmiers, ses bâtiments gris et, à l'approche du port, la silhouette imposante de l'hôtel Taj Mahal, couronné de cinq coupoles, est la première image qu'offre la ville aux passagers. Le brouillard rappellerait l'Angleterre si l'air n'était pas si collant et sans le vol incessant des corbeaux autour des toits et des cheminées du bateau. Leur croassement se mêle au hurlement de la sirène.

Parée pour l'occasion, Anita est superbe. Elle porte une jupe longue en coton blanc et un corsage en soie brodée qui fait ressortir la finesse de sa taille. Les yeux brillants d'impatience, elle éponge nerveusement ses tempes et ses joues tout en se protégeant du soleil qui pointe derrière la ville. Le SS *Aurore* termine ses manœuvres d'amarrage. Une question taraude Anita : « Viendra-t-il m'accueillir ? »

– Préviens-moi si tu l'aperçois, j'ai le cœur à l'envers, avoue-t-elle à Mme Dijon.

En bas, sur le dock, Mme Dijon observe des centaines de coolies à la peau ruisselante, vêtus d'un simple pagne, qui s'engouffrent dans les cales du bateau comme des colonnes de fourmis. Ils en ressortent chargés de paquets, de valises et de malles. Des officiers anglais, impeccables dans leur uniforme kaki, surveillent le débarquement. Les passagers de première classe sont accompagnés par des agents maritimes vers le bureau de douane ; ceux des deuxième et troisième classes les suivent de loin. C'est la cohue. Des caisses et des malles s'entassent sur le quai. Une grue avec une poulie gigantesque et de gros câbles que les coolies tirent au prix d'un immense effort permet de décharger la plus précieuse cargaison du bateau : deux chevaux arabes, cadeaux du sultan d'Aden à un maharajah. Les yeux exorbités, les pur-sang donnent des coups de pied en l'air. Une dizaine d'éléphants transportent des paquets, des meubles et des pièces industrielles sortis des entrailles du navire. Ça sent l'humidité, la fumée, le fer et la mer. Le croassement des corbeaux permet à peine d'entendre les cris, les saluts et les coups de sifflet des gardiens. Les passagers les plus importants, ceux qui ont un poste officiel, sont accueillis avec des guirlandes d'œillets indiens de couleur orange qu'on leur pose autour du cou. Au poste de douane, pendant que Mme Dijon et Lola comptent les cinquante malles de l'Espagnole, Anita aperçoit quelques Indiennes en sari. Mais elle ne le voit pas, lui, celui qui l'a fait venir et qui lui a promis tout l'amour du monde.

– Madame Delgado ?…

La voix derrière elle la fait sursauter. Elle se tourne : « C'est lui ! » pense-t-elle un instant. Le turban rouge vif, l'uniforme splendide à ceinture bleu et argent l'ont confondue. Elle s'aperçoit vite de son erreur tandis que l'homme, qui porte une barbe élégamment enroulée, lui pose une guirlande de fleurs autour du cou.

– Vous souvenez-vous de moi ? Je suis Inder Singh, l'envoyé de Son Altesse le rajah du Kapurthala, dit-il, les mains jointes, en s'inclinant respectueusement.

Comment ne pas s'en souvenir ! Anita aurait besoin de plusieurs vies pour oublier cet homme majestueux qui sonna un jour à la porte du modeste appartement de la rue Arco de Santa María à Madrid, où elle vivait avec sa famille. Il était si corpulent qu'il avait eu du mal à passer le chambranle. Un vrai sikh, orgueil de sa race. Il avait refusé de s'asseoir pendant la visite et il prenait tant de place qu'il occupait tout l'espace de la cuisine-salle à manger. Il était venu spécialement de Paris pour remettre à Anita une lettre du rajah. Une lettre d'amour. La lettre qui avait bouleversé sa vie.

– Capitaine Singh ! s'exclame Anita, comme si elle retrouvait un vieil ami.

– Son Altesse n'a pas pu venir vous accueillir et s'en excuse, mais tout est prêt pour que vous poursuiviez votre voyage jusqu'à Kapurthala, lui dit Inder Singh dans un mélange de français, d'anglais et de hindi qui rend la conversation presque impraticable.

– Est-ce très loin d'ici ?

Il fait non de la tête, un geste habituel chez ses compatriotes et trompeur pour les étrangers, car il n'est pas toujours équivalent à une négation.

– À environ deux mille kilomètres.

Anita est stupéfaite. L'Indien poursuit :

– L'Inde est très grande, *memsahib*. Mais ne vous inquiétez pas. Le train pour Jalandar partira après-demain à six heures. De Jalandar à Kapurthala il n'y aura plus que deux heures de route. Vous avez une suite réservée à l'hôtel Taj Mahal, à côté d'ici.

L'hôtel, de style victorien, a été dessiné par un architecte français qui, mécontent du résultat, a fini par se suicider. Il est pourtant grandiose. Avec des vérandas et des couloirs larges comme des avenues pour que l'air puisse toujours y circuler, un grand escalier éclairé par la lumière ténue des vitraux, des plafonds à caissons, des bois nobles sur les murs, quatre flamants dissimulant les ascenseurs électriques, un orchestre permanent et des boutiques pleines de soies multicolores, l'hôtel est un monde à part dans la ville, le seul lieu public ouvert aux Européens et aux Indiens de toutes les castes. Tous les autres hôtels de luxe sont réservés aux Blancs.

Dès son entrée dans la suite impériale, Anita ouvre les fenêtres. La brise tiède de la mer d'Arabie apporte les odeurs et les bruits de la promenade maritime. Elle aperçoit l'*Aurore*, en bas. La chaleur est épouvantable.

Elle aimerait se coucher et pleurer, mais elle ne veut pas se donner en spectacle. On la traiterait d'enfant : comment exiger que le rajah fasse lui-même deux mille kilomètres pour la recevoir ? Malgré tout, elle est déçue. Donc, il vaut mieux sortir et découvrir son nouveau pays. « Ça va peut-être me faire passer ce mal au cœur qui me donne l'impression d'être ivre. » Au fond, il y a des semaines qu'elle rêve de cet instant : « Je veux tout voir et tout explorer ! » annonce-t-elle à Mme Dijon. Puis elle s'approche de sa femme de chambre.

– Lola, il vaut mieux que tu restes là. Je ne veux pas que les odeurs te donnent des nausées, comme à Alexandrie.

# 3

Dans la rue, on respire un mélange de fruits blets, de boue et d'encens. Les vaches campent à leur gré, sans que personne ne s'en offusque, sauf Anita. Elle ne comprend pas pourquoi on ne les utilise pas pour tirer les rickshaws, ces petits chariots à deux roues qui servent à transporter les gens, au lieu de permettre que le fassent des hommes n'ayant que la peau sur les os et qui ont l'air plus morts que vifs. « Nous, nous aimerions bien les manger, avoue le chauffeur de la carriole à cheval, un musulman à barbiche appelé Firoz, vêtu d'une *kurta* tellement sale qu'il est impossible de deviner sa couleur d'origine. Mais pour les hindous, la vie d'une vache vaut plus que celle d'un homme… » La voiture croise des tramways à deux étages qui viennent d'être mis en service et qui parcourent les rues du centre, entre de grandes esplanades de pelouses et des bâtiments imposants, tous du même style victorien, presque gothique. « Ces tramways sont plus modernes que ceux de Liverpool », assure Firoz, fier de sa ville. Anita est émerveillée par la profusion de marchandises du Crawford Market, un vrai bazar oriental. « Les Anglais et les parsis viennent acheter ici, explique le musulman. Ce sont eux qui ont le plus d'argent. » On y trouve de tout : des caniches, du tabac turc, des fruits inconnus que des vendeurs, perchés sur leurs pyramides de légumes, donnent à goûter aux deux femmes. Les bas-reliefs qui décorent la structure métallique et la fontaine intérieure sont l'œuvre d'un artiste appelé Lockwood Kipling, dont le fils, Rudyard, vient de recevoir le prix Nobel de littérature. Anita se promène dans les bazars qui longent le Crawford Market, pleins d'échoppes qui offrent des céréales et du sucre du Bengale, des friandises du Cachemire, du tabac de Patna ou des fromages du Népal. Dans le bazar aux tissus, elle veut toucher toutes les différentes soies de l'Inde ; dans le marché aux voleurs, ses yeux s'égarent sur les bijoux et les objets les plus insolites. Il y a douze grands bazars sur une surface de deux kilomètres carrés, plus d'une centaine de temples et de sanctuaires et plus de marchandises en vente qu'Anita et Mme Dijon n'en ont jamais vues.

En dehors du centre colonial aux immeubles cossus et aux belles avenues, Bombay est un labyrinthe de ruelles où fourmillent des gens de toutes races et religions, une explosion de vie, un chaos comme seules les grandes métropoles d'Asie peuvent en générer. Anita et Mme Dijon sont obligées de s'arrêter souvent pour sécher leur transpiration et reprendre leur souffle. « Que cette ville est bruyante, pleine de toutes sortes d'Indiens à moitié nus ou habillés de façon étrange, et déchaussés ! » écrira plus tard Anita dans son journal[1]. Il lui semble qu'ils parlent tous à la fois dans des langues différentes. Dans le petit port des kolis, on vend aux enchères la pêche du matin. Les cris, l'odeur et l'ambiance lui rappellent la halle aux poissons de Málaga où elle a passé son enfance, dans un quartier pauvre appelé Perchel. Et les enfants aux jambes maigres

1. Les phrases de son journal sont extraites du livre d'Eliza Vázquez de Gey, *Anita Delgado* (Planeta, 1995).

comme des baguettes et aux yeux noirs de khôl lui font penser aux petits Andalous qui, eux aussi, courent tout nus dans les bidonvilles. Mais, ici, ils sont encore plus pauvres. On voit des enfants si malades qu'ils ont l'air de vieillards et d'autres dont le ventre est rempli de vers, et des mendiants affreusement mutilés que Firoz essaie d'éloigner. Anita évite de regarder un lépreux couvert de plaies qui s'approche d'elle, une écuelle à la main. Elle ne peut retenir un geste de dégoût quand elle se rend compte qu'au lieu de cheveux la tête du mendiant est couverte de mouches.

Si riche, si pauvre… les contrastes de Bombay étourdissent la jeune femme, mais elle veut quand même tout voir, comme si elle pouvait, dès son arrivée, comprendre la complexité de son nouveau pays. Firoz les emmène de l'autre côté de la baie et les conduit vers le sommet d'une colline surplombée de cinq tours. Les chevaux s'essoufflent. En haut, la vue est magnifique, l'endroit semble hors de ce monde. Le silence est interrompu constamment par le battement des ailes des vautours et les croassements de milliers de corbeaux. Ce sont les « tours du silence », où les membres de la communauté parsie célèbrent leurs rites funéraires. Cette religion, une des plus anciennes de l'humanité, regroupe les disciples de Zarathoustra, un prêtre persan qui composa des hymnes pour diffuser ses dialogues avec Dieu. Expulsés de Perse par les musulmans, les parsis trouvèrent refuge aux Indes. À Bombay, les Anglais mirent à leur disposition cette colline. Car leurs morts ne sont ni enterrés ni brûlés. Les cadavres sont posés sur des dalles en marbre en haut de ces cinq tours. Les vautours et les corbeaux se jettent dessus pour les dévorer ; de cette façon, la mort revient à la vie. Les seuls qui ont le droit de toucher les cadavres sont les « conducteurs des morts ». Vêtus d'un pagne autour de la taille et munis d'un bâton, ils jettent à la mer les os et les restes épargnés par les rapaces. C'est un lieu qui attire les étrangers. Mais Anita ne supporte pas le spectacle. L'air saturé d'odeurs, la chaleur, et la vue de ces hommes qui semblent être déjà dans l'autre monde, s'ajoutent au mal de terre. « Je vous en prie, sortez-moi d'ici », supplie-t-elle Mme Dijon.

Sur le chemin du retour, les bûchers funéraires sur les plages qui longent la baie éclairent le crépuscule et impressionnent Anita presque autant que les tours du silence. Elle n'est pas habituée à la présence si proche de la mort. Ivre de couleurs, d'odeurs et de sons, elle se sent défaillir. Ce qu'elle a vu aujourd'hui n'est ni une ville ni même un pays, c'est un autre monde. Un monde trop étrange et trop mystérieux pour une Andalouse à peine sortie de l'adolescence. Un monde qui lui fait peur. Elle a envie de sangloter, de se vider de toutes les larmes de son corps, mais elle se retient. Elle est fière, courageuse et fait des efforts pour dominer ses sentiments. « Comme l'Espagne est loin ! » se dit-elle.

Plus tard, à l'entrée du Sea Lounge, le restaurant de l'hôtel, vêtue d'une robe du soir, elle titube. Est-ce à cause de la chaleur, que les ventilateurs n'arrivent pas à dissiper, ou de la mélodie familière que joue l'orchestre et qui lui rappelle terriblement sa vie d'avant ? Cette fois, ses efforts pour se contrôler ne lui servent à rien. Après quelques pas hésitants, elle s'écroule sur l'épais tapis persan, ce qui provoque un léger bouleversement parmi ses dames de compagnie, les autres clients et les serveurs qui se bousculent autour de cette beauté marmoréenne évanouie.

# 4

Le Dr Willoughby caresse lentement ses favoris grisonnants et sa moustache. Établi à Bombay depuis sa retraite de l'armée, il est devenu le médecin des clients de l'hôtel. En général, ses consultations ont à voir avec des cas de dysenteries, de coliques et de diarrhées monstrueuses attrapées avec une stupéfiante facilité par les Blancs qui viennent de débarquer. Quelquefois, il s'agit d'un suicide ou de blessures dues aux raclées d'un amant ivre et jaloux. Rarement il a eu à faire un diagnostic comme celui qu'il s'apprête à rapporter à Ana Delgado Briones.

– Ce qui vous a épuisée, madame, n'est ni la chaleur ni la fatigue de la traversée…

Remise de son malaise, Anita l'écoute, allongée sur son lit en robe de chambre. Lola et Mme Dijon sont auprès d'elle.

– Vous êtes enceinte, affirme clairement le Dr Willoughby.

Anita écarquille les yeux. Les deux autres échangent des regards de surprise et la contemplent, hésitant à lui faire des reproches ou à la consoler.

– Vous ne le saviez pas ? demande le médecin en l'observant du coin de l'œil, sceptique.

– Non, je le jure sur mes morts, je ne le savais pas.

– Mais vous n'avez pas remarqué l'absence de vos règles ?

Anita hausse les épaules.

– J'ai cru que c'était à cause de l'énervement du voyage. D'ailleurs, cela ne fait que deux mois sans règles… Vous êtes sûr de ce que vous me dites, docteur ?

Le médecin remet son stéthoscope et ses gants dans la mallette.

– Il n'y a aucun doute, dit-il avant de prendre congé.

Anita comprend maintenant les causes de sa nausée permanente sur le bateau, les écœurements inexplicables qui ne l'abandonnaient jamais, même par mer calme. Elle n'a pas voulu voir qu'elle était enceinte. Probablement le savait-elle au fond de son cœur, mais elle a préféré l'ignorer. Avec son voyage, son mariage en Inde et sa nouvelle vie, elle avait suffisamment de quoi penser. Elle n'a pas réfléchi aux conséquences de sa première nuit d'amour avec le rajah, à Paris. À présent, elle ne se souvient plus de la honte ni de la peur qu'elle a ressenties tandis qu'il la déshabillait lentement ; elle ne repense pas non plus aux caresses expertes, aux baisers excitants, aux mots chuchotés, à la douleur et au plaisir de l'amour. Non, elle n'a plus en tête que son père, la personne qu'elle aime le plus, et qu'elle a trahie. Si don Ángel savait que sa fille était déjà enceinte avant son mariage à Paris, lui qui s'est tant efforcé de préserver l'honneur de la famille…

« Sans mariage, pas d'Anita ! » avait-il affirmé catégoriquement au capitaine Inder Singh, au cours d'une autre visite éclair dans le petit appartement de la rue Arco de Santa María, afin que l'homme transmette de façon claire et simple le message au rajah. Il le lui avait dit pour faire plaisir à sa femme, doña Candelaria, mais au fond il était convaincu que cette histoire n'était que le caprice d'un despote oriental qui resterait sans suite. Don Ángel Delgado de los Cobos ne croit pas aux miracles. Chauve, le visage sec, portant de grosses lunettes à monture noire, il a lutté toute sa vie contre un ennemi invisible qui gagne toujours la partie : la pauvreté. De ses ancêtres il a hérité de grosses dettes ainsi que d'un petit bistrot appelé La Castaña, place du Siècle, à Málaga. Pendant un certain temps, il a gagné un peu d'argent avec la salle du fond, où les habitués jouent aux cartes. Cela permettait aux Delgado de boucler les fins de mois, sans luxe ni privations. L'affaire marchait même suffisamment pour permettre d'envoyer Anita dans une école de déclamation où on lui corrigea un petit défaut de prononciation. Don Ángel travaillait d'arrache-pied pour que son café soit plus rentable, ne serait-ce que pour donner à ses filles une meilleure éducation. Celle qu'elles recevaient au collège des Esclaves, où les sœurs préféraient leur apprendre à broder, laissait beaucoup à désirer. Aucune des deux filles ne savait bien lire et toutes deux avaient du mal à écrire. Dans l'ensemble, ils menaient une vie précaire mais digne. Avant que la fatalité ne s'abatte sur l'Andalousie.

D'abord, quatre sécheresses consécutives ruinèrent l'agriculture de la région. Puis, en 1904, une plaie de phylloxéra mit fin aux vignobles. Une épidémie de grippe s'ensuivit, avant que de sévères inondations ne dévastent champs et maisons. La région fut déclarée zone sinistrée, et le jeune roi Alphonse XIII se sentit obligé d'aller à Málaga en signe de solidarité. Anita fut choisie parmi ses camarades du collège pour lui remettre un bouquet de fleurs à son arrivée au port. Endimanchée, les cheveux bien tressés, elle rencontra son premier roi. Quelques jours plus tard, il lui envoya un superbe éventail de nacre qu'Anita devait conserver comme une relique le restant de sa vie.

Si la visite du roi fut une petite consolation pour les habitants résignés de Málaga, elle ne leur évita pas la ruine pour autant. Peu après, la compagnie du gaz coupa la distribution, à cause des nombreux retards de paiement de la mairie. Les tramways électriques qui venaient de remplacer ceux à traction animale cessèrent donc de fonctionner. Les maires se succédèrent à une rapidité seulement comparable à la rotation des gouvernants de la nation. Reflétant fidèlement l'état de la ville et du pays, la situation économique des Delgado se détériora jusqu'à devenir insoutenable. Le « casino » du fond du bistrot était désert. Personne n'avait les moyens de jouer et encore moins de consommer. Ángel Delgado fut obligé de céder La Castaña pour quatorze mille réaux avant d'émigrer à Madrid avec sa femme et ses filles.

Étendue sur le lit de l'hôtel de Bombay, absorbée par la rotation ininterrompue des pales du ventilateur suspendu au plafond, Anita se rappelle ses premiers jours à Madrid, le froid de l'appartement de la rue Arco de Santa María, la tristesse de voir son père chercher sans arrêt du travail, les leçons de danse espagnole qu'une amie de la voisine leur avait obtenues gratuitement et qui étaient leur seule activité. Tous les jours elles allaient répéter les claquettes et les castagnettes en cachette de leur père, car elles savaient qu'il verrait d'un mauvais œil que ses filles entrent dans le milieu des artistes. Il rêvait toujours de gagner un jour suffisamment pour leur payer des études sérieuses. Mais le chemin vers la pauvreté semblait inéluctable, comme une malédiction à laquelle il est impossible d'échapper.

« Mes filles ne monteront jamais sur les planches ! » avait-il crié en apprenant que des individus qui travaillaient au Central Kursaal, un café-concert sur le point d'ouvrir, s'étaient rendus à l'académie de danse et avaient proposé aux jeunes filles un contrat pour danser en lever de rideau. Don Ángel avait laissé libre cours à sa furie d'hidalgo. Cependant, deux jours plus tard, il suivit les conseils pratiques de sa femme, Candelaria, qui lui rappela que les quatorze mille réaux étaient presque épuisés, et signa, à contrecœur, le contrat de ses rejetons « pour une seule représentation par soir et avant minuit » ! Grâce aux trente sous gagnés quotidiennement, Anita et Victoria devenaient soutien de famille. À l'époque, personne ne pouvait imaginer qu'elles le seraient toute leur vie.

Comment réagirait don Ángel s'il apprenait que la grossesse d'Anita était le fruit d'un rapport avant le mariage, elle préférait ne pas l'imaginer. Elle ne pouvait pas supporter l'idée de faire souffrir son père. L'homme était strict sur ses principes et il fallait le respecter. Elle aurait quand même voulu pouvoir se confier à sa mère. Doña Candelaria, orgueilleuse, bavarde et vive, les pieds sur terre, aurait poussé un cri au ciel, mais seulement pour sauver les apparences. Ensuite, elle l'aurait soutenue. Doña Candelaria savait résoudre les problèmes. C'était une femme à l'esprit pratique, lasse de lutter contre la misère.

# 5

La lune dessinée sur le ciel étoilé des tropiques éclaire d'une pâleur blafarde, à travers les fentes des persiennes, les tableaux, les meubles, les rideaux et les draps de la suite impériale. Anita n'arrive pas à s'endormir. Trop de souvenirs, trop de questions difficiles et trop d'images se mélangent dans sa tête. Si ses calculs sont exacts, elle accouchera dans six mois. Elle qui ne s'était jamais auparavant arrêtée à l'idée d'accoucher se sent prise de panique. Imaginer qu'elle se trouvera au fin fond des Indes, privée de ses proches, de sa mère et de sa sœur, fait battre à son cœur la chamade. Puis elle se calme, comme la houle pendant la traversée. Elle est encore presque une enfant. Et bien qu'elle soit sûre des sentiments du rajah, il lui reste quand même un doute. « Et s'il m'avait utilisée ?… Et s'il m'abandonne ?… Et si au fond il ne m'aime plus ?… Et s'il ne me laisse jamais quitter l'Inde ?… Et si ?… Et si ? » Elle n'est sûre que d'une chose, c'est de l'amour inconditionnel de son père, et, pourtant, elle l'a trahi. C'est pourquoi elle ne peut s'endormir.

La nuit accentue la peur. Elle craint que son existence, qui semble être un rêve depuis un an, ne devienne tout à coup un cauchemar. Pourra-t-elle s'habituer à vivre là-bas ? Si Bombay lui a semblé si bizarre et exotique, qu'en sera-t-il de Kapurthala, une ville qui ne figure même pas sur les cartes ? « M'arrive-t-il vraiment ce qui m'arrive ? » se demande-t-elle en séchant sa sueur et ses larmes avec le bord du drap. La frontière entre imaginaire et réalité est si ténue qu'elle en a le vertige. Car son histoire est un conte de fées. Comment s'accrocher au réel quand il se dérobe, s'échappe et que le rêve devient vrai ?

Madrid était en fête quand elle l'a aperçue pour la première fois. Depuis plusieurs mois, la ville préparait fiévreusement le mariage d'Alphonse XIII – son roi, celui de l'éventail de nacre – avec la princesse anglaise Victoria Eugenia de Battemberg. On ne parlait plus que des noces royales, ce qui était une façon de faire oublier au peuple les difficultés de la vie quotidienne. Le programme des réjouissances avant le mariage comprenait la représentation de l'opéra *Lucia di Lammermoor* au Théâtre royal, des kermesses et des danses populaires, des revues militaires, des concours d'orphéon, des batailles de fleurs au parc du Retiro, une excursion royale au palais d'Aranjuez et l'inauguration du quartier ouvrier María Victoria. Maître Breton, qui avait composé la *Verbena de la Paloma*, créa une marche nuptiale pour l'occasion. La maison Modèle, une boutique de la rue Carretas, présentait ce qu'il y avait de plus élégant en matière de chapeaux, costumes et corsets « importés de Paris pour les dames de la Cour et des Provinces qui viennent au mariage ».

De Paris arrivait également, le 28 mai 1906, le train des Princes, où voyageait une grande partie de la royauté européenne : Frederic Henri, prince de Russie ; Louis, prince héritier de Monaco ; Eugène, prince de Suède ; Louis Philippe, héritier du Portugal ; Thomas et Isabelle, ducs de Gênes et, représentant le roi d'Angleterre, George et Mary, les princes de Galles.

La chronique du journal *La Época* se terminait dans un enthousiasme débordant : « Laissez entrer l'Europe ! L'Europe est présente en Espagne pour assister au mariage d'Alphonse XIII. L'Espagne n'a pas disparu du monde ! L'Espagne vit ! »

L'arrivée du train fut un grand événement. Madrid voulait rêver. La famille Delgado se mélangea à la foule pour suivre le cortège de la gare du Nord au palais royal, où les illustres invités allaient présenter leurs respects au roi. La ville n'avait jamais reçu tant de célébrités. Le peuple était dans la rue pour se fondre à ces aristocrates opulents qui défilaient dans de somptueux carrosses. Anita et sa sœur Victoria se frayèrent une place dans la foule afin de contempler le spectacle au premier rang. Et quel spectacle ! Albert de Belgique, grand et distingué, fit son apparition dans une Hispano-Suiza décapotable avec une escorte impressionnante, suivi de François-Ferdinand, l'archiduc d'Autriche, vêtu d'un superbe uniforme militaire, debout dans un carrosse entouré de ses ducs et de ses comtes. Enfin, le cortège principal, celui des princes de Galles, qui accompagnait la fiancée affectueusement surnommée par les Madrilènes « la petite Anglaise ».

– Regarde, Victoria, regarde !

Ce qu'apercevait Anita défiait l'imagination. Debout dans un énorme carrosse blanc, un prince sorti d'un conte des *Mille et Une Nuits* posait sur la foule son regard majestueux. Il observait la ville et ses gens, saluait poliment d'un geste de la main en inclinant la tête. Coiffé d'un turban en mousseline blanche retenu par une broche en émeraudes et une aigrette en plumes, vêtu d'un uniforme bleu à ceinture d'argent, le plastron couvert de décorations et d'un collier de treize rangs de perles, Son Altesse Rajah Jagatjit Singh du Kapurthala incarnait parfaitement l'idée qu'on se faisait d'un monarque oriental. Ami des princes de Galles et d'Alphonse de Bourbon, dont il avait fait la connaissance à Biarritz, le rajah représentait à Madrid le Joyau de la Couronne, cet immense pays connu comme les Indes et qui se trouvait sous la tutelle et l'administration des Britanniques. Anita et sa sœur Victoria, stupéfaites devant cette apparition, se demandaient si c'était un roi maure ou cubain.

Ce soir-là, comme tous les soirs, les sœurs Delgado devaient danser en lever de rideau. Elles traversèrent la Puerta del Sol pour se rendre au Central Kursaal, un fronton où l'on jouait à la pelote basque pendant la journée et que les propriétaires transformaient le soir en café-concert. Ils changeaient un coin en scène, alignaient les fauteuils et improvisaient une salle de café. De l'autre côté, ils posaient des tables et des chaises et offraient un spectacle de variétés, dernière mode importée de Paris.

Anita et Victoria formaient un duo connu sous le nom de Camélias. Elles faisaient leur numéro de danse pour écourter l'attente due au changement de décor entre les représentations des vedettes. Au programme ce soir-là se trouvaient la Fornarina, Pastora Imperio, la Bella Chelito, l'Homme Oiseau et Mimi Fritz. À vingt-deux heures tapantes, les Camélias entraient en scène en portant une jupe courte évasée couleur feu et des bas assortis. Dès que la guitare jouait ses premiers accords, elles commençaient à danser des sévillanes, puis des séguedilles et des boléros. Elles n'étaient pas les meilleures danseuses d'Espagne, mais leur charme compensait leur manque de technique. C'était suffisant pour réussir comme artistes au Kursaal, qui ce soir affichait complet. Toutes les tables étaient occupées par un public bigarré : de nombreux étrangers liés aux maisons royales et invités au mariage, des politiciens, des journalistes et des correspondants et les bohémiens, fidèles de toujours : le peintre Romero de Torres, l'écrivain Valle-Inclán avec sa longue barbe, un journaliste connu sous le nom de Chevalier Audacieux, le peintre Ricardo Baroja, un jeune Catalan de bonne famille appelé Mateo Morral qui se disait chroniqueur et qui venait de se joindre aux réunions, bien qu'il ouvrît rarement la bouche, « sombre et silencieux » ainsi que le décrivait Baroja. Et, surtout, il y avait Anselmo Miguel Nieto, un jeune peintre originaire de Valladolid, grand et maigre, aux yeux noirs profonds, qui était venu à Madrid pour se lancer. Anselmo ne manquait aucune soirée au Kursaal car il était amoureux d'Anita. Avec l'excuse de lui faire un tableau, il s'était lié d'amitié avec elle et avait rencontré ses parents. Elle, incertaine de ses propres sentiments, se contentait de se laisser aimer.

Ce soir-là, on ne parlait que de la découverte – qui avait eu lieu le matin même sur l'écorce d'un arbre du parc du Retiro – d'une inscription taillée au canif qui avait perturbé tout Madrid, car elle apparaissait après que de nombreuses menaces de mort eurent été envoyées à différents ministères et jusqu'au palais royal. L'inscription disait : « Alphonse XIII sera exécuté le jour de ses noces – un Révolté ». Le groupe avait été profondément impressionné. « Quel homme épouvantable, et dans quel moment de solitude diabolique, avait bien pu graver cela ? » se demandait-on plus ou moins sérieusement. « Sourira-t-il d'une manière sardonique comme les méchants de Sherlock Holmes ? », personnage très en vogue à l'époque. « Portera-t-il une barbe noire ? » « Ses yeux brilleront-ils ? »

– Que les rois s'enfuient et aillent se marier dans un pays inconnu, sur une île déserte, si possible ! clamait l'écrivain don Ramón.

Les habitués s'asseyaient toujours au même endroit, derrière la première loge, dans le couloir. Après chaque numéro, ils pouvaient bavarder avec les vedettes. Mais pas avec les sœurs Camélias, car leurs parents arrivaient pile à la fin de la représentation et les ramenaient tout de suite à la maison, « pour éviter qu'elles ne soient prises pour ce qu'elles ne sont pas », disait don Ángel. Mais la beauté, la jeunesse et la grâce andalouse des sœurs les rendaient très populaires parmi les habitués du Kursaal. Ricardo Baroja décrivait ainsi Anita : « Grande, brune, cheveux très noirs, de grands yeux languissants. Ses traits, pas encore tout à fait définis, promettaient qu'elle deviendrait un modèle classique de Vénus grecque. »

Assis à une table au bord de la scène, un étranger grand et distingué, entouré d'un groupe d'amis, semblait penser la même chose. L'homme n'arrivait pas à quitter du regard Anita et semblait sous le charme de la musique. Le son de la guitare lui rappelait celui du *sarangi*, un instrument très populaire dans son pays et les castagnettes celui de la *tabla*. Anita ne l'avait pas reconnu tout de suite, occupée comme elle l'était avec ses pas de danse. D'ailleurs l'homme portait un costume sombre en flanelle et une chemise blanche au col amidonné. Mais son regard perçant finit par attirer l'attention de la jeune fille. « Mon Dieu, le roi maure ! » se dit Anita, qui faillit en trébucher. C'était bien le rajah, souriant, envoûté par cette beauté qui lui rappelait les femmes de son pays. « C'est un bel Indien, écrira bientôt le Chevalier Audacieux. Son corps, très grand, est svelte, vigoureux et robuste. Son teint cuivré contraste avec la blancheur de ses dents. Il sourit avec douceur. Il a de grands yeux noirs et brillants et un regard perçant et autoritaire. »

Le numéro fini, don Ángel et doña Candelaria attendaient que leurs filles se changent derrière le rideau qui servait de loge quand ils virent approcher un petit homme très empressé qui parlait nerveusement :

– Bonsoir, je suis l'interprète du rajah, qui est assis là-bas. Je travaille à l'hôtel Paris à côté d'ici, où Son Altesse est descendue… Accepteriez-vous de venir prendre un verre de champagne à sa table ? Le rajah a été impressionné de voir danser vos filles et souhaiterait les inviter…

Don Ángel le regarda avec étonnement tandis que sa femme jouait l'indignée.

– Dites à Son Altesse que nous lui en sommes très reconnaissants, répondit don Ángel. Mais il est tard, presque minuit. Elles sont très jeunes, vous me comprenez, n'est-ce pas ?

Devant le visage furibond de madame, l'interprète préféra ne pas insister et retourna à la table du prince. « Que s'imagine cet Arabe à propos de mes filles ? Qu'elles sont des n'importe quoi ? » s'exclama doña Candelaria en quittant le café-concert avec elles.

Pendant son séjour à Madrid, le rajah vint tous les soirs voir danser Anita. Il devait être le seul client qui ne payait que pour les artistes de lever de rideau et non pour admirer les chanteuses célèbres annoncées sur l'affiche. Un soir, avant le numéro des filles et en l'absence de doña Candelaria, l'interprète s'approcha de la loge.

– Mademoiselle, j'ai quelque chose pour vous, de la part de Son Altesse…

L'homme remit à Anita une grosse enveloppe. Elle l'ouvrit et la trouva remplie d'argent. Elle leva son regard vers l'émissaire du prince.

– Voilà cinq mille pesetas, continua l'homme. Son Altesse souhaite que vous alliez à sa table, simplement pour y bavarder…

Le regard d'Anita montrait l'humiliation qu'elle ressentait. L'interprète lui fit signe de ne pas élever la voix. Mais c'était trop tard.

– Dites au Maure que je suis une fille pauvre, mais que j'ai mon honneur ! Pour qui se prend-il ? Comment peut-il penser que je peux me livrer pour de l'argent, même s'il en a beaucoup ? Dites-lui que c'est un cochon ! Qu'il ne s'approche pas de moi et qu'il me laisse tranquille !

Après la représentation, Anita éclata en sanglots « comme une idiote » et ce furent les habitués de toujours qui la consolèrent. Sa mère était arrivée et expliquait à Ricardo Baroja ce qui était arrivé.

– Il arrive que ce roi veut ma fille. Mais non, mon Dieu, c'est un mahométan !

– Mahométan ?

– Oui, de ceux qui ont un harem. Il l'emmènera et nous ne la reverrons plus…

Le lendemain matin, on sonna à la porte du petit appartement des Delgado. Anita alla ouvrir car sa mère et sa sœur étaient descendues au marché. Elle ne vit que des fleurs. Le bouquet était tellement grand qu'il en cachait le pauvre livreur. « Mon Dieu, où vais-je mettre tout ça ? » Une lettre du rajah venait avec les fleurs. Anita la parcourut lentement, d'abord parce qu'elle lisait mal, ensuite parce qu'elle avait très mal dormi et que ses yeux étaient gonflés. Le prince présentait ses excuses : « Je n'avais pas l'intention de vous blesser ni d'insinuer quoi que ce soit. Je vous prie d'accepter ces fleurs comme preuve de mon plus grand respect envers votre personne… » Anita s'assit à la table de la petite salle à manger et soupira. Puis elle tourna son regard vers les fleurs : c'étaient des camélias.

# 6

Pendant cette chaude nuit d'insomnie, Anita se souvient de cette autre nuit, il y a longtemps, où elle n'avait pas fermé l'œil non plus. Elle s'était sentie vexée, insultée au plus profond de son être par un individu qu'elle connaissait à peine. Cela avait été sa première expérience de femme dans la jungle des hommes. Elle-même était stupéfaite de sa réaction spontanée. Maintenant, vu de loin, cela lui semblait un enfantillage. Elle aurait dû en rire.

C'est la sensation d'avoir été arrachée à une vie toute tracée qui l'empêche de dormir. Elle avait un travail – modeste, certes –, un flirt avec Anselmo Miguel Nieto, qui lui avait même déclaré son amour, une sœur qu'elle adorait, des parents, des amies… tout un monde chaleureux, accueillant et tendre. Jusqu'à ce qu'un roi maure étincelant fasse irruption dans cette vie banale et heureuse, et la propulse dans un univers de luxe et d'exotisme inconnu.

Elle est suffisamment lucide pour comprendre qu'elle ne devrait pas se laisser aller à son vague à l'âme, mais, au fond de son cœur, elle a pitié d'elle-même. Elle a été faible quand elle aurait dû être forte. Elle est tombée dans ses bras – dans son lit – trop tôt. Elle n'a pas su y résister. Oui, c'est sa faute, une femme de son âge sait ce qu'elle doit faire ou, tout au moins, devrait le savoir. Mais lui, n'aurait-il pas dû attendre un peu plus…

Le croassement des corbeaux déchire l'air gonflé d'une brume tiède. Les effluves de la mer montent jusqu'à la suite. L'odeur est indéfinissable, un mélange de la fumée des petits réchauds où les pauvres font la cuisine dans la rue, d'humidité et d'une végétation inconnue. C'est l'odeur de l'Inde.

À présent, elle voudrait s'enfuir, prendre un bateau et rentrer en Europe. Faire marche arrière, rembobiner le film des deux dernières années, se retrouver auprès des siens, ressentir le froid de Madrid, l'odeur des cistes qui embaume la sierra au printemps, le craquement des churros tout chauds, écouter les rires et les potins des voisins, poser de nouveau pour Anselmo… Mon Dieu, où est passée sa vie ? Elle avait toujours cru qu'elle pourrait rebrousser chemin, arrêter le temps, faire son choix, dire oui, dire non, vivre plus ou moins à son gré. Mais, dans la chaleur de cette nuit d'angoisse, elle a compris que c'est impossible. Elle se sent traquée par le destin, loin de tout, seule. Elle a du mal à respirer. Sa vie n'est plus un jeu. Maintenant, c'est du sérieux.

L'idée qu'un prince indien veuille Anita pour lui était tellement insolite qu'elle enflamma la curiosité de bien des gens. Du coup, les Camélias se firent connaître. Pas pour leur talent, à leur grand regret. Parmi les amis bohémiens et intellectuels, la curiosité était énorme. Le rajah réussira-t-il à enlever notre Anita ? La question était sur toutes les lèvres, surtout lorsqu'ils regardaient sa loge et apercevaient sa mère en grande conversation avec l'Indien et son interprète. Les nouvelles qui filtraient de ces échanges étaient que le rajah souhaitait emmener Anita à Paris pour l'éduquer dans l'art de devenir l'épouse d'un roi, avant de l'épouser. Un véritable conte de fées. Trop beau pour être vrai. De son côté, Anita était flattée de l'attention qu'elle avait éveillée chez un tel personnage. Mais elle ne parvenait pas à le prendre au sérieux. « Tu es trop peu de chose pour que je devienne ta maîtresse… », lui chantait-elle tout en faisant signe à l'interprète de ne rien traduire.

Anita était trop jeune pour penser sérieusement à l'amour. Elle n'avait eu qu'une petite aventure avec Anselmo Nieto, âgé de vingt-trois ans, qui vivait à Madrid dans la bohème. Si elle se plaisait en sa compagnie, lui était de plus en plus amoureux d'elle, impuissant contre la concurrence qui le piégeait.

Plus Anita rejetait les avances du rajah, plus il s'acharnait à la conquérir. Il était fou d'elle. Il n'y avait qu'à le voir assis, absorbé par le spectacle des danseuses. Le contraste entre l'aspect doux et serein d'Anita quand elle était silencieuse, et son air farouche et sa façon boulevardière de s'exprimer, lui faisait tourner la tête. Il envoyait son interprète l'inviter à la fin de chaque séance. Quelquefois Anita acceptait et se présentait accompagnée de doña Candelaria. Les habitués apercevaient les gestes de refus de la mère. Le rajah se taisait, sans cesser de regarder la jeune fille. Un soir, dans la loge, il les invita à dîner après la représentation. Bien sûr, elle n'accepta pas.

– Et pour déjeuner ? Vous ne viendriez pas déjeuner avec Son Altesse ? demanda l'interprète.

Anita consulta du regard sa mère et sa sœur Victoria. Tout à coup, doña Candelaria fit oui de la tête et le rajah s'aperçut que la balance commençait à s'incliner de son côté.

– D'accord, si c'est pour déjeuner, oui… à condition que ma mère et ma sœur m'accompagnent…, répondit Anita.

Le déjeuner eut lieu dans la salle à manger de l'hôtel Paris et le rajah fut extrêmement aimable. Anita n'avait jamais mis les pieds dans un restaurant aussi chic. L'expérience lui plut, davantage par la décoration rococo et le service raffiné que par le déjeuner, car ce qu'elle préférait c'était le jambon, l'omelette aux pommes de terre et le poulet rôti. Tout le reste lui semblait insipide. La conversation tourna autour du mariage imminent du roi d'Espagne. Anita regardait *son* roi avec curiosité, en essayant de s'imaginer seule auprès de cet homme si proche et malgré tout si lointain. Il était calme, hautain sans être distant. Un parfait gentleman au teint sombre et aux très bonnes manières. Il parlait six langues, connaissait le monde entier, côtoyait les grands de la terre. « Comment cet homme peut-il tomber amoureux de moi ? » se demandait Anita, trop lucide pour y croire vraiment. L'interprète interrompit ses rêves :

– Son Altesse me dit que si vous désirez voir le cortège du mariage vous pouvez revenir ici demain. Lui ne sera pas là parce qu'il assistera à la cérémonie religieuse. Depuis les balcons de ses appartements vous pourrez tout voir merveilleusement bien.

À l'heure du café et après le départ d'Anita et de sa sœur qui s'étaient rendues à leur leçon de danse, le rajah invita l'interprète et doña Candelaria à passer dans un petit salon, pour parler en privé. Les yeux de doña Candelaria se mirent à briller quand elle entendit parler de la dot généreuse que le rajah était prêt à leur remettre en échange de la main d'Anita. Une dot qui assurerait des jours paisibles à la famille Delgado *ad vitam aeternam.*

– Altesse, je ne peux pas marier ma fille pour qu'elle finisse dans un harem. Je ne le ferais pas pour tout l'or du monde…

– Elle ne vivra pas dans un harem, je vous l'assure. J'ai quatre épouses et quatre grands fils. Je me suis marié plusieurs fois, c'est la tradition dans mon pays, et je ne peux y renoncer. Je ne répudierai aucune de mes quatre femmes, mon devoir étant qu'il ne leur manque rien de leur vivant. En tant que souverain de mon peuple, je suis obligé de respecter la coutume. Mais en réalité je vis seul et si je veux épouser votre fille c'est pour partager ma vie avec elle. Elle habitera son propre palais, avec moi, à l'occidentale. Elle pourra revenir en Europe tant qu'elle le voudra. Je vous prie de bien vouloir me comprendre et de l'expliquer à Anita. Si elle accepte cette situation, sachez que je ferai tout mon possible pour la rendre heureuse.

Doña Candelaria quitta l'hôtel Paris, bouleversée. Ce rajah semblait sincère. Elle était pleine de doutes et se posait tellement de questions qu'elle se rendit au café de Levante : « Ce roi maure offre une telle somme d'argent pour mon Anita que c'en est une tentation, dit-elle à Valle-Inclán. Mais… et l'honneur ? » L'honneur, c'était la seule richesse des Delgado. « Anita doit se marier en Europe avant de partir en Inde », insista Valle-Inclán, qui avait passé un certain temps à enquêter sur le rajah. Le résultat de ses recherches révélait qu'il s'agissait d'un homme extrêmement riche, qui avait droit de vie et de mort sur ses sujets, dans un État au nord de l'Inde, et qui avait la réputation d'être juste, compatissant, cultivé et « occidentalisé ». « C'est une occasion qu'Anita ne doit pas manquer », martelait le grand écrivain.

Le lendemain, le 31 mai, Madrid s'éveilla en fête : des pétards, des fusées, des cloches qui carillonnaient, les rires, les cris… Il faisait un temps splendide et une température exquise. Des tapisseries aux écussons des rois et des bouquets de fleurs étaient accrochés aux fenêtres. En se dirigeant vers l'hôtel accompagnée de ses parents, Anita avait l'impression que tous les Madrilènes se connaissaient personnellement, tant le sentiment de participer ensemble à une cérémonie commune était intense.

Le rajah ne leur avait pas seulement cédé ses appartements, il avait aussi donné ordre de leur faire servir des gâteaux et du café au lait. « Le roi maure est vraiment un homme délicat », commenta doña Candelaria, un biscuit dans la bouche.

Du balcon de l'hôtel, Anita contemplait le cortège : des chevaux harnachés, des soldats en grand uniforme, des voitures décorées… La foule frémissait. Les gens se hissaient pour mieux y voir.

– Ils arrivent ! Ils arrivent !

Au son de la *Marcha Real*, le carrosse des jeunes mariés s'approchait de l'angle de l'hôtel Paris et de la Puerta del Sol. Le son des cloches se mélangeait aux applaudissements et aux vivats. Des femmes en mantille blanche acclamaient le couple royal depuis leurs balcons. Derrière les vitres du carrosse, le roi et la reine saluaient avec un sourire heureux. Ils étaient mari et femme. Une princesse étrangère était devenue, par amour, reine d'Espagne. « Pourrai-je devenir princesse sur un trône étranger ? » se demanda Anita. C'était la première fois que l'idée lui passait par la tête et elle s'en voulut. Mais elle aimait la ferveur de la foule, de ce peuple qui proclamait sa foi et son amour pour une princesse qu'il connaissait à peine. « Comme c'est beau de se sentir aimée par tant de monde ! » pensait la jeune fille qui donnait maintenant libre cours à ses rêves. Quand le cortège passa dans la Calle Mayor, Anita rentra dans la suite, les yeux fatigués par tant de soleil. À l'intérieur régnaient le calme et l'opulence. Son image se reflétait sur les meubles brillants comme un miroir. Les tapis étaient moelleux ; le bar recelait toutes sortes de boissons ; la salle de bains aux étagères couvertes de flacons d'eau de Cologne et de lotions était la plus étonnante qu'elle ait jamais vue. Elle était séduite par tout ce qui se trouvait dans les pièces de l'hôtel. C'était son premier contact avec le luxe.

Il fut bref. Un immense fracas fit trembler les vitres. « Ah, mon Dieu ! » cria doña Candelaria. Quand Anita ressortit sur le balcon, elle vit des gens courir dans tous les sens. Une foule revenait de la Calle Mayor. Les gens se bousculaient, affolés. Là où, quelques secondes plus tôt, régnaient la joie et la fête, il n'y avait plus que terreur et chaos. Un cri leur parvint : « On a jeté une bombe sur les rois ! »

Cela s'était passé à la hauteur du numéro 88 de la Calle Mayor, tout près du palais royal. D'un balcon, quelqu'un avait jeté un bouquet de fleurs sur le carrosse royal. Un bouquet qui cachait une bombe. Toutes les vitres des immeubles voisins avaient éclaté. Par terre, au milieu des chevaux blessés qui piétinaient rageusement, gisaient vingt-trois morts ; la plupart étaient des militaires mais il y avait six civils, dont la marquise de Tolosa. Parmi la centaine de blessés, une vingtaine de gardes royaux et de palefreniers perdirent la vue. Un câble électrique, presque invisible, avait sauvé la vie des rois. En tombant, le bouquet l'avait heurté et avait ainsi changé de trajectoire. Les journaux du lendemain décrivaient la conduite héroïque du monarque, qui ne s'était pas affolé et qui avait aidé sa femme, livide, et dont la robe était ensanglantée, à changer tout de suite de voiture.

Quelques jours plus tard, les mêmes journaux publièrent une photo de l'auteur de l'attentat. Il s'était suicidé après avoir tué un policier qui allait l'arrêter, en dehors de Madrid. Valle-Inclán et Baroja reconnurent tout de suite le cadavre de Mateo Morral, le Catalan taciturne qui s'était joint récemment à leur groupe. Ils étaient tous ensemble la veille à la buvette de Candelas. Morral s'y était disputé avec le peintre Leandro Oroz : « Allez donc… ces anarchistes ! Dès qu'ils ont vingt-cinq pesetas en poche, ils ne le sont plus ! » avait dit Oroz. Furibond, l'homme qui ne parlait presque jamais lui avait répondu : « Eh bien, sachez que, moi, j'ai plus de vingt-cinq pesetas et que je suis anarchiste. » Dans la presse, on apprit qu'il était le fils d'un entrepreneur textile et que celui-ci l'avait empêché de mettre les pieds dans l'usine familiale car il incitait les ouvriers à se révolter contre son propre père. Valle-Inclán et Baroja étaient tellement bouleversés par cet événement qu'ils voulurent voir le cadavre de Mateo Morral. On leur interdit l'entrée de l'hôpital, mais Baroja réussit quand même à y pénétrer et peignit une eau-forte de l'anarchiste. Le soir, au Kursaal, il montra son dessin à Anita.

– Mon Dieu ! dit-elle, les yeux écarquillés, l'air affolée.

Elle se souvenait parfaitement de lui, assis dans un coin et regardant le spectacle d'un air songeur. Ce client, l'ami de ses amis, avait transformé en boucherie un jour de joie. Toutes les festivités furent annulées. Son prince oriental partit ce soir-là, le rêve était fini. L'attentat replongea les Madrilènes dans la morosité de leur vie quotidienne.

# 7

« *Morning tea !* » À six heures du matin, un valet de chambre ouvre la porte de la suite et dépose sur une petite table un plateau avec des tasses et une théière. Anita croit que c'est le petit déjeuner, mais Mme Dijon, à peine réveillée, lui explique que c'est une habitude britannique bien enracinée en Inde. D'abord le thé du matin, puis, plus tard, un petit déjeuner copieux au restaurant.

Le thé ! La première fois qu'Anita y a goûté, elle a trouvé que c'était une boisson horrible et a failli tout recracher : « Ça a un goût de cendre ! » s'est-elle exclamée. La scène se passait à Paris, dans l'appartement du rajah, pendant son apprentissage. Maintenant elle sait l'apprécier, avec un nuage de lait et un sucre, comme une jeune fille de bonne famille. Le thé la calme, la réconforte et l'aide à mettre de l'ordre dans ses pensées. Comment a-t-elle pu tant douter des sentiments du prince pendant sa nuit d'insomnie, se demande-t-elle maintenant. Comment a-t-elle osé penser qu'il a profité d'elle, quand il lui a donné tant de preuves de son amour ? Sa seule présence dans cet hôtel, qui est un véritable palais n'en est-elle pas une ? Anita regarde le soleil se lever sur la mer d'Arabie. La lumière douce et orangée baigne les bateaux de la rade, les voiles des embarcations des kolis et les immeubles qui bordent la promenade maritime. Une brise légère accompagne les premiers rayons de soleil qui inondent la suite impériale. Tout a l'air plus facile en plein jour. Comme si les monstres de la nuit s'évanouissaient avec l'aube. Même la chaleur est moins accablante. Les cauchemars se dissipent comme les ombres sur les murs. « Je vais être mère et… reine ! » se dit maintenant Anita, bercée par le va-et-vient qui la porte du désespoir à l'euphorie.

Elle qui pensait ne plus entendre parler de son prince oriental après l'attentat terroriste se trouve pourtant dans son pays à lui, dans son univers, entre ses mains. Et avec son enfant dans les entrailles.

Après l'attentat, quand le rajah et les autres membres des délégations étrangères quittèrent Madrid, Anita pensa que l'histoire s'arrêterait là. Mais Son Altesse Jagatjit Singh du Kapurthala ne pouvait plus vivre sans la danseuse du Kursaal. Il ne pouvait exister sans elle. Toutes les tentatives rationnelles pour expliquer ses sentiments s'écrasaient contre la fougue de sa passion. Le mystère insondable de l'amour avait réussi l'impossible : un prince indien, francophile, très riche et beau, était tombé amoureux d'une Espagnole sans caste ni lignée, de dix-huit ans sa cadette et qui savait à peine lire et écrire. Les quelques mots qu'ils avaient échangés l'avaient été à travers un interprète. Ils ne pouvaient pas se comprendre, mais l'amour parle toutes les langues. Et le fait de ne pas s'entendre avait probablement exacerbé la passion du prince, en ajoutant du mystère et en excitant son désir.

Quelques jours après son départ, la sonnette retentit dans le petit appartement des Delgado. En ouvrant la porte, Anita vit le capitaine Inder Singh, vêtu de son uniforme bleu et argent, coiffé d'un turban jaune. Il était superbe et ressemblait davantage à un prince qu'à un serviteur. Quel contraste entre son aspect formidable et la robe élimée de la jeune fille, ses cheveux décoiffés et cette cuisine minuscule. Le capitaine apportait une lettre dans laquelle le rajah faisait une véritable demande en mariage. Il y précisait la quantité de la dot qu'il était prêt à offrir : cent mille francs. Une fortune. Si elle l'acceptait, le capitaine Singh la conduirait à Paris pour organiser le mariage. « J'ai refusé une fois de plus ses prétentions parce que cela revenait pour moi à vendre ma personne », raconterait plus tard Anita. Pourtant, à compter de ce jour, sa vie ne fut plus jamais la même. La quantité astronomique proposée par le roi maure, sa persévérance et ses lettres d'amour apportées régulièrement par le facteur enflammèrent davantage encore les habitués du Kursaal. « Il est très amoureux », commentait Romero de Torres. « Et pour Anita, c'est la chance de sa vie. Ce serait dommage de la laisser passer… L'ambiance du café-théâtre finira par la perdre. » À une table du Kursaal, les bohémiens montèrent une conspiration pour faciliter leur union. Le seul qui n'était pas d'accord était Anselmo Nieto, mais que pouvait-il face à l'enthousiasme des autres ? Et qu'avait-il à offrir, lui, un jeune peintre sans fortune ni renommée, à la belle Anita, convoitée par un maharajah ? Son amour inconditionnel, c'est-à-dire bien peu de chose à faire peser dans la balance.

Les habitués croyaient en la sincérité du prince indien. L'écrivain Valle-Inclán se permettait de rêver à voix haute : « Nous marions une Espagnole à un rajah indien, ils partent aux Indes ; là-bas, sur les instances d'Anita, le rajah organise un soulèvement contre les Anglais, libère les Indes et nous venge ainsi de l'Angleterre qui nous a volé Gibraltar. » Et il terminait d'un air goguenard : « Le mariage d'Anita est donc une question de patriotisme. »

Don Ángel, le père, fut le plus dur à convaincre. Mais, face à l'opulence du prince, il ne voyait pas comment gagner la bataille, surtout quand sa femme et tous ceux qui l'entouraient avaient déjà pris parti. Doña Candelaria prétendait qu'elle était comme toutes les mères, son seul désir étant de bien marier ses filles. N'était-ce pas un mariage parfait ? Il est vrai que la petite était très jeune, le prétendant très étranger et un peu vieux, mais il avait une bonne réputation. C'était un meilleur parti que ce peintre qui lui tournait autour comme un bourdon.

– Tu préfères que ta fille finisse avec ce pauvre type ? Ceux du café ont raison, l'ambiance de la troupe va finir par la gâcher…

– Il n'est pas si fauché qu'il en a l'air. Ses parents ont une pâtisserie à Valladolid.

– Une pâtisserie ! s'écriait doña Candelaria avec dédain, en haussant les épaules, comme si elle avait entendu la chose la plus stupide qui fût.

Doña Candelaria expliqua une fois pour toutes son point de vue à son mari : « Est-ce que tu comprends ce que signifie cette dot ? » Cela voulait dire ne plus jamais être pauvre. Avoir un appartement à soi et du service. Et même une voiture à cheval. Manger tous les jours de la viande, aller au théâtre, voyager à Málaga, dîner au restaurant, devenir membre d'un casino, consulter les meilleurs médecins en cas de besoin… Dieu nous en garde ! Cela voulait dire vivre à l'aise, comme le méritait un Delgado de los Cobos.

Le brave don Ángel était dépassé par les événements. Au Kursaal, devenu quartier général et bureau diplomatique, les amis essayèrent de dissiper ses craintes. On lui expliqua qu'Anita devrait garder sa religion, ne jamais se convertir et faire un mariage civil en Europe. C'était ainsi la seule façon d'assurer son indépendance.

Elle pourrait toujours revenir si sa vie avec le rajah devenait difficile, ce qu'aucun d'entre eux ne pouvait imaginer.

Doña Candelaria se chargea de convaincre Anita, pour qu'elle réponde au rajah avec précision. Une lettre où elle se montrerait disposée à venir à Paris, toujours accompagnée de sa famille. Elle ne mentionnait ni le mariage ni les fiançailles, car Anita n'y était pas préparée mentalement, pourtant elle laissait la porte ouverte aux aspirations du rajah. Mais Anita savait à peine écrire et doña Candelaria était analphabète, comme la plupart des Espagnoles de son époque. La lettre commençait ainsi : « Mon cher Roi. Je serais heureuse si vous allez bien, avec la bonne santé que je vous souhaite. La mienne est bonne, Dieu merci… » Anita remit la lettre au peintre Leandro Oroz, qui se précipita au café de Levante pour la montrer à ses amis écrivains. « Cette lettre ne peut pas être envoyée ainsi. Cela va tout gâcher ! » dit Valle-Inclán très sérieusement, en ajoutant : « Nous allons lui envoyer une lettre bien écrite, pour que le rajah sache à quoi s'en tenir. » Une fois la missive terminée, le peintre Leandro Oroz, qui était à moitié français, la traduisit, en signant lui-même : « Anita Delgado, la Camélia ». La lettre, qui se lisait comme un morceau choisi d'une anthologie de poèmes d'amour, avait aussi un côté pratique qui ne laissait rien au hasard. Anita était très sensible à la générosité du rajah, le remerciait profondément de la dot et acceptait de devenir sa femme et la reine de son peuple, à condition qu'il admette certaines exigences de sa part : qu'ils se marient en Europe en présence de ses parents, avant la cérémonie religieuse dans son pays lointain et fabuleux ; qu'elle voyage à Paris accompagnée de sa famille ; qu'elle y habite une maison qui ne soit pas la résidence du rajah jusqu'au mariage civil et qu'elle puisse compter sur la compagnie d'une servante espagnole. De cette façon, l'honneur restait sauf. « S'il avale tout cela, c'est qu'il l'aime vraiment », dirent-ils. Valle-Inclán voulait ajouter une condition : il demandait une décoration au rajah pour lui et ses cinq amis « parce que finalement nous sommes les artisans de son bonheur et de celui du peuple du Kapurthala ». Mais les autres s'y opposèrent, « pour que cette lettre ne soit pas considérée comme une plaisanterie ».

La lettre enflamma encore plus la passion du rajah. La profusion de détails ajoutés à la prose de Valle-Inclán la rendait si crédible que, si Anita l'avait su, elle aurait poussé les hauts cris.

Mais, comme dans un vrai complot, ils décidèrent de l'envoyer sans que la jeune fille la relise. Au café, chacun des cinq amis posa une pièce sur la table pour payer le timbre-poste. Le destin d'Ana Delgado était scellé.

# 8

Bombay, 30 novembre 1907.

Il est temps de poursuivre le voyage. L'après-midi, en prévision du départ des trains de nuit, un fouillis impressionnant de voitures, de tramways, de taxis, de cyclomoteurs, de rickshaws, de bicyclettes et de chevaux se bouscule aux environs de la grande gare de Churchgate, qui ressemble à une cathédrale gothique avec ses toits pointus. Ils avancent n'importe comment, au pas, dans un désordre et un fracas terrifiants. Ouvert par trois voitures chargées de tous les bagages, un convoi luxueux à l'insigne de l'hôtel se fraie un passage. Anita, Mme Dijon et Lola, habillées de robes longues, portant des ombrelles immaculées pour se protéger du soleil et conduites par Inder Singh, descendent et entrent en gare. Le contraste avec la foule qui les entoure est surprenant. Étourdies par le spectacle, elles s'arrêtent un instant, sans pouvoir faire un pas, prisonnières d'une foule qui va et vient dans tous les sens, de coolies qui portent des paquets et des valises sur la tête, de vendeurs de mangues, de sandales, de peignes, de ciseaux, de sacs, de châles, de saris… Les cireurs proposent leurs services, ainsi que les nettoyeurs d'oreilles, les cordonniers, les scribes, les astrologues et les porteurs d'eau qui vendent séparément aux musulmans et aux hindous : *Hindi pani ! Musulman pani !* Un ascète itinérant, un *sadhu* presque nu et à la peau couverte de cendre, s'approche de Lola en faisant tinter son écuelle. Il lui demande une pièce en échange de gouttes d'eau sacrée du Gange qu'il se propose de verser dans la bouche de l'Andalouse. « Ah ! quelle horreur ! » s'écrie-t-elle en s'éloignant brusquement. La jeune femme de chambre de Málaga n'est pas de bonne humeur ; au contraire, elle est affolée, comme si elle marchait sur un champ de mines.

Il y a tant de monde qu'il semble à Anita que tout Bombay part en voyage. Elles ont du mal à parvenir jusqu'à leur train et elles évitent comme elles peuvent de piétiner les mendiants qui dorment recroquevillés et enveloppés dans un morceau de tissu ou les familles qui campent dans la gare parmi leurs balluchons et leurs réchauds, attendant souvent plusieurs jours un train ou bien un travail qui leur permette de gagner de quoi payer leur place.

Les wagons sont bondés. Les gens s'agrippent désespérément aux fenêtres et aux portes pour ne pas rester à terre. Ils emportent même des poules et des chèvres dans leurs bras. Les hommes grimpent aux couchettes supérieures et s'efforcent de trouver un endroit pour s'asseoir, formant de gigantesques grappes humaines. Les cris sont assourdissants, mais il n'y a pas d'animosité, seulement de la cohue et de la joie.

Les Blancs voyagent dans des wagons aussi confortables que ceux des grands express européens ; de l'intérieur, on entend à peine le brouhaha qui règne de l'autre côté des stores vénitiens.

Puis il y a les wagons des rajahs, le comble du luxe, réservés seulement à leurs propriétaires. Le train spécial du Kapurthala, peint en bleu et portant l'écusson du règne, attend sur une voie pour prendre ses passagers. Le wagon est entièrement à la disposition des trois femmes, avec de grands lits, des salles de bains et une douche, ainsi qu'un petit salon qui sert de salle à manger. Les murs sont en acajou, les lampes en bronze, la vaisselle en porcelaine anglaise, et l'ensemble est tapissé de velours bleu et argent. Il est accroché à un wagon-cuisine où voyagent les serveurs puis à une autre voiture qui contient les bagages et où loge Inder Singh. L'habitude des maisons royales est de disposer d'autant de voitures que de passagers importants. Dès son entrée, Anita est ébahie : son wagon est entièrement décoré de camélias blancs apportés du Cachemire. Mais elle n'a pas le temps de s'extasier. Quatre serviteurs se jettent à ses pieds, les touchant d'une main qu'ils portent ensuite à leur front. Anita n'a pas l'habitude d'être saluée d'une façon si servile, elle ne sait comment réagir. Elle s'accroupit et essaie de les relever, mais ils la regardent sans comprendre. « Vous devez vous y habituer, Ana, lui dit Mme Dijon. C'est le salut réservé aux gens importants. »

– Bien sûr, bien sûr, répond Anita nerveusement, comme si elle avait oublié son rang.

Le rajah n'a rien laissé au hasard. La cuisine est française, arrosée d'eau d'Évian pour combattre la soif et lutter contre la poussière envahissante. Dès le départ de Bombay, le train traverse un paysage de champs asséchés, parsemés de buissons et de quelques arbres, de cases en terre et de paysans qui font avancer leurs buffles dans des nuages de poussière ocre… Le soleil est un disque de feu qui éclaire les champs d'une lumière dorée avant de disparaître. Les Indiens l'appellent Surya et le vénèrent comme un Dieu. « Quand le train est parti, ma seule inquiétude était les quarante-huit heures qui me séparaient encore de Kapurthala. J'étais impatiente de retrouver le prince. Le geste des camélias m'avait bouleversée », écrira Anita dans son journal. L'imminence de l'arrivée, les nausées presque constantes, les cris qui retentissent dans les gares où s'arrête le train la nuit, les secousses..., tout l'empêche de dormir.

Comme ce voyage est différent de celui qu'elle a fait l'année dernière, en train aussi. Ce convoi-là traversait une autre étendue désertique, celle de la Castille, entre Madrid et Paris, après que le rajah eut accepté les conditions de la fameuse lettre. Le capitaine Inder Singh était revenu à Madrid muni d'un chéquier « gros comme un dictionnaire » pour payer les frais de déplacement. C'était plutôt un emménagement de toute la famille à Paris qu'un simple voyage.

« J'avais l'impression qu'on m'emmenait à l'abattoir », avouerait Anita à sa sœur Victoria. Ce qui avait commencé comme un jeu était si vite devenu sérieux qu'elle se sentait dépassée par les événements. Ils avaient tous joué avec le feu, mais elle serait seule à sentir la brûlure. Les autres s'étaient amusés, ils y avaient gagné. Mais qui savait comment cela se terminerait pour elle, se demandait-elle tandis que le train avançait sous un soleil pâle d'hiver, dans un paysage aux sommets enneigés et aux vallées sombres traversées de lambeaux de brume. Elle ne se voyait toujours pas dans les bras de ce roi indien qui l'avait achetée. Oui, achetée, même si ses parents s'acharnaient à déguiser les apparences.

– Ne t'en fais pas, si ça ne va pas, on revient en Espagne et plus de problème, lui disait sa mère, qui voyait son angoisse.

La compagnie de sa famille était une consolation. La sensation de se sentir protégée face aux imprévus de cette aventure la réconfortait. Mais il arriverait un moment où elle – et elle seule – se retrouverait face au rajah. Comment devrait-elle se tenir devant lui ? Lui donnerait-elle la main, lui ferait-elle une révérence, ou l'embrasserait-elle ? Et lui, la prendrait-il par le bras comme s'ils étaient fiancés depuis toujours ? Plus elle se donnait du mal pour s'imaginer avec le rajah, moins elle y parvenait.

« En France, le temps devint pluvieux et brumeux, écrivit-elle dans son journal. Le pays semblait être un beau jardin. Mais il faisait nuit et il continuait à pleuvoir. J'éprouvais une grande tristesse… »

La veille de son départ elle avait accepté de poser pour Anselmo Nieto, le seul de ses amis opposé au rajah. L'avait-elle fait par dépit de se sentir vendue ? Elle avait passé l'après-midi avec lui, dans son petit studio de la Plaza Mayor. Bien qu'elle ait refusé pour la énième fois ses avances, elle avait accepté, ce jour-là, de poser nue pour lui. Peut-être pour s'assurer l'amour du peintre, comme un naufragé s'agrippe à une bouée de sauvetage. Peut-être pour se révolter contre le destin qui l'emportait vers l'inconnu. « Reste ici, je t'en supplie. Ne participe pas à cette farce », la supplia-t-il en la quittant le soir devant sa porte. Elle lui répondit par un baiser, en serrant ses lèvres contre sa bouche. C'était la première fois qu'elle embrassait un homme et elle en ressentit un frisson dans le dos. Avant d'ouvrir la porte, elle se retourna pour le regarder une dernière fois. Avec son costume râpé, sa barbe clairsemée et son air de toutou abandonné, Anselmo Nieto faisait pitié. « Je ne peux pas faire marche arrière, lui souffla-t-elle, pensant à sa famille. Il s'agit aussi d'eux… » Les dés étaient jetés.

Le froid la réveille. Elle ne sait plus dans quel train elle voyage, ni dans quel pays elle se trouve. Tout se confond dans son esprit. Elle s'assied sur le lit et passe une robe de chambre. Hier c'était la poussière, ce matin c'est le froid qui pénètre entre les lattes des stores. Ils sont en train de traverser les plaines de la vallée du

Gange, balayées par des brises qui viennent des lointains plateaux de l'Himalaya. Le paysage a complètement changé ; on y voit des champs verts parsemés des fleurs jaunes de colza et des paysans qui retiennent leurs buffles pour voir passer le convoi. Ici, ce n'est pas la France, si grise en hiver ; c'est l'Inde lumineuse. Mais il y fait presque aussi froid. Quel dommage qu'elle n'ait pas de journaux à poser sous ses vêtements, directement sur la peau, comme pendant le voyage à Paris ! Cette astuce infaillible pour se protéger du froid est un des mille trucs de sa mère.

Ce voyage pour retrouver son roi indien est interminable et Anita revient toujours à la même question : cette fois-ci, viendra-t-il m'attendre en personne à la gare ? Ou bien m'enverra-t-il chercher, comme d'habitude ?

Avant-hier, il ne se trouvait pas au port de Bombay, ni l'année dernière à la gare du quai d'Orsay, quand elle débarqua à Paris avec ses parents. À sa place, il avait envoyé un chauffeur au volant d'une De Dion-Bouton, une automobile magnifique, pour transporter toute la famille. Une autre convoyait leurs bagages. Ils longèrent la berge sud de la Seine, puis traversèrent le pont Alexandre-III et la place de la Concorde… Malgré le crachin qui tombait, la promenade était magnifique, et Anita aurait bien voulu découvrir ainsi la ville entière, comme une simple touriste fortunée. Mais ils n'étaient pas des touristes, seulement des étrangers venus remplir une mission incertaine et troublante. Sous l'apparence d'une famille unie, ils n'avaient jamais été si proches de la séparation et si, ce jour-là, ils se sentaient tristes, c'est parce qu'ils en avaient l'intuition.

Paris leur sembla beaucoup plus grand que Madrid. Plus vaste, plus riche et plus luxueux, mais aussi plus cafardeux. Les gens marchaient vite, les yeux rivés au sol. La proportion de passants distingués et d'automobiles était beaucoup plus grande qu'à Madrid. Le chauffeur s'arrêta rue de Rivoli, à la hauteur de l'hôtel St. James & Albany, pas loin de la place Vendôme et de ses fameuses bijouteries, comme Chaumet ou Cartier, dont le rajah était un client assidu. Dans le hall de l'hôtel, ils avaient l'air d'une famille de migrants à la recherche de travail plutôt que des invités d'un roi. Dans l'ascenseur, ils échangèrent des regards inquiets car c'était la première fois qu'ils essayaient une telle invention. L'habileté avec laquelle le liftier, en uniforme blanc, tripotait les commandes en bronze les rassura, mais, chaque fois que l'ascenseur sautillait en changeant d'étage, les jeunes filles poussaient un cri et les parents s'appuyaient timidement aux murs, comme si cela pouvait les sauver en cas d'accident. Arrivés au troisième, ils soufflèrent de soulagement : enfin, la terre ferme. Le rajah leur avait réservé un appartement très lumineux qui donnait sur les jardins des Tuileries. Une cheminée en marbre rose occupait un des murs du salon décoré de meubles Louis XV. Au milieu, sur une table, un copieux goûter les attendait. Rien ne manquait, tout évoquait le conte de fées. Doña Candelaria contemplait chaque détail avec plaisir, comme si elle voulait s'imprégner pour toujours de cette ambiance confortable et opulente, et elle écoutait avec ravissement couler l'eau chaude dans la baignoire que les petites préparaient. En se déshabillant et après avoir enlevé les journaux collés à leur peau, les filles s'aperçurent que la rubrique des spectacles de Madrid s'était imprimée sur leur dos. Elles n'arrivaient pas à la lire car les lettres étaient à l'envers, mais elles purent deviner une des phrases qui disait : « Ce soir il n'y a pas de représentation au Cervantes. » Elles éclatèrent de rire.

Le rajah ne se présenta que le lendemain. Il agissait ainsi par déférence, pour permettre à la famille de se reposer, mais Anita n'arrivait pas à le comprendre. « S'il est tellement amoureux de moi, qu'attend-il pour arriver ? » se demandait-elle en se rongeant les ongles. Sa sœur la faisait marcher et lui répétait sans cesse : « Le prince est là ! » Anita, rougissante et palpitante, sautait sur ses pieds, courait s'arranger dans la salle de bains, et Victoria riait.

– Le prince arrive ! s'écria de nouveau Victoria vers midi, en montrant la porte.

– Arrête, ce n'est pas drôle…

Anita n'avait pas fini sa phrase qu'elle se trouvait face au rajah. Cette fois c'était vrai : il était là, imposant, bien habillé. La chaîne de sa montre-bracelet pendait de la poche de son pantalon. Il enleva son turban comme si c'était un chapeau et le posa sur une chaise.

– J'espère que vous vous êtes tous bien reposés. Anita, je suis très content de te voir, dit-il en espagnol avec un accent parfait, ce qui stupéfia la jeune fille.

Elle essaya de balbutier quelque chose, mais aucun son ne sortit de sa gorge. « Comment a-t-il pu apprendre l'espagnol si vite ? » se demandait-elle tandis qu'elle arrangeait ses cheveux décoiffés.

– Tu n'es pas obligée de me parler, reprit-il en remarquant le trouble de la jeune fille.

Il sortit alors un dictionnaire de la poche de sa veste et commença à chercher ses mots. En vérité, il ne parlait pas espagnol, mais avait seulement appris quelques phrases pour souhaiter la bienvenue à Anita et à sa famille.

Le premier déjeuner dans le petit salon de l'appartement de l'hôtel St. James & Albany resta gravé pour toujours dans la mémoire d'Anita et du rajah. À Paris, le prince se trouvait sur son terrain, il était le seigneur des lieux. Tous l'écoutaient. Grâce à l'interprète, il leur indiqua qu'un coiffeur viendrait tous les jours peigner Anita et qu'un couturier passerait dans l'après-midi pour prendre ses mesures et lui faire des robes « de jeune femme et non de collégienne ». Il voulait qu'Anita apprenne le français, l'anglais, l'équitation, le tennis, le piano, le dessin et le billard. Don Ángel souriait en regardant sa fille : elle allait enfin recevoir l'éducation qu'il n'avait pu lui donner. Doña Candelaria approuvait de la tête. Elle trouvait tout très bien : le programme de la « petite », la vaisselle en argent, les carafes d'eau en cristal taillé, le serveur aux gants blancs qui lui passait des plats qu'elle n'avait jamais goûtés, comme la sole à la crème ou la salade de carottes que ses filles regardaient avec horreur… Tout lui convenait, même la saveur un peu fade de l'eau tiède du lave-mains en argent qu'elle vida d'un trait à la fin du repas. Après quoi elle mordit dans la tranche de citron qu'elle trouva acide. Ses filles, pensant que leur mère savait ce qu'elle faisait, l'imitèrent aussitôt. Elles burent l'eau citronnée du lave-mains, un peu étonnées toutefois des habitudes étranges de ce pays. À son tour, don Ángel avala l'eau tiède. Le rajah eut du mal à dissimuler sa stupeur, et les garçons, debout et immobiles, en retrait, échangeaient des regards consternés.

Ce faux pas dut influencer la décision du rajah de séparer au plus vite Anita de ses parents. À leur prochaine rencontre, le prince arriva accompagné d'une dame à l'air digne.

– Anita, je te présente Mme Louise Dijon, ta dame de compagnie à compter d'aujourd'hui.

Mme Dijon dévisagea l'Andalouse : ses tresses mal faites et sa robe râpée, son air d'enfant pauvre la déconcertèrent. La Française avait cru trouver une femme mieux formée, avec davantage d'entregent, la future femme d'un seigneur, et non une adolescente provinciale. Mais, ayant vécu en Inde, elle savait combien les princes orientaux étaient capricieux.

– Tu verras comme tu apprendras vite le français, Anita, lui dit-elle gentiment, avant de saluer le reste de la famille.

Le rajah expliqua aux Delgado qu'Anita habiterait désormais un appartement avec Mme Dijon, car c'était pour elle la seule façon d'apprendre la langue et les règles du protocole. Anita ignorait ce mot ; elle crut qu'il s'agissait d'un terme indien et ne lui accorda aucune importance. Elle était simplement navrée de se séparer de ses parents. Le rajah s'en aperçut, car il ajouta :

– Attends.

L'interprète continua :

– Vos parents habiteront un autre appartement près du vôtre et vous pourrez les voir tous les jours pendant une heure.

Après un silence gênant, doña Candelaria répondit à contrecœur :

– C'est une bonne idée, Anita. C'est la seule façon d'apprendre la langue et tu en as besoin d'urgence, sinon… comment pourras tu communiquer avec Son Altesse ?

Anita se tourna vers son père, cherchant désespérément son soutien pour ne pas se retrouver seule. Don Ángel la regardait d'un air affligé. Au moment où il allait ouvrir la bouche, sa femme l'interrompit :

– C'est ta propre décision, rappela doña Candelaria en regardant fixement sa fille. C'est ta vie. C'est aussi le souhait de Son Altesse, et nous savions tous que le moment viendrait de nous séparer.

Les dés étaient jetés. Mais l'idée de se retrouver avec quelqu'un sans être capable de communiquer la plongea dans l'angoisse. Les robes apportées par le couturier ne suffirent pas à lui rendre le sourire. Elle ne voulait plus de beaux vêtements ni de coiffures. Elle ressentait le coup du destin, et elle en souffrait.

# 9

En filant vers le rendez-vous de sa vie, le train qui l'emmène quitte la province de Bombay, qui fait partie de l'Inde britannique, et pénètre dans l'Inde des principautés indépendantes : Indore, Bhopal, Orcha, Gwalior… Des noms chargés d'histoire qui ne lui disent encore rien. Ils font partie des 562 États indépendants (dont le Kapurthala) qui occupent un tiers de la surface totale de l'Inde. Les deux autres tiers du pays sont sous-divisés en quatorze provinces – comme Calcutta, Madras ou Bombay – et chaque province est à son tour divisée en circonscriptions. Cette Inde-là est administrée directement par les Britanniques : c'est ce qu'on appelle le British Raj. L'autre tiers est une sorte de confédération où les princes indiens gouvernent et administrent leurs États de façon autonome, mais toujours sous la tutelle des Anglais. La Couronne britannique est chargée des affaires étrangères, de la défense de chaque État et administre d'une façon très efficace ce gigantesque puzzle. En principe, elle ne se mêle pas des affaires internes des principautés, sauf s'il faut intercéder dans un conflit ou relever de ses fonctions un rajah rebelle dont la loyauté au vice-roi est mise en doute.

Les principautés sont aussi diverses que ceux qui les gouvernent. L'État souverain d'Hyderabad, au sud, occupe un territoire grand comme la France. À l'ouest se trouvent des parcelles minuscules, certaines ne dépassant pas un kilomètre carré. Les 282 principautés de la péninsule de Kathiawar occupent une surface équivalente à celle de l'Irlande. Le Kapurthala, d'une superficie d'à peine six cents kilomètres carrés, fait partie des cinq principautés du Penjab.

Les Anglais ont pu unifier le sous continent grâce à une politique habile d'alliances et au miracle d'une invention moderne : le chemin de fer. Dans les gares importantes, le chef est habituellement un Anglais qui porte l'uniforme de son pays et qui, à grands coups de sifflet, donne ordre aux convois de circuler ou de s'arrêter.

Les noms des principautés défilent au long du voyage, autant que changent les traditions, les titres des suzerains ou les drapeaux et les uniformes des policiers et des militaires qu'Anita aperçoit par la fenêtre du train. À Bhopal, un important nœud ferroviaire où le convoi s'arrête pendant plusieurs heures, ce sont des femmes qui gouvernent : les fameuses bégums, cachées de la tête aux pieds par la burqa. « On dirait des fantômes ! » s'exclame Anita en regardant une photo officielle accrochée au mur de la gare. Dans l'immense État du Hyderabad, le souverain est appelé nizam. Dans d'autres États musulmans, on l'appelle mir, khan ou mahatar. À Jodhpur on utilise le mot rao ; rana à Udaipur. Les hindous l'appellent habituellement rajah, un mot d'origine sanscrite, qui veut dire en même temps « gouverner » et « devoir plaire ». Pour ceux que le peuple vénérait particulièrement, on ajoutait autrefois le préfixe *maha*, qui veut dire « grand » en sanscrit. Un maharajah est donc un grand rajah. Aujourd'hui, seule l'autorité suprême, c'est-à-dire le vice-roi anglais, peut octroyer la distinction de maha afin de récompenser la loyauté ou les services rendus à la Couronne. Les Anglais ne permettent pas non plus que les rajahs se fassent appeler rois comme autrefois. Dans l'Empire britannique, il n'y a de place que pour un seul roi : celui d'Angleterre.

Cela n'empêche pas les princes de revendiquer la gloire de leur lignée, comme le maharana d'Udaipur ou le maharajah de Jodhpur, qui descendent directement du Soleil. D'autres, plus récents, comme les holkars d'Indore ou les gaekwads de Baroda, sont d'abord devenus ministres ou généraux et, grâce à leur habileté, ont fini souverains. Ils sont tous membres d'un cercle privilégié d'aristocrates indiens, dans lequel Anita est sur le point d'entrer. Plusieurs sont des amis personnels du rajah du Kapurthala. Certains sont cultivés, d'autres, charmants et séduisants ; d'autres, cruels ou ascétiques ; d'autres encore sont grossiers, voire un peu fous. Presque tous sont des excentriques. Le peuple, qui voit en ses princes la grandeur de la divinité, les adore. Depuis la nuit des temps, les enfants des Indes ont grandi en écoutant les terribles combats de leurs rois héroïques contre de vils despotes. Ce sont des histoires d'intrigues de palais, de trahisons et de conspirations, des histoires qui décrivent les fugues nocturnes de princesses amoureuses, les nuits érotiques des concubines préférées, les sacrifices des reines dépitées… Des histoires qui parlent de richesses colossales, de palais somptueux et de gigantesques écuries de chevaux, d'éléphants et de chameaux. Des histoires où la frontière entre la réalité et le mythe est si ténue qu'il est difficile de savoir où se termine l'une et où commence l'autre.

Et il y a beaucoup d'histoires d'amour. En route vers le nord, en approchant d'Agra, l'ancienne capitale de l'Empire moghol, Anita aperçoit le Taj Mahal. Avec ses minarets qui pointent vers le ciel et une coupole en marbre blanc où le soleil se reflète, le Taj Mahal évoque la grandeur de l'amour et la futilité de la vie.

C'est un empereur moghol appelé Chah Djahan qui eut l'idée de concevoir ce mausolée en l'honneur de la femme dont il était tombé follement amoureux. Le Taj Mahal dégage une sérénité majestueuse, une sensation de beauté immortelle qui ne laisse personne indifférent. « Un empereur tomba amoureux d'une fille qui devint son impératrice… Ça te dit quelque chose ? » demande malicieusement Mme Dijon. Anita sourit en pensant au rajah.

– Continue, raconte-moi cette histoire…

– La légende raconte qu'un matin, au bazar du palais, ses yeux se fixèrent sur elle. Elle était très jolie et ressemblait à une miniature perse, assise à son étal, entourée de soieries et de colliers. Le prince s'approcha. Il lui demanda combien coûtait un morceau de verre taillé qui brillait au milieu d'un tas de pierres. « Ça ? Tu n'as assez d'argent pour le payer ! C'est un diamant ! » lui répondit-elle. La légende raconte que Chah Djahan lui remit alors dix mille roupies, ce qui représentait une somme énorme. La jeune fille était bouche bée. Nul se sait s'il avait été séduit par son aplomb ou par sa beauté. Il la courtisa pendant plusieurs mois et finit par l'épouser. Il lui donna le nom de Mumtaz Mahal, « élue du palais ».

– Et alors ?

Anita est impatiente de connaître la fin de l'histoire.

– Que veux-tu savoir d'autre ? Elle devint son impératrice et sa conseillère. Elle gagna le cœur des pauvres car elle intercédait toujours en leur faveur. Les poètes disaient que la lune se cachait lorsqu'elle paraissait, tant sa honte était grande en présence de l'impératrice. L'empereur discutait avec elle de toutes les affaires de l'État et, quand les documents officiels étaient rédigés, il les envoyait au harem pour qu'elle y pose le cachet royal.

– Au harem ? demanda Anita, intriguée. Comment pouvait-il avoir d'autres femmes s'il était si amoureux d'elle ?

– Les empereurs peuvent avoir toutes les femmes qu'ils veulent, mais il y en a toujours une qui prend leur cœur.

– Ah ! soupire la jeune femme, comme si cette explication pouvait conjurer ses craintes.

– Après dix-neuf ans de mariage, elle mourut en accouchant de son quatorzième enfant. Elle avait trente-quatre ans. On raconte que l'empereur porta un deuil rigoureux pendant deux ans. Il ne mettait plus ni bijoux ni costumes somptueux, ne participait plus aux fêtes ni aux banquets et n'écoutait même plus de musique. La vie n'avait plus de sens pour lui. Il céda à ses fils la conduite des campagnes militaires et se consacra à ériger ce mausolée à la mémoire de sa femme. Le nom, Taj Mahal, est un abrégé du nom de l'impératrice. On raconte que, sur son lit de mort, elle lui avait murmuré l'idée de faire construire un monument « au bonheur partagé ». Ils sont maintenant ensemble dans une crypte sous la coupole blanche.

Le fait que ce monument, symbole suprême de l'amour d'un homme à une femme, ait été érigé par quelqu'un dont la religion l'autorisait à partager l'amour avec plusieurs femmes, était sans aucun doute contradictoire. Mais, comme l'avait déjà appris Anita, l'amour ne connaît ni frontières ni tabous, ni races ni religions.

L'empereur Chah Djahan trouva un triste réconfort dans cette autre grande passion, l'architecture. La mort de sa femme l'avait confronté à l'idée de la brièveté de la vie, et donc à la fragilité de son empire. Obsédé par le désir de bâtir, il se consacra à élever des monuments capables de résister aux tempêtes de l'Histoire.

Palais, mosquées, jardins, mausolées… Sa soif d'éternité emplit de gloire et de beauté les villes du nord de l'Inde. Il transforma la route entre Agra et Delhi, puis Lahore, en une merveilleuse avenue bordée d'arbres sur six cents kilomètres. Le train longe cette ancienne route, malmenée par les va-et-vient de l'Histoire. Bien qu'elle ne soit plus si bien entretenue, sans tous les arbres qui existaient sous l'Empire moghol, elle est néanmoins la grande artère commerciale de l'Inde, *The Grand Trunk Road*, comme l'appelle Kipling dans son roman *Kim*. L'entrée des villages est bloquée par de longues caravanes de chars à bœufs, surchargés de fruits, de légumes et de tous les produits de la région. Un paysage qui paraît presque familier à Anita. C'est le Penjab, une des régions les plus belles et les plus fertiles du pays, connue comme le grenier de l'Inde. Anita trouve qu'il ressemble à certaines parties de la France. C'est un paysage de champs de blé et d'orge, de prés fleuris bordés de peupliers, un océan de maïs, de millet et de canne à sucre traversé par des fleuves aux eaux argentées. Les paysans enturbannés poussent péniblement leurs charrues tirées par des bœufs décharnés. À cette époque de l'année, le climat est doux. Le soir, il fait même frais.

– Nous arrivons, dit Mme Dijon, interrompant les pensées de la jeune femme. Nous allons te maquiller et te coiffer comme une vraie princesse.

Anita sursaute. L'arrivée imminente lui cause un mélange d'inquiétude et d'excitation. Les questions reviennent : viendra-t-il me recevoir ? Comment lui annoncer : Altesse, je porte votre fils dans mon ventre ? Quand vais-je le lui dire ? Comment va-t-il réagir ? Et si l'idée ne lui plaisait pas ?

– Madame, comment dit-on « je suis enceinte », en français ?

– Tu dois dire : Altesse, j'attends un enfant.

– J'attends un enfant… d'accord, répète Anita en regardant le paysage et en caressant son ventre, comme pour s'assurer que ce qui lui arrive est vrai.

Lola arrive avec une boîte laquée contenant des peignes en nacre, des brosses en argent et tout ce qu'il faut pour réussir une coiffure spectaculaire, pendant que Mme Dijon sort du placard les robes de Paris.

La première fois qu'elle vit ces robes, Anita les regarda comme si c'étaient des uniformes de travail. Elle était si angoissée et confuse à l'idée de se séparer de ses parents qu'elle n'arrivait pas à admirer les créations superbes de Worth et de Paquin que le rajah sortait d'un paquet enveloppé de papier de soie, comme un magicien tire des lapins de son chapeau. Les yeux écarquillés, doña Candelaria les contemplait alors que Victoria, enthousiasmée par ce déploiement de haute couture, encourageait sa sœur en lui disant : « Ne sois pas bête… Tout le monde voudrait être à ta place ! »

Quand Anita entra dans sa chambre pour essayer les toilettes, elle pleurait. Elle s'assit un long moment au bord du lit, elle avait besoin d'être seule pour éloigner la peur de l'inconnu qui la tenaillait plus que jamais. Une fois calmée, elle essaya la première robe, longue, aux manches serrées, au col levé soutenu par des baleines avec un corset très cintré. Elle se regarda dans la glace. Pour la première fois, elle se vit comme une femme et non comme une adolescente. Elle pensa que dorénavant elle aurait toujours l'« air d'une dame ». La robe lui allait très bien : les manches, les épaules, la jupe… elle était parfaitement coupée. Anita commença à se voir belle, et cela lui plut. La finesse du tissu lui donnait l'impression d'être enveloppée dans un gant de velours. Mais elle avait du mal à marcher, ses pieds s'empêtraient dans les volants des jupes. « J'étais obligée de retourner au salon, écrivit-elle dans son journal, mais je tenais la robe à deux mains, de peur de tomber. »

– Tu es éblouissante…, dit le rajah avec un grand sourire, tandis qu'elle s'asseyait sur une chaise pour ne pas glisser.

Le prince la contempla comme un sculpteur observe la statue qu'il est en train de modeler. En les voyant tous en admiration, Anita, encouragée, se mit à plaisanter sur ses problèmes de jupes et de jupons. Le coiffeur qui venait d'arriver dut écouter patiemment les indications du rajah, qui avait son propre critère, un goût très défini et des velléités d'artiste. Après tout, Anita était sa création. « Le coiffeur me crêpa beaucoup, fit une cascade de boucles et me posa des milliers d'épingles. C'était lourd et mes deux tresses ne se voyaient plus. » Le résultat était éblouissant. Le brave don Ángel souriait et doña Candelaria regardait sa fille comme si c'était la première fois. Victoria en louchait d'envie. Cette jeune femme ne ressemblait plus à l'artiste du Kursaal, elle n'était plus une danseuse de café-concert ; elle était devenue une princesse.

Malgré tout, c'était encore une petite fille. Quand le rajah lui dit au revoir ce jour-là, il lui remit un petit sac en résille : « C'est pour toi. » En l'ouvrant, Anita découvrit qu'il était rempli de louis d'or. Elle n'avait jamais vu autant d'argent et leva les yeux vers son protecteur. Cette fois, elle se sentait vraiment reconnaissante. Ce cadeau n'avait rien à voir avec les cinq mille pesetas que l'interprète de l'hôtel Paris lui avait remis un jour, et qui l'avaient tellement vexée. Son roi maure était un vrai gentleman. Son comportement avec sa famille et sa délicatesse envers elle le rendaient digne des plus grands éloges.

– Que vas-tu faire de cet argent ? lui demanda sa sœur quand le rajah fut reparti pour son appartement de l'hôtel Meurice, deux rues plus loin.

– J'achèterai une poupée, répondit Anita sans hésiter.

# 10

Il est dix heures du matin à la gare de Jalandar quand le train, annoncé par des coups de sifflet stridents, entre dans un nuage de vapeur. La gare, décorée de banderoles bleu et blanc, est petite puisqu'elle ne dessert qu'un cantonnement de l'armée britannique. Pourtant, Jalandar est un bourg qui n'a cessé de se développer depuis la construction du chemin de fer. Le rajah s'est opposé à ce que la voie ferrée passe par la ville de Kapurthala, un peu plus à l'ouest, pour ne pas avoir à se déplacer à la gare chaque fois que quelqu'un d'important, anglais ou indien, serait de passage ; c'est-à-dire presque tous les jours, car le Penjab est la porte d'accès vers l'Asie centrale. Il craignait que cela ne perturbe sa vie paisible de monarque. Il utilisa donc ses relations à la capitale pour faire passer la voie par Jalandar.

Dès l'arrêt du convoi, un officier en uniforme de l'armée du Kapurthala entre dans le wagon. Il présente ses respects aux passagères et leur demande quelques minutes de patience. Le train est arrivé en avance et tout n'est pas encore au point. « C'est pour moi ? » demande Anita en apercevant quatre Indiens déplier un tapis rouge entre deux rangées de palmiers qui forment un couloir.

– *Yes, memsahib*..., répond l'officier. *Welcome to Penjab.*

À la descente du wagon, on lui pose autour du cou des guirlandes de fleurs blanches. Anita ferme les yeux. La fragrance lui rappelle celle du flacon de parfum de tubéreuses que le rajah lui avait rapporté de Londres. « C'est l'odeur du Kapurthala l'hiver. Si tu l'aimes, j'aimerais que tu en portes. » Pendant toute sa vie, l'odeur des tubéreuses évoquera pour elle ses premières années en Inde.

En respirant ce parfum, elle a l'impression d'être déjà devant son prince ; mais non, il n'est nulle part. À chaque pas, un Indien en turban, une femme ou une petite fille lui posent un collier de fleurs et croise les mains en la saluant d'un *Namasté !*. Elle n'est entourée que de gens souriants qui posent sur elle des regards chaleureux pleins de curiosité. Un orchestre dissimulé sous le porche de la gare joue l'hymne du Kapurthala pendant que les soldats qui appartiennent au corps de garde du rajah l'escortent vers la salle d'attente. Anita cherche du regard une silhouette familière, mais elle ne voit personne. Les inconnus qui l'entourent entassent tant de guirlandes à son cou qu'elle n'y voit presque plus. Dans la salle d'attente, devant un groupe de hauts fonctionnaires et de membres du gouvernement local, elle disparaît à présent sous une pluie de pétales de fleurs. Que dire ? Que faire ? Elle ne sait plus où elle en est. Finalement, une femme la débarrasse des guirlandes. Soulagée, l'Espagnole relève la tête, et c'est alors qu'elle l'aperçoit enfin. Il la regarde en souriant. Derrière la porte, le rajah a assisté en riant à l'arrivée triomphale de son Anita.

– Altesse !

Elle a envie de se jeter dans ses bras, mais elle parvient à se retenir. N'a-t-elle pas entendu cent fois Mme Dijon lui expliquer que l'éducation consiste à contrôler ses sentiments et à dominer ses passions en faisant le moins de bruit possible ? Le rajah a l'air de se trouver dans le même état qu'elle, il ne la quitte pas du regard, il la dévore des yeux et, s'il le pouvait, il l'embrasserait. Mais l'Inde est devenue puritaine, les effusions publiques y sont mal vues. En ce début de XX^e siècle, une stricte mentalité victorienne gouverne les mœurs. Qu'ils sont loin les premiers temps de la pénétration européenne, quand l'Inde libertine scandalisait les religieux et attirait les aventuriers ! À cette époque, tout était permis : qu'un Blanc se fasse circoncire pour épouser une « Maure », qu'une Européenne se mette en ménage avec un Indien, qu'ils se convertissent à l'hindouisme, au sikhisme ou au christianisme, qu'un Anglais ait des enfants avec une *bibi* (native), que les Européennes fument le narguilé ou s'habillent en kurta… Qu'elle est loin l'époque du marquis de Wellesley qui, peu de temps après son arrivée à Calcutta au poste de gouverneur général en 1797, envoya une lettre à sa femme, une Française du nom de Hyacinthe, pour lui demander la permission de prendre une maîtresse : « Je te prie de comprendre que le climat de ce pays a tellement réveillé mes appétits que je ne peux pas vivre sans rapports sexuels… » y écrivait-il. Par retour de courrier, la très élégante Hyacinthe répondit : « Accouple-toi si tu t'en crois vraiment obligé, mais fais-le avec tout l'honneur, la prudence et la tendresse que tu m'as toujours témoignés. »

Cette époque est bel et bien révolue. Aujourd'hui, la morale imposée par les colonisateurs voit d'un mauvais œil les affaires d'amour et de sexe, surtout entre hommes et femmes appartenant à des races, des religions ou des classes différentes. Voilà pourquoi aucun officier anglais n'est venu recevoir Anita, la *spanish dancer*, comme on l'appelle, à l'insu du rajah, dans les rapports officiels. Pas un seul militaire du cantonnement anglais n'est venu, ni aucun des fonctionnaires qui résident à Kapurthala. C'est un affront pour le rajah, qui ignore encore que la nouvelle de son prochain mariage a été reçue comme un choc par l'Indian Political Service, le corps diplomatique du vice-roi, dont les agents représentent l'Empire britannique dans les principautés indiennes. Pour les hautes sphères du pouvoir colonial, ce mariage est un scandale.

– Comment s'est passé ton voyage ? demande le rajah tout en saluant les officiers de l'armée et les fonctionnaires qui attendent leur tour pour lui rendre hommage.

– J'avais tellement envie d'arriver ! J'ai écrit un cahier, comme vous me l'aviez demandé, et quand vous le lirez, vous vous rendrez compte à quel point ce fut long, parce que…

Anita est sur le point de lâcher ce qu'elle a vraiment envie de lui dire, mais ce n'est pas le bon moment. Elle doit jouer son rôle officiel, sourire et incliner légèrement la tête devant les ministres du rajah et les autorités qui l'observent curieusement. L'intensité des regards lui fait deviner que sa présence a dû causer une petite révolution dans la société locale. Tous doivent se demander comment est l'épouse européenne du prince. Épouser une Occidentale ! De toute l'histoire du Kapurthala, c'est la première fois qu'un rajah fait une chose pareille.

À la sortie de la gare les attend une magnifique automobile, une Rolls-Royce Silver Ghost bleu marine décapotable, modèle 1907, considérée comme la meilleure voiture du monde. Le prince prend le volant. Il aime conduire lui-même cette dernière acquisition de son écurie, qui comprend quatre autres Rolls. Le moteur de la six-cylindres démarre avec un doux ronronnement. Le couple abandonne la gare au milieu d'une petite foule. Ils s'engagent sur une route, ou plutôt un chemin poussiéreux où l'on croise des éléphants, des charrettes à bœufs et des chameaux. Quelques minutes après, la voiture bleue à l'écusson royal passe devant un groupe de policiers qui se mettent au garde-à-vous.

– Voici la frontière. Et maintenant… te voilà au Kapurthala !

La route est jalonnée de policiers placés à intervalles réguliers, vêtus de l'uniforme bleu et argent de l'État. Anita tient d'une main sa capeline fleurie, pour éviter que le vent ne l'emporte. « Quelquefois, la voiture atteignait la vitesse extraordinaire de soixante kilomètres à l'heure », notera-t-elle dans son journal.

– Y a-t-il une date prévue pour le mariage, Altesse ? demande Anita, qui doit crier pour se faire entendre malgré le vent.

– Ne m'appelle pas Altesse. Appelle-moi chéri…

– Je ne vous ai pas vu depuis si longtemps que j'avais oublié…

– Tous les préparatifs ne sont pas terminés… J'espère que nous pourrons nous marier en janvier. Les astrologues nous indiqueront la date exacte. Il faut que ce soit un jour propice. C'est la coutume, tu sais…

Anita meurt d'envie de tout lui raconter, mais elle préfère attendre encore. Pour l'instant, le parcours en voiture absorbe tous ses sens, devant ses yeux émerveillés se déploie la beauté de son nouveau pays. Les villages semblent sortis d'un conte pour enfants. Une mare se trouve toujours à l'entrée, où les femmes lavent leur linge et les hommes nettoient leurs bêtes de trait. Des chiens, des chèvres, des buffles et des vaches pullulent au soleil devant les huttes en terre. Les enfants aux pieds nus et aux yeux ourlés de khôl se figent un instant quand ils aperçoivent l'imposant véhicule, mais ils réagissent vite et se lancent à sa poursuite. Dans les terrains en friche, d'énormes buffles traînent de grosses meules de blé et de maïs. Les femmes écrasent le fumier et la paille, les pétrissent comme des tartes qu'elles font ensuite sécher sur les murs des maisons en pisé. Les villages sont parfumés de la fumée de ces tartes qui, une fois sèches, sont utilisées comme combustible dans les foyers.

Puis la route s'élargit. Les grands arbres qui la bordent ont été plantés sur les ordres du rajah qui voulait imiter les routes françaises. C'est sa façon à lui de donner un air européen à son coin de Penjab. Au fond, au milieu d'un groupe de maisons, on aperçoit l'immeuble rouge du tribunal de justice, la voûte blanche de la *gurdwara* (le temple sikh) et, plus loin, les toits en ardoise d'un immense palais français. C'est la ville de Kapurthala, capitale de l'État.

– Est-ce le palais que vous faites construire pour moi ? demande Anita en montrant un bâtiment qui rappelle le palais des Tuileries.

– Je ne te connaissais pas quand j'ai commencé ce projet. Je ne pouvais pas imaginer qu'une aussi jolie femme l'étrennerais un jour, mais maintenant je me rends compte qu'il t'appartient.

– Nous nous marierons là-bas, *mon chéri* ?

– Il n'est pas fini. J'ai dû interrompre les travaux il y a deux ans à cause d'une famine… Le peuple avait besoin de mon aide. Mais, maintenant, j'ai hâte de le voir terminé.

La ville est petite, avec de beaux immeubles inspirés par le rajah, qui montrent son goût pour l'architecture. La plupart de ses cinquante mille habitants sont des sikhs ; le reste est formé par une importante communauté musulmane, une autre hindoue, une petite minorité bouddhiste et quelques chrétiens. C'est l'Inde en miniature, un creuset de peuples et de religions qui vivent ensemble depuis la nuit des temps. D'ailleurs, une branche de la famille du rajah est chrétienne, convertie au XIXe siècle par des missionnaires anglais.

Une cousine du rajah, Amrit Kaur, est descendante de cette partie de la famille.

– Je veux que tu la connaisses… Je suis sûr que vous vous entendrez bien.

Le rajah ne veut pas s'arrêter en ville car personne ne doit voir la fiancée avant la cérémonie, ainsi que l'exige la coutume sikh. Ils passent rapidement devant l'école, la deuxième du Penjab après celle de Lahore. Elle admet aussi les filles, une nouveauté en Inde. Le rajah a eu beaucoup de mal à faire admettre par les musulmans les plus fondamentalistes l'idée d'éducation féminine. En face se trouvent les écuries avec de superbes spécimens de race arabe, et les étables où vivent les éléphants royaux. Le rajah évite de passer par la rue du bazar, bordée d'étals qui offrent de la nourriture, des tissus, des épices et des bijoux, et qui, à cette heure, est en pleine ébullition. Au bout de cette rue se trouve le palais où demeure le rajah, un ancien bâtiment de style hindou à quatre étages, avec des bas-reliefs et des fresques sur la façade.

– Mes deux plus jeunes enfants habitent ici quand ils sont en ville… et moi aussi en ce moment.

Anita ne demande pas si leurs mères y habitent aussi. Elle frissonne d'inquiétude quand elle pense à tout ce qu'elle ignore de la vie de son mari. Elle en éprouve un malaise indéfinissable, une sensation étrange, comme si son conte de fées cachait une vérité amère qui, un jour ou l'autre, éclatera entre ses mains. C'est pourquoi elle ne pose pas trop de questions. Pour l'instant, il s'agit seulement de se réjouir. Elle est certaine du plus important, c'est qu'elle n'aura pas à vivre dans cet ancien palais comme une « Maure dans un harem ». Le rajah le lui a promis et rien ne la fera douter.

Son petit palais à elle se trouve à l'écart de l'agglomération, dans un paysage merveilleux. Lorsqu'elle descend de voiture, les gardes se redressent. Ensemble, Anita et le rajah font leur entrée à la villa Buona Vista, un ancien pavillon de chasse.

– Que chasse-t-on ici, chéri ?

– Des cerfs, des daims, des sangliers et quelquefois une panthère, quand on a la chance d'en trouver une. Tu ne dois pas t'inquiéter, ajoute le rajah en voyant la tête d'Anita. La villa est surveillée jour et nuit par des gardes armés.

La villa Buona Vista est située le long d'un bras de la rivière Sutlej, qui coule parmi des joncs, des bambous, des peupliers et des saules dont les branches alanguies caressent la surface argentée. Comme son nom l'indique, le petit palais est inspiré des grandes villas traditionnelles de la Riviera italienne. Encore un caprice du rajah, obsédé par l'Europe. La façade est ocre, avec des bas-reliefs blancs et des persiennes importées de Gênes. De grandes fenêtres donnent sur un jardin exquis, où l'on aperçoit une fontaine italienne de style Renaissance et, plus loin, une forêt d'arbres centenaires – des saules, des peupliers, des *neems*, des manguiers, des ficus – qui cachent deux courts de tennis et l'embarcadère. Une roseraie, véritable jungle de roses blanches, des parterres de tubéreuses et d'iris, des arbustes minutieusement taillés et une pelouse où se promènent des oies, des familles de canards, des paons et des hérons à longues pattes dorées font de cet endroit un jardin d'Éden.

– Après le mariage, nous vivrons ici jusqu'à la fin des travaux du nouveau palais…

L'intérieur est décoré à l'européenne. Dans le vestibule de l'entrée, Anita saute de joie quand elle aperçoit une sculpture en bronze : « J'ai été très émue de voir le buste de ma personne, pour lequel j'avais envoyé mes mesures et que Son Altesse avait commandé l'année dernière à un sculpteur à Londres. »

– Je vais te faire visiter pour que tu me dises si tout te plaît.

Un piano trône dans un des salons meublé de fauteuils et de canapés confortables en cuir. Les murs blancs sont décorés de tapisseries françaises des Gobelins et de tableaux classiques. Une grande table en acajou occupe la salle à manger de style Empire, entourée de vitrines remplies de vaisselle de Limoges et de cristal de Bohême, de figures de Sèvres et d'une collection d'œufs de Fabergé. Enveloppée dans une moustiquaire en soie qui descend du plafond de sa chambre au premier étage, le lit en bronze d'Anita est fantastique. Le rajah n'a omis aucun détail : des cadres magnifiques en argent et ivoire présentent les photos d'Anita prises à Paris. Sa coiffeuse est garnie de toutes sortes de parfums et de cosmétiques, y compris le parfum de tubéreuses anglais et toute la gamme « Bouquet impérial » de chez Roger & Gallet. La salle de bains est en marbre, les robinets en argent diffusent l'eau courante. Sur la table de nuit, une boîte de chocolats belges, les préférés d'Anita, et une bouteille d'eau d'Évian. Tous les mois, le rajah se fait livrer de France un train entier de bouteilles d'eau.

– Crois-tu que tu seras à l'aise ?

Anita ne répond pas. Elle regarde tout autour d'elle comme si elle se trouvait dans un château enchanté. Elle s'approche et l'embrasse.

– Je veux que tu te reposes pour que tu sois en pleine forme le jour du mariage, continue le rajah. Il y aura plusieurs jours de festivités…

– Vous avez raison, mon chéri. J'ai besoin de beaucoup me reposer… Vous savez pourquoi ?

– Le voyage a été très long… j'en sais quelque chose !

– Ce n'est pas à cause du voyage, c'est que j'attends un enfant, Altesse.

Le rajah sourit et son visage rayonne. Il prend Anita dans ses bras, ouvre la moustiquaire et l'allonge doucement sur le lit.

– Il faut le fêter.

– Mon chéri, pas maintenant…, balbutie Anita. Mme Dijon et Lola vont arriver…

Mais le rajah ne l'écoute pas. Il se lève et donne ordre à un domestique de fermer la porte, puis revient pour la couvrir de baisers et lui murmurer des mots d'amour qui éveillent chez elle des sensations encore inconnues. Les épingles sautent, les jupons glissent, les pierres précieuses des bagues du rajah luisent sur la table de nuit.

Anita Delgado est pleinement heureuse. Le désir est plus fort aujourd'hui qu'à Paris, quand elle s'est offerte pour la première fois. À présent, elle le fait sans peur ni douleur, avec la joie que lui apporte l'aventure formidable qu'elle est en train de vivre.

# 11

Enceinte de cinq mois et bien que la courbe de son ventre se remarque à peine, elle prie sa femme de chambre indienne de serrer très fort le sari. C'est la première fois qu'elle essaie son sari de mariage. Quatre hommes viennent de le livrer dans du papier de soie. Mais Anita est déconcertée.

– C'est ça, ma robe de mariée ? demande-t-elle, visiblement déçue, à Mme Dijon.

Ça ne ressemble en rien aux robes blanches et vaporeuses qui font rêver les fiancées espagnoles. Ce n'est même pas une robe : juste deux morceaux de tissu.

– Comment dois-je le mettre ?

– Ne t'en fais pas. Une femme de chambre de la mère de Son Altesse va venir t'aider à t'habiller.

Anita ne voit pas de quoi on peut avoir l'air là-dedans. Le tissu mesure six mètres de long sur un et demi de large. Elle le palpe et l'observe de près. C'est de la soie de Bénarès, rouge coquelicot, avec d'énormes roses brodées d'or, bordée d'une lisière argentée d'un demi-mètre de large. Le tissu est magnifique, plus facile à imaginer sur le mur d'un musée que sur quelqu'un.

La servante de la mère de Son Altesse est une femme âgée, une *aya*, comme on les appelle en Inde. Vêtue de blanc, le visage tout ridé, elle a pour spécialité d'habiller les dames. Elle commence par tourner autour d'Anita en l'enveloppant dans le tissu puis, avec ses doigts noueux, fait de nombreux petits plis qu'elle attache à la taille, en forme d'éventail, afin qu'elle puisse marcher facilement. Avec le tissu qui reste, elle refait un tour dans le dos et, le lui passant sous le bras, elle le croise à la hauteur de la poitrine et lui en couvre la tête comme d'un voile. Anita se regarde dans la glace. Le sari fait ressortir son élégance et dissimule son ventre. Elle se plaît bien, finalement, en princesse orientale.

L'astrologue a fixé la date du mariage au 28 janvier 1908. Les sikhs comme les hindous se marient les mois d'hiver, saison propice. Il semble qu'au jour choisi l'heureuse conjonction de Jupiter et du Soleil prédise un bonheur durable pour les époux et la possibilité de mettre au monde au moins trois enfants. Depuis plusieurs jours, les cadeaux ne cessent d'arriver ; des figurines en cristal taillé, des miniatures d'art moghol, une peau de tigre tannée, des pendules et même des pots de miel ou des sacs de lentilles rouges, cadeaux de paysans qui vénèrent Leur Altesse. Mais ce qu'Anita préfère, c'est une petite biche aux longs cils offerte par le maharajah du Patiala, un État voisin du Kapurthala.

Pendant les premiers jours à la villa Buona Vista, Anita passe son temps à dormir et à s'adapter à sa nouvelle vie. La nuit, elle est souvent réveillée par des cauchemars. Parfois elle se voit dépecée par une panthère ; d'autres fois elle se défend avec des aiguilles à tricoter contre un scorpion grand comme une boîte à biscuits. Les histoires de chasse du rajah l'ont beaucoup impressionnée, mais elle avait déjà la tête farcie des fantaisies qui enflamment l'imagination des Européens quand il s'agit des Indes : n'y soigne-t-on pas les maladies à la poudre de licorne ? N'existe-t-il pas des plantes aux feuilles si larges qu'elles peuvent abriter toute une famille ? N'y trouve-t-on pas des diamants gros comme des œufs de caille ?… Anita découvre un monde plus séduisant et plus subtil que celui de ces légendes de pacotille, à travers le faste et le raffinement de la cour du Kapurthala, avec ses palais spectaculaires et ses jardins où l'eau coule sans arrêt, où l'on entend le roucoulement des pigeons et où flotte un parfum de tubéreuses et d'œillets. Elle aime partir en promenade avec Mme Dijon dans le landau conduit par un chauffeur et deux domestiques vêtus en laquais français, l'un d'eux portant une ombrelle pour la protéger du soleil et l'autre un grand plumeau pour chasser les mouches. Elles sont escortées par deux lanciers à cheval, habillés de l'uniforme argent et bleu. Il y a aussi la générosité des punjabis. Son seul regret est de ne pas pouvoir partager son émerveillement perpétuel avec sa famille ou avec son mari. Car le rajah lui a fait ses adieux jusqu'au jour du mariage : il est considéré comme de mauvais augure que le fiancé découvre sa femme avant…

Anita vit au milieu d'une nuée de domestiques. Il y a partout un employé de maison, soit accroupi dans un coin, soit dans l'attente d'un ordre ou laissant passer le temps. Ils vont pieds nus, on ne les entend pas, sur le sol en marbre. « Ils se déplacent comme des fantômes », dit Lola. Un monceau d'espadrilles, de babouches et de pantoufles colorées tapisse l'entrée des dépendances où ils vivent et font la cuisine. Les domestiques empêchent Anita de faire quoi que ce soit, même de ramasser ses ciseaux s'ils tombent. Plusieurs fois par jour, ils lui apportent de l'eau dans un lave-mains en argent avec un rebord filigrané. Un domestique le porte, un autre verse l'eau d'une cruche sur ses mains ; puis une femme de chambre apporte une petite assiette avec du savon, une autre lui tend une serviette et la dernière remonte ses manches pour qu'elle ne les mouille pas. Anita n'a jamais eu les mains aussi propres.

À l'heure du bain, une aya asperge son corps d'eau, une eau qui a été réchauffée auparavant sur des braises par d'autres domestiques, et une servante lui frotte la peau. Lola est désorientée ; elle ne sait plus quel est son rôle. Elle regrette l'intimité qu'elle avait avec sa patronne. Pour l'instant, elle se charge de l'habiller, mais uniquement quand Anita décide de le faire à l'européenne.

La veille du mariage, un incident très révélateur a lieu. Après une promenade au bord de la rivière, Lola monte dans la chambre et Anita reste sous la véranda pour donner ses instructions à deux tailleurs assis par terre, jambes croisées. Leurs turbans sont piqués d'aiguilles avec des fils de plusieurs couleurs. Tout à coup, un cri affreux brise la quiétude de la villa. C'est la voix de Lola. Elle a hurlé comme si on l'égorgeait. Anita se précipite en haut des escaliers ; elle se demande si Lola a trouvé un serpent ou si elle a été victime d'une agression. Quand elle arrive, elle la trouve figée dans un coin, montrant du doigt le lit où gît un merle mort, les yeux fixés au plafond. Des plumes et des fientes sont répandues sur les draps, les meubles et les tapis. Le merle est probablement entré dans la chambre par mégarde et n'a pas retrouvé la sortie. Épuisé et désespéré, il a terminé sa vie sur le lit.

– Vraiment, tu exagères !

– Madame, cela me fait horreur !

Anita donne ordre au majordome de nettoyer la chambre, mais celui-ci s'excuse : « Pas pouvoir toucher animal mort », répond-il dans un anglais hésitant.

Anita est surprise. Le majordome fait venir le *sweeper*[1], le balayeur, celui qui « change la poussière de place », comme le décrit Anita. L'homme, qui voit l'oiseau sur le lit, fait non de la tête : « *Sorry*, memsahib, interdit moi

1. *Sweeper* : balayeur. La plus basse caste parmi les domestiques.

toucher animal mort. » Il appelle à son tour le préposé aux latrines, qui refuse également de transporter le cadavre de l'oiseau. Chaque domestique en cherche un autre, d'une caste plus basse. Mais, à la villa, tous s'y refusent.

– Qu'est-ce que nous allons faire, alors ? Je ne vais quand même pas dormir avec cet oiseau dans mon lit ! se plaint-elle au majordome.

– Madame, il faut aller bazar chercher *dom*, homme de caste très basse.

– Eh bien, allez-y…

– Madame, pas pouvoir m'adresser directement à dom…

– Alors, envoyez quelqu'un !

– Excusez-moi, madame, dom vouloir beaucoup d'argent pour rendre service.

C'est à devenir fou. Après tout un après-midi de discussions, Anita remet quelques pièces à un autre domestique, qui revient à la nuit tombée accompagné d'un dom, un hindou qui appartient à la caste des croque-morts et qui se charge des crémations. Maigre comme un fil de fer, la peau noirâtre, comme dit l'Espagnole, il agit en professionnel. Il prend l'animal, le met dans son sac et s'en va.

La grande quantité de domestiques est le fidèle reflet de la variété des castes. Les Indiens vivent dans un monde clos, protégés par leur groupe mais soumis à des règles qu'ils ne peuvent transgresser. Et ce sont des règles qui atteignent des paroxysmes, comme le découvrira Anita. Par exemple, les Purada Vannam sont une caste dont les membres ne sont pas autorisés à sortir le jour, car les brahmanes des castes supérieures ne les trouvent pas suffisamment purs. Ils sont donc condamnés à vivre la nuit. Les femmes de Travancore, dans le Sud, n'ont, quant à elles, pas le droit de couvrir leur poitrine devant des membres de castes supérieures.

Anita doit s'habituer à se repérer dans la multitude des domestiques, à apprendre que celui qui sert à table n'est pas le même que celui qui apporte le thé le matin, que le cuisinier prépare les repas mais ne fait pas la vaisselle, qu'il y a deux balayeurs qui ne font rien d'autre, que celui qui nourrit les chevaux n'est pas le même que celui qui les prépare pour qu'on les monte, qu'une femme de chambre ramasse le linge sale pour qu'un *dhobi*, un blanchisseur, l'emporte sur son petit âne et le lave à l'étang le plus proche, etc. Elle doit suivre le même apprentissage que les épouses des fonctionnaires, des militaires et des commerçants anglais : ne jamais demander à un domestique de rien faire qui soit considéré en dessous de sa caste ou contraire à sa religion. C'est une règle d'or. Respectée à la lettre, elle assure la paix et une agréable vie commune avec les domestiques.

Une atmosphère agitée règne à la villa Buona Vista. Beaucoup de gens sont arrivés pour participer aux derniers préparatifs. Un véritable régiment de jardiniers s'affaire à planter des orchidées et des massifs de chrysanthèmes et à tailler les arbustes. Au fond du jardin, une autre équipe monte la *shamiana*, une énorme tente en soie multicolore qui a été le témoin des cérémonies nuptiales de tous les ancêtres du rajah depuis le XVII^e^ siècle. Ancienne et fragile, elle n'est utilisée que pour ces grandes occasions. Un matin, deux chars à bœufs livrent une montagne de tapis pour en recouvrir le sol et le passage qui la relie à l'entrée de la demeure et qu'on a bordé de torches. Un peu partout s'entassent des centaines d'assiettes portant l'écusson du Kapurthala, des tiroirs remplis de couverts gravés, de superbes chandeliers d'argent, des récipients en cuivre, des narguilés en bois taillé, etc. Comme si on avait vidé la caverne d'Ali Baba dans la villa du rajah.

Devant l'importance des préparatifs, l'humeur d'Anita passe de l'euphorie à la mélancolie. La veille, peut-être à cause de l'imminence de la célébration, elle a eu un moment de cafard. Elle ne peut s'empêcher de penser à ses parents et à sa sœur. Son vrai mariage – l'événement le plus important de sa vie – va avoir lieu sans qu'aucun membre de sa famille ni aucun ami ne soit présent. À quoi bon vivre toutes ces expériences merveilleuses si elle ne peut les partager avec personne ? C'est comme un régime sans sel : même le plat le meilleur n'a plus aucun goût. La lenteur du courrier – les lettres mettent de quatre à six semaines pour arriver – augmente encore la sensation d'éloignement. Et elle ne peut rien partager avec Lola, qui se plaint sans arrêt et qui a peur de tout ; peur de rester à la maison, peur des ayas vêtues de blanc, peur de sortir, et même de se promener dans le jardin, qu'elle prétend plein de serpents et d'araignées, bien qu'elle n'en ait jamais vu. La femme de chambre déteste le goût du curry et l'odeur de l'encens ; tout lui paraît étrange et elle n'y comprend rien. Heureusement que Mme Dijon est là pour voir le bon côté des choses. Le calme et la bonne humeur de sa dame de compagnie constituent la meilleure thérapie contre l'inquiétude et l'angoisse. Mais cette nuit-là, même Mme Dijon ne peut rien pour elle. Affreusement triste, Anita sanglote, tandis que Lola, allongée sur son lit dans la même chambre et victime des mêmes états d'âme que sa maîtresse, pleure également. Le seul bruit qui rompe le silence nocturne de la villa Buona Vista est celui qu'elle fait en se mouchant.

28 janvier 1908.

À trois heures du matin, les ayas de la mère de Son Altesse viennent la réveiller. Anita, les yeux encore fermés, se laisse glisser dans une baignoire remplie de lait d'ânesse tiède, comme au temps des anciennes princesses mogholes. Après un long bain, les ayas la font s'étendre sur un tissu placé à même le sol. C'est le moment du massage. Les mains habiles et délicates de ces femmes, animées d'un rythme inflexible, l'enduisent d'huile de sésame. Comme des vagues, elles glissent sur le côté, parcourent le dos et remontent vers les épaules, tout en chantant les amours de Rama et de la déesse Sita. On lui étend les bras pour les masser doucement, l'un après l'autre, puis on lui masse les mains pour faire circuler le sang, de la paume vers les doigts. Le ventre, les jambes, les talons, la plante des pieds, la tête, la nuque, le visage, les ailes du nez et le dos sont caressés successivement, vivifiés par les doigts doux et dansants des ayas. Cela fait partie de son initiation à l'Inde du *Kama-sutra*[1] et à l'Orient des *Mille et Une Nuits* ; il faut faire émerger la princesse andalouse de sa léthargie de tristesse pour qu'elle affronte avec courage le jour le plus important de sa vie.

D'après le journal d'Anita, les ayas mettent plus de deux heures à la coiffer, la maquiller et l'habiller. Sur un chemisier en soie que les Indiennes utilisent comme soutien-gorge, elles lui enfilent un corsage en satin rouge entièrement brodé d'or et boutonné de perles. Puis elles l'enveloppent dans un tissu de soie blanche et finalement dans celui, magnifique, du sari. Des babouches rouges brodées de fils d'or, des bracelets et des colliers de perles sont la dernière touche de sa tenue de fiancée. Les ayas lui tendent la main pour la conduire devant la glace, car Anita n'ose pas bouger de peur que l'ensemble ne se défasse. Alors seulement elle se rend compte combien le sari est facile à porter. Les ayas sourient, fières d'avoir pu transformer la memsahib en princesse indienne. « Quand je me suis regardée dans la glace, j'ai

1. Texte en sanscrit du IVe siècle écrit par un savant et conçu comme un code sexuel pour guider les hommes dans l'art de l'amour.

cru que c'était un rêve, car je ressemblais à une de ces images que l'on voit dans les miniatures mogholes. »

– Vous ressemblez à la Vierge ! lui dit sa femme de chambre.

Lola a toujours le cafard. À vrai dire, ce mariage semble l'affecter davantage que sa maîtresse. Elle en a les larmes aux yeux.

– Si doña Candelaria vous voyait… Soyez très heureuse et que le Christ vous protège !

Anita a également la sensibilité à fleur de peau. Elle espère qu'elle n'aura jamais rien à regretter, mais les larmes de sa femme de chambre la troublent. Elle en vient à se demander ce qu'elle est en train de faire. Tiraillée par des émotions contradictoires, elle s'enferme dans sa chambre. Alors, pour retrouver le calme et retenir son envie de pleurer, elle s'agenouille et se met à prier sa Vierge, celle de la Victoire, la sainte patronne de Málaga.

À cinq heures du matin, on frappe à sa porte. Le moment est arrivé. Anita fait le signe de croix, sort de sa chambre et descend lentement les marches de l'escalier, guidée par les ayas. Elle marche comme une de ces juments qu'on ramène aux arènes, le ventre recousu, après un combat de taureaux. Mais, cette fois, l'arène est un salon merveilleusement éclairé et plein d'invités dont la plupart sont des Indiens en grande tenue. Même les domestiques portent des uniformes extraordinaires.

Le rajah, qui vient d'arriver dans une calèche tirée par quatre chevaux blancs, l'attend au pied des escaliers.

– Tu ressembles à une déesse, dit-il en lui couvrant le visage avec le voile du sari. Je ne suis pas censé te voir avant la fin de la cérémonie.

« C'était la première fois qu'il était devant moi, en costume sikh, et armé. Il portait une tunique en velours bleu turquoise, brodée d'argent, un pantalon jodhpur et une chemise blanche sans col, attachée par de magnifiques boutons de manchettes en saphir. Son turban était couleur saumon, une couleur réservée à la famille royale, avec une broche énorme en émeraudes et brillants. De sa taille pendait une superbe épée courbée, au manche d'argent incrusté de pierres précieuses. »

Pour l'empêcher de voir le visage de sa fiancée, on lui pose sur le front des colliers de perles minuscules, comme un petit rideau de franges. Ce rituel, hérité de l'islam, s'explique par le fait que, selon la coutume, les fiancés ne se connaissent pas et ne se sont jamais vus avant le mariage, toujours décidé et organisé par leurs familles. La tradition islamique veut que la première rencontre ait lieu à la fin de la cérémonie, une fois le mariage prononcé. Ce peut être un moment magique, ou une surprise désagréable. Mais ce n'est pas le cas pour les princes du Kapurthala qui marchent main dans la main vers la shamiana, sous une rangée de sabres levés, au son de la marche nuptiale de Mendelssohn exécutée par l'orchestre de l'État. À l'intérieur de la tente se trouvent, d'un côté, les aristocrates indiens et les ministres drapés d'habits somptueux. De l'autre, la petite colonie britannique du Kapurthala ; c'est-à-dire le gouverneur anglais (le représentant de la Couronne au Penjab, peut-être le seul à avoir plus de pouvoir que le rajah), dont le plastron est couvert de décorations ; le médecin et l'ingénieur civil, accompagnés de leurs épouses qui regardent Anita avec un mélange de mépris et de compassion. Mme Dijon, dans une élégante robe verte avec un chapeau assorti, se lève pour embrasser Anita.

– Quel beau destin que le vôtre, chuchote-t-elle en souriant.

Ces mots touchent le cœur de la jeune mariée. Les larmes lui montent aux yeux. Mais elle ne veut pas les laisser couler de peur d'abîmer son maquillage.

Deux sikhs âgés, aux turbans mauves et aux longues barbes blanches, accompagnent le couple pour les asseoir sur de luxueux coussins brodés, juste derrière une énorme balance. Anita pense que ce sont des prêtres, mais chez les sikhs il n'y a pas de clergé. Ce sont des fidèles qui vénèrent un livre de parchemin, le Granth Sahib[1], la bible des sikhs, un recueil des doctrines des grands gourous de cette religion née ici, au Penjab, avec pour mission de lutter contre le système des castes et les anachronismes de l'hindouisme et de l'islam. Le livre est au centre de toutes les activités religieuses des sikhs : ils baptisent leurs enfants devant lui, se marient devant lui et, au moment de la mort, la famille du défunt en lit à haute voix des chapitres entiers.

*Acceptez ce livre comme étant votre maître*
*Admettez que l'humanité est unique en elle-même*
*Il n'y a pas de différences entre les hommes*
*Ils sortent tous de la même terre*
*Hommes et femmes égaux*
*Rien n'existerait sans les femmes*
*Excepté le Seigneur éternel, le seul*
*À ne pas dépendre d'elles...*

Le journal d'Anita reflétera ses impressions : « Comme je ne comprenais rien à rien et que mon visage était caché par le voile, je passais mon temps à tout observer, à tout remarquer, pour le raconter ensuite aux Espagnols. »

Les premiers rayons de soleil illuminent de rose l'intérieur de la shamiana. Quand ils finissent de prier,

1. L'Adi Granth, ou Siri Guru Granth Sahib, est considéré par les sikhs comme leur gourou (ou maître spirituel). Il se présente sous la forme d'un recueil de mille quatre cent trente pages d'hymnes mystiques écrits ou chantés.

un des vieux sikhs prévient les fiancés que le rite religieux le plus important va commencer. Les époux se lèvent et, tenant chacun l'extrémité d'un châle, ils tournent quatre fois autour du livre sacré. Puis le vieillard les invite à se connaître « officiellement ». Lentement, chacun retire le voile de l'autre. Le visage heureux du rajah apparaît et rencontre les yeux en amande d'Anita, qui sent battre son cœur. La musique recommence et les invités applaudissent. Au milieu des cantiques et des félicitations, les époux s'approchent à nouveau du livre sacré. Le rajah prie Anita de l'ouvrir trois fois de suite, et lui l'ouvre une quatrième. La première lettre de chaque page va former le nouveau nom de l'épouse. Selon la tradition sikh, toutes les femmes mariées s'appellent Kaur, princesse, nom qu'on fait précéder du résultat de la consultation des livres. Les lettres d'Anita vont constituer le mot Prem, qui signifie amour.

– Prem Kaur, voilà ton nouveau nom. « Princesse d'Amour »... ce n'est pas mal !

Anita est satisfaite de ce nouveau nom, qui va déjà de bouche en bouche, qui s'envole à l'extérieur de la tente comme un éclair vers les villages voisins, sur les chemins, à travers les campagnes et jusqu'à la ville.

Le dernier rite est le plus extravagant. D'origine hindoue, il a été adopté par les empereurs moghols de l'Inde et finalement par la plupart des princes du sous-continent. Le rajah s'assied sur un coussin placé sur un plateau de balance. Sur l'autre plateau, un sikh pose des lingots d'or jusqu'au moment où le corps du souverain commence à s'élever. L'or est ensuite utilisé pour acheter de la nourriture et la distribuer aux pauvres qui participent ainsi au bonheur de leur souverain. Puis c'est le tour d'Anita, qui se dit : « Ils ne seront pas nombreux à se nourrir avec moi car je ne pèse que cinquante-deux kilos ! »

Cet après-midi, quand Anita fait son entrée dans la ville pour y rencontrer ses sujets, perchée sur un éléphant fastueusement caparaçonné, elle se souvient du jour où, à Madrid, elle a vu défiler la reine Victoria Eugenia qui venait d'épouser Alphonse XIII. Anita avait eu alors le pressentiment de son propre avenir, dans un éclair qu'elle avait chassé tout de suite de son esprit. Maintenant, comme dans ses rêves les plus extraordinaires, son intuition s'est matérialisée. La jeune femme, qui n'a pas encore dix-huit ans, contemple le spectacle les yeux grands ouverts et avec un calme qu'elle n'a pas connu ces derniers jours. Une foule de gens qu'elle n'a jamais vus s'inclinent pour la saluer, montrent leur enthousiasme et prient pour elle. Les fleurs, les parfums, la musique, les visages émus qui se tournent vers elle… tout est merveilleux !

Le cortège d'éléphants entre dans la ville. Il est reçu par treize coups de canon, le nombre de salves qui correspond au rajah du Kapurthala pour sa loyauté envers la Couronne britannique. Les Anglais ont trouvé une façon originale d'assigner un protocole à chaque prince. Plus la principauté est importante, plus est élevé le nombre de salves. Le nizam d'Hyderabad a droit à vingt et un coups de canon. Le roi empereur d'Angleterre, cent un. Le nabab de Bhopal, neuf.

À la fin de cette journée intense et épuisante commence la réception dans l'ancien palais du rajah, au centre de la ville. Des myriades d'invités goûtent aux plats les plus exquis de la gastronomie du Penjab : perdrix à la coriandre, poulet au gingembre, fromage blanc aux épinards… D'autres buffets proposent des plats européens et toutes sortes de boissons alcoolisées. Après avoir salué les invités, le rajah prie la jeune mariée de l'accompagner au premier étage. C'est la première fois qu'Anita entre dans une *zenana*[1], comme on nomme l'aile du palais réservée aux femmes. Anita se trouve tout à coup dans le redoutable harem, comme l'appelait doña Candelaria. Le rajah embrasse tendrement la plus âgée des dames, sa mère adoptive. C'est elle qui l'a élevé, car il a perdu la sienne quand il n'avait que quelques mois. Parmi les dames de la cour, Anita reconnaît les ayas qui l'ont habillée.

– Elles t'expliqueront tout ce que tu dois savoir pour devenir une bonne princesse indienne, dit le rajah.

D'autres femmes entourent tout de suite l'Espagnole. La plupart sont très belles. Elles l'examinent avec une grande curiosité, et font des commentaires sur le sari et les bijoux. Le rajah les présente :

– Anita, voici Rani Kanari, qui est venue plusieurs fois en Europe avec moi.

Les deux femmes essaient d'échanger quelques mots, mais l'anglais de Rani Kanari est encore plus rudimentaire que celui de l'Espagnole. Deux autres épouses du rajah la saluent timidement. Originaires de la vallée de Kangra, elles proviennent d'une lignée qui remonte aux *rajputs*[2], hindous de pure souche. Elles ne parlent pas un mot d'anglais ni de français.

– Anita, je te présente Harbans Kaur, maharani numéro un, c'est son titre. C'est ma première épouse.

La jeune mariée incline respectueusement la tête devant une femme d'âge moyen, élégante, mais qui ne lui adresse aucun sourire. Anita en frissonne ; elle n'a pas besoin de connaître la langue du pays pour deviner qu'elle se trouve devant une ennemie. Quand le rajah fait demi-tour pour s'occuper d'autres invités,

1. Mot d'origine perse. *Zen* signifie « femme » et *zenana* pourrait se traduire par « paradis des femmes ».
2. Le mot *rajput* signifie « fils de prince ».

Harbans Kaur la dévisage. Elle se met à contempler ses bijoux et, d'un air supérieur, se permet de toucher son collier de perles, sa broche en rubis et ses pendentifs en diamants. Puis elle tire sur une chaînette en or qu'elle aperçoit dans son corsage, où est pendue la croix que l'Espagnole a toujours au cou. La maharani s'en amuse puis la laisse tomber et va retrouver les dames de compagnie et les autres épouses, toujours absorbées par leurs commentaires et leurs racontars sur la nouvelle.

Seule, blessée par le vide qui se fait autour d'elle, Anita s'affole. Même si Mme Dijon lui a toujours parlé des femmes du rajah, la jeune Espagnole vient de réaliser ce que cela veut dire. Soudain, elle comprend que chacune de ces femmes a vécu un jour semblable à celui-ci, qu'elles sont bel et bien les épouses de son mari, et qu'elle est la cinquième.

Elle éclate en sanglots et quitte la salle. Elle cherche un endroit où se cacher pour sécher ses larmes qui, en faisant fondre son maquillage, abîment son visage. Mme Dijon, témoin de la scène, se précipite derrière elle le long d'un couloir éclairé par des bougies placées à l'intérieur de petites niches creusées dans les murs ; puis elle la prend par le bras et l'attire vers un mirador dont le lattis permet de voir sans être vu. Anita est secouée de convulsions, son corps tremble comme un roseau. Au loin, on entend le brouhaha de la fête.

– Ne te laisse pas voler ton bonheur, Anita. Il faut que tu comprennes que ce mariage est pour elles un affront. D'abord parce que tu es étrangère, ensuite parce que tu es belle, et très jeune. Chacune d'elles pourrait être ta mère. Elles sont jalouses et elles ont peur…

– Peur de moi ?

– Bien sûr. Elles pensent que tu leur as volé le cœur du rajah, ce qui est vrai…

Les mots de la Française rassurent Anita, qui se calme peu à peu.

– Dans cette partie du monde, continue Mme Dijon, il est normal d'avoir plusieurs épouses. La tradition exige que les hommes prennent soin d'elles et s'en occupent jusqu'à la fin, c'est ce que fait le rajah… J'ai toujours cru qu'on te l'avait expliqué.

Anita fait non de la tête. Mme Dijon ajoute :

– Ce qui est important, ce n'est pas le nombre des épouses. C'est d'être celle qui compte vraiment. Tu te souviens de l'histoire de l'empereur qui fit construire le Taj Mahal ?

Anita acquiesce en se mouchant.

– Il avait beaucoup plus d'épouses que le rajah, mais il n'en aima pourtant qu'une seule. Et moi je peux t'assurer que le rajah n'aime que toi.

– Je ne veux pas finir dans un endroit comme celui-ci…

Mme Dijon sourit.

– Ne dis pas de bêtises, toi, tu ne finiras jamais dans une zenana… Avec un caractère pareil ! Vous vivrez comme vous le faites aujourd'hui, à l'européenne. Il te l'a promis et il tiendra sa parole. Écoute-moi bien, Anita : tant que tu sauras te faire aimer, tu seras la véritable maharani du Kapurthala, n'en déplaise aux autres.

Un sourire mélancolique éclaire le visage d'Anita, qui vient de comprendre que le conte de fées est terminé. Dorénavant, elle doit faire face à la vie, la vraie.

Grâce à l'habileté de sa dame de compagnie, le petit drame vécu par Anita passe inaperçu de la grande majorité des invités, y compris du correspondant de la *Civil & Military Gazette*, le journal de Lahore qui, dans son édition du 29 janvier 1908, publiera la chronique suivante pour la postérité :

« La jeune mariée, d'une beauté parfaite et raffinée, portait avec élégance un sari rouge cramoisi, brodé d'or. Ses bijoux étaient d'une splendeur extraordinaire. Les somptueux costumes portés par les invités ajoutèrent du pittoresque à la scène du mariage. Les festivités se déroulèrent avec éclat. »

*Deuxième partie*

# Le Seigneur du Monde

# 12

Depuis sa naissance, le rajah évolue dans le faste et l'opulence. Les habitants du Kapurthala gardent le souvenir précis du 26 novembre 1872 : à deux heures du matin, ils furent réveillés par des coups de canon annonçant l'heureuse nouvelle de la venue au monde du prince héritier. Cela marqua le début de quarante jours de festivités qui coûtèrent un million de roupies au Trésor public et auxquelles assistèrent le gouverneur du Penjab et les maharajahs du Cachemire, du Patiala, du Gwalior et d'autres États voisins. Les autorités distribuèrent des aumônes et accordèrent une amnistie aux vingt-huit occupants de la prison. La joie du peuple était inversement proportionnelle à la longue attente et à l'incertitude provoquées par les crises intermittentes de folie du père, le rajah Kharak. Les médecins l'avaient obligé à de longs séjours dans un asile d'aliénés, près de Dharamsala, une petite ville au pied de l'Himalaya. Ceux qui le croyaient incapable de procréer furent surpris par la naissance de l'enfant.

Une surprise particulièrement désagréable pour une branche de la famille, d'ailleurs, qui réclamait le trône et qui, sans attendre, mit donc en doute la légitimité de l'héritier. D'après eux, le bébé n'était pas le fils du rajah Kharak mais celui d'un aristocrate du Kapurthala appelé Lala Harichand, qui aurait cédé son propre fils à la maharani en échange du poste de ministre des Finances de l'État. Les Britanniques auraient participé au complot contre cette branche de la famille convertie quelques années auparavant au christianisme grâce aux bons offices de missionnaires presbytériens. Le fait que des chrétiens – même appartenant à la famille royale – puissent accéder au trône risquait d'avoir des conséquences dangereuses pour le puzzle ethnico-religieux, toujours fragile, d'un État indien.

Que leurs doutes soient fondés ou non, les chrétiens de la famille dénoncèrent l'affaire devant le haut pouvoir colonial, allant jusqu'au bureau du vice-roi, qui commanda un rapport au médecin officiel du Kapurthala. Dans sa petite enquête, le Dr Warburton interrogea la sage-femme et les infirmières qui s'étaient occupées de la maharani. Puisque les hommes n'avaient pas le droit de pénétrer dans la zenana, il ne put jamais s'adresser à la maharani ni encore moins l'examiner. Le rapport confirma finalement qu'elle était la mère biologique du bébé, ce qui ouvrait le chemin pour aboutir à une reconnaissance officielle de l'héritier. Offensés, les chrétiens de la famille accusèrent le médecin d'avoir été corrompu et continuèrent de dénoncer l'affaire. Ils devinrent si insolents que les Anglais finirent par les expulser de Kapurthala et les obliger à s'installer à Jalandar. En compensation, il leur fut permis d'utiliser le titre de Rajah et ils reçurent celui de chevalier de l'Étoile des Indes et de l'Empire britannique. Une explication officielle conclut l'affaire : il n'avait été question en fait que de la confusion habituelle qui a lieu dans les familles royales aux périodes de succession. Mais cette scission de la famille royale du Kapurthala finirait par avoir d'intéressantes conséquences.

Cinq jours après la naissance de l'héritier, les femmes de la maison organisèrent la cérémonie traditionnelle censée protéger l'enfant du mauvais œil. Toute la nuit, elles fredonnèrent des cantiques religieux tandis que les soldats du régiment battaient tambour aux portes du palais. Le dixième jour, des hordes de domestiques se mirent à nettoyer les murs et les sols du palais et des parents versèrent d'énormes cruches de lait sur le perron de l'entrée, de façon à marquer le jour où la mère cessait d'être « impure ». Le douzième jour, au cours d'une autre cérémonie inspirée également de l'hindouisme, l'astrologue d'État fit son apparition. Il étudia l'horoscope de l'enfant en faisant de nombreux commentaires sur sa carte astrale où il avait écrit quatre noms. Au lieu de son père, enfermé dans l'asile, ce fut la tante de l'enfant qui choisit un des prénoms, qu'elle chuchota à l'oreille du bébé : Jagatjit, le « Seigneur du Monde ». Ainsi s'appellerait-il. À la fin du cérémonial, l'astrologue lut le nom complet de l'héritier du trône du Kapurthala : Farzand-i-Dilbaud Rasik-al-Iqtidad-i-Daulat, Rajah-i-Rajagand Jagatjit Singh Baladur. Pour les Anglais, ce serait : Rajah Jagatjit Singh.

L'enfant fut élevé à l'intérieur de la zenana, entouré d'ayas et de servantes, dans une atmosphère de confort et dans un luxe qu'aucun enfant européen ne peut même imaginer. Étant le seul fils, et donc l'héritier, il fut habitué dès sa plus tendre enfance à être le centre de l'attention et à être traité avec tous les honneurs. Il y avait toujours quelqu'un près de lui pour éviter qu'il ne tombe malade et veiller à la satisfaction de ses moindres désirs. Dès qu'il montrait un pied, un domestique le chaussait. S'il levait un doigt, on venait le coiffer. Il n'avait jamais besoin de hausser le ton, ce n'était pas nécessaire. Un regard suffisait à transmettre sa volonté, immédiatement interprétée comme un ordre.

Même les domestiques les plus âgés se prosternaient devant l'enfant, lui touchant les pieds en signe de vénération. On surveillait sa santé avec attention. Tous les jours, une aya ramassait son pot de chambre et examinait ses selles. Si elle trouvait quelque chose d'anormal, elle le soignait avec des plantes médicinales. Si cela paraissait plus grave, elle appelait le médecin officiel. Tous les matins, on le baignait et on lui lavait les cheveux. On les lui séchait en l'allongeant sur un petit lit de cordes tressées, sous lequel se trouvait un réchaud où brûlaient des braises et de l'encens pour les parfumer. On le massait ensuite avec de la crème d'amandes moulues chaque semaine. Il eut rapidement l'intuition de la corruption et essaya, sans succès, d'acheter ses ayas pour éviter le massage qui l'ennuyait tant. Il vécut donc son enfance entouré de domestiques et, plus tard, de tuteurs et de professeurs. Il n'avait pas une minute de solitude. Peut-être est-ce la raison qui le poussa, lorsqu'il devint adulte, à tant voyager, pour se retrouver seul, enfin, sur les routes du monde.

Jagatjit ne connut jamais son père, enfermé dans un asile. De lui, il ne se souvenait que de sa mort, qui fut suivie de plusieurs jours de deuil pendant lesquels des pleureuses professionnelles remplirent de larmes les salles du palais. Jagatjit avait cinq ans et il héritait d'un règne, des treize coups de canon attribués au Kapurthala par les Anglais, du titre d'Altesse et de la cinquième place de préséance parmi les souverains du Penjab. Mais, surtout, il héritait d'une fortune colossale, sans proportion aucune avec la taille de son territoire. Il devait cette fortune à son grand-père, le rajah Randhir Singh, qui avait eu l'heureuse intuition de se mettre du côté des Anglais lors de la mutinerie de 1857. Cette révolution avait été déclenchée par les soldats indiens et musulmans appartenant à l'armée des Indes qui s'étaient soulevés contre leurs supérieurs, les officiers britanniques à la solde de la Compagnie des Indes orientales. La crainte d'être convertis au christianisme et l'attitude de plus en plus autoritaire de la toute-puissante Compagnie furent les principales raisons de cette mutinerie, mais ce qui avait mis le feu aux poudres était la rumeur que les nouvelles cartouches de fusil étaient enduites de graisse animale. C'était un affront autant pour les hindous – qui croyaient qu'il s'agissait de graisse de vache – que pour les musulmans – qui craignaient que ce ne fût de la graisse de porc. Les atrocités commises des deux côtés pendant les mois que dura l'insurrection marquèrent un point de non-retour dans l'histoire de la colonisation britannique de l'Inde. Considérée par les Indiens comme la première guerre d'indépendance, cette insurrection fit surgir un nationalisme indien et ouvrit une brèche qui se fermerait quatre-vingt-dix ans plus tard avec l'indépendance. Elle mit également fin, pour les Anglais à qui il fallut plusieurs mois pour l'écraser, à la suprématie de la Compagnie des Indes orientales qui, depuis le XVII^e siècle, s'occupait de l'Inde comme d'une affaire privée. La reine Victoria prit les rênes du gouvernement de l'immense colonie et, dans une proclamation en 1858, visa à s'assurer la loyauté des rajahs et nababs. Les Anglais – environ cent trente mille dans un pays de trois cents millions d'habitants – avaient besoin des rois locaux pour administrer l'immense territoire. Mais à condition de pouvoir les contrôler. « Nous nous porterons garants de l'autorité et de l'avenir des princes en tant que gouvernants de leurs États, disait la proclamation. Nous respecterons leurs droits, leur dignité et leur honneur comme si c'étaient les nôtres. » Ce fut un moment historique : les rois devenaient des princes. Protégés par les Britanniques qui garantissaient leurs frontières, leurs gains et leurs privilèges, les souverains vécurent désormais dans la sécurité et la tranquillité, à la différence de leurs ancêtres. Ils n'avaient plus de comptes à rendre à leurs peuples, uniquement à la Couronne britannique qui les comblait d'honneurs, de titres et de coups de canon et veillait soigneusement au respect de l'étiquette. Avec une grande habileté, les Anglais les mirent chacun à leur place, comme des satellites en orbite.

La stabilité offerte par la *Pax britannica* les amollit et les corrompit. Les princes s'appuyèrent de plus en plus sur les Anglais, convaincus qu'ils étaient indispensables à leur survie, alors même que c'était l'inverse. Les rajahs s'éloignèrent du peuple, oubliant les préceptes de simplicité et d'humilité inhérents à la société hindoue. Ils se mirent à vivre de manière fastueuse, à se faire concurrence tout en imitant leurs colonisateurs.

Pour sa loyauté envers les Britanniques pendant l'insurrection, Randhir Singh fut donc récompensé par d'énormes extensions de terres confisquées au rajah de l'Oudh, qui avait, lui, choisi le parti des rebelles. Le malheur de l'un fit la prospérité de l'autre. Ces terres rapportaient au Kapurthala une rente annuelle de deux millions quatre cent mille roupies qui allait directement dans les poches du rajah. À cinq ans, Jagatjit était donc très riche.

# 13

Le rajah grandit un pied dans l'Inde profonde et l'autre en Europe. Un pied dans un monde féodal et l'autre dans le XXe siècle. D'un côté, il apprenait la physique et la chimie, de l'autre, on lui enseignait le *Kama-sutra*. Avant qu'il atteigne sa majorité, l'État fut administré par de brillants fonctionnaires britanniques, dont certains finirent gouverneurs généraux, comme sir James Lyall. Ces gestionnaires étaient assistés dans leur tâche par des hommes de confiance qui formaient le Conseil des fonctionnaires de l'État. Ensemble, ils introduisirent des réformes et perfectionnèrent l'administration afin que le rajah, lorsque viendrait pour lui le moment d'assumer le pouvoir, trouve la maison en ordre. Par exemple, ils diminuèrent le nombre de ministres en fusionnant le ministère des Finances et celui de la Perception des impôts en un seul, et supprimèrent le ministère des Affaires diverses, qui comprenait l'administration des écuries, des éléphants et du zoo.

L'éducation que Jagatjit reçut de ses tuteurs, choisis avec grand soin, fut libérale. Il apprit les bonnes manières, les règles du protocole et les valeurs de la démocratie occidentale, mais sans obligation de les mettre en pratique puisqu'il régnait avec droit de vie et de mort sur les trois cent mille âmes du Kapurthala. L'influence de ses tuteurs réveilla chez lui une grande curiosité pour l'Angleterre, son histoire, ses valeurs, ses institutions et ses coutumes. L'Angleterre était le pouvoir suprême et, à ses yeux, la source de la civilisation moderne. Les meilleures automobiles, les bateaux les plus rapides, les immeubles les plus somptueux, l'empire le plus grand, la médecine la plus avancée… L'Angleterre représentait tout cela.

Comment marche un moteur à explosion ? Qu'est-ce que la mer ? Quelle différence y a-t-il entre un calotype, une lithographie et une photographie ? Ses tuteurs comblèrent sa curiosité d'enfant et lui ouvrirent les yeux sur le monde, car dans son cercle familial personne n'avait la moindre connaissance de la vie en dehors de la frontière des Indes. Des contacts fréquents avec des aristocrates britanniques depuis son plus jeune âge le rapprochèrent de l'élite de cette société qu'il admirait tellement et qui l'accueillait comme un des siens. Aussi s'appliqua-t-il à étudier l'anglais à fond. Il le parla très vite avec un accent impeccable, tellement *british,* alors qu'il n'avait encore jamais mis les pieds en Angleterre. Sa fascination pour ce pays s'étendit à toute l'Europe, berceau des grandes innovations technologiques de la fin du XIX$^{e}$ siècle. Des machines qui remplaçaient le travail de l'homme, des appareils pour communiquer à distance, des reproducteurs d'images en mouvement, des machines volantes…, la liste des inventions capables de séduire l'imagination d'un enfant était interminable. Et tout avait lieu en Europe. Il commença donc à apprendre le français et, en peu de temps, le parla et le lut couramment. Il partageait avec beaucoup de ses compatriotes le don des langues. Il est rare qu'un Indien n'en connaisse pas au moins deux, le minimum pour se faire comprendre dans un pays qui compte quatorze langues officielles et plus de cinq cents dialectes.

À dix ans, le rajah en parlait six couramment. En plus de l'anglais et du français, sa langue maternelle était le punjabi, parente de l'hindoustani, qu'il connaissait également, ainsi que le sanscrit, qu'il étudiait avec un vieux sage hindou, et l'ourdou (perse ancien), langue officielle de la cour. Cette coutume, héritée de l'Empire moghol, subsistait un siècle après sa disparition, ce qui montre la trace profonde laissée en Inde par les Moghols.

Jagatjit Singh représentait le changement radical qui s'était produit chez les monarques indiens à partir de la proclamation de la reine Victoria. En peu de temps, les rajahs avaient été obligés de faire un bond de plusieurs siècles. Et Jagatjit se révéla un véritable acrobate, capable de sauter d'un monde à l'autre avec beaucoup d'aisance. Pour la première fois dans l'histoire, le Kapurthala eut un monarque vêtu à l'européenne, qui jouait au cricket et au tennis, mangeait des plats occidentaux et pratiquait un sport aussi britannique que le *pig-sticking*, la chasse au sanglier à la lance. Pourtant, Jagatjit se présentait au Conseil des ministres à dos d'éléphant, paré d'un diadème en émeraudes, d'un collier de treize rangs de perles et d'une aigrette en plumes agrafée à son turban. Il avait hérité d'un règne avec tous les signes extérieurs de la monarchie, avec toutes les cérémonies et les rituels de couronnement, mais qui n'était qu'un vestige du passé, une coque sans la substance qui lui aurait donné un sens. On avait inculqué à l'héritier l'idée que servir son peuple était la mission la plus importante de sa vie mais, au fond, il savait, comme ses contemporains, que son poste était assuré par les Anglais. Le plus important était donc de bien s'entendre avec le pouvoir pour profiter ainsi d'une existence commode et agréable. La priorité était d'entretenir de bonnes relations avec les Britanniques, pas de servir le peuple. Ce système pervers sembla un temps aussi solide qu'éternel. Le vent de l'Histoire se chargerait pourtant bientôt de tout remettre à sa place.

Le rajah eut à affronter bien des bouleversements occasionnés par sa subite adaptation au monde moderne. Il n'était pas facile de concilier des cultures si différentes que l'anglaise et la sikh ; il n'était pas facile d'être en même temps un roi indien et un seigneur anglais, ancien et moderne, démocrate et despote, prince oriental et vassal européen. Il lui manquait la clé indispensable pour faire face à un monde en pleine évolution : une figure paternelle à prendre comme modèle et une mère compétente pour le guider. Lui n'avait pas de père, et pour mère, une femme traditionnelle appartenant à une autre époque. Peut-être est-ce à cause de cela que Jagatjit Singh commença à somatiser ses angoisses. Le roi qui n'était pas roi se mit à manger. Au début, personne ne s'en inquiéta ; au contraire, l'héritier potelé était vraiment beau garçon. Mais, à l'âge de dix ans, quand il dépassa les cent kilos, ce fut la panique. Le Dr Warburton, médecin officiel du Kapurthala, l'obligea à suivre un régime sévère, qui ne marcha pas. Le garçon continuait à grossir et dormait trop. C'est à partir de ce moment-là qu'il prit l'habitude de se faire aider pour attacher ou détacher son *choridar* (pyjama), un pantalon très large retenu par un cordon de soie autour de la taille. Plus tard, quand il retrouva sa forme physique, il n'abandonna pas cette mauvaise habitude. Il se faisait aussi aider pour attacher son turban… Pendant des années, Inder Singh, le capitaine de son escorte, fut chargé de satisfaire ce caprice.

– Élevé en fils unique, gavé par les nourrices puis par les ayas, l'enfant a acquis des habitudes alimentaires néfastes, conclut le Dr Warburton dans son rapport à James Lyall, le tuteur du petit Jagatjit, très inquiet de la prise de poids constante du prince. Pour l'instant, on ne peut qu'essayer un autre régime.

– Et si ça ne marche pas ? Quel est votre pronostic s'il continue à grossir ?

Le Dr Warburton l'observa par-dessus ses lunettes. Il venait de lire un article dans une revue médicale et craignait qu'il ne s'applique au cas de Jagatjit.

– Espérons qu'il ne souffre pas d'une espèce d'obésité morbide infantile, une maladie rare. Les patients dorment debout, continuent à grossir jusqu'au moment où surviennent de graves difficultés respiratoires…

Il y eut un long silence, interrompu par Lyall :

– Et puis ?

– Beaucoup en meurent avant de devenir adultes.

Lyall était stupéfait. Après tout le scandale créé par l'autre branche de la famille, le fait de se trouver sans héritier poserait un problème très délicat au Bureau politique du Penjab.

– Nous suivrons de près l'évolution de sa maladie, continua le Dr Warburton. Espérons que ce ne sont rien d'autre que des problèmes psychologiques !

Jagatjit se stabilisa à cent trente kilos. C'était énorme pour un garçon de onze ans, mais cela soulagea pour l'instant ses tuteurs et son médecin qu'il cesse de gonfler. Il était en âge d'être marié, les membres de la cour commencèrent donc à lui chercher une première femme. Le garçon n'avait pas son mot à dire. Telle était la tradition. D'ailleurs, il pouvait s'estimer heureux car, pour un sikh, le nombre de femmes n'était pas limité, contrairement aux musulmans qui n'avaient pas le droit d'en avoir plus de quatre. À sa majorité, quand il prendrait les rênes du gouvernement, il serait libre de choisir ses épouses. Ce qui ne serait toutefois pas si facile, car les femmes des familles de haute lignée étaient toutes fiancées dès l'enfance.

Un groupe important de courtisans partit pour la vallée du Kangra, à environ deux cents kilomètres de Kapurthala, pour chercher une jeune fille de caste élevée, d'origine rajpute. Ils voulaient une union capable de resserrer les liens avec les grandes familles du Rajputana[1], la patrie d'où étaient originaires les ancêtres du rajah. Ils voulaient une jeune fille de très haute caste pour améliorer le « pedigree » de la lignée du Kapurthala. La famille de Jagatjit avait appartenu à la caste des *kalals*, autrefois chargée de produire les boissons alcoolisées pour les maisons royales. Une caste médiocre. Le brillant ancêtre Jassa Singh arriva à regrouper une armée de sikhs, membres d'une religion nouvelle, et partit en guerre pour unifier le Kapurthala. Mais le stigmate des kalals continuait à peser chez certains membres de la cour, très pointilleux sur la généalogie. Un proverbe punjabi ne disait-il pas : « Corbeau, kalal et chien, méfie-toi d'eux même s'ils dorment » ?

Dans chaque village, l'arrivée du cortège chargé de trouver une fiancée était annoncée à grands roulements de tambour. Les jeunes filles en âge d'être mariées étaient examinées avec un tel soin, en particulier leurs attributs physiques, que cela provoqua des plaintes. Les membres du cortège étaient imbus d'arrogance parce qu'ils représentaient un prince. Ils savaient que des milliers de familles rêvaient de marier une de leurs filles à un rajah. Aussi fallait-il faire attention à ce que les papiers des jeunes filles ne soient pas truqués, à ce que les renseignements soient fidèles et à ce qu'aucun

1. Actuel Rajasthan.

membre du groupe n'accepte de pots-de-vin en échange d'une candidature inappropriée.

Finalement, ils choisirent une très jolie fille, du même âge que le rajah, appelée Harbans Kaur. Elle avait de grands yeux noirs et le teint doré. De religion hindoue, elle appartenait à une haute caste de brahmanes. Les termes de la dot furent négociés avec les parents. Elle prendrait effet au moment du mariage, fixé pour le 16 avril 1886, au moment où les fiancés atteindraient l'âge honorable de quatorze ans.

Le mariage fut célébré selon la tradition sikh. Le rajah découvrit pour la première fois le visage de sa bien-aimée dans une petite glace posée entre eux : « J'ai contemplé ses yeux noirs, les plus beaux que j'aie jamais vus. Et puis je lui ai souri, et elle aussi », écrivit-il dans son journal. Ce qu'on n'a jamais pu lire dans aucun journal, ce fut la réaction d'Harbans Kaur quand elle découvrit le visage enflé de son mari imberbe, son triple menton, ses yeux tristes et son énorme ventre. Aucun journal ne racontera non plus ce que fut sa première nuit d'amour ; elle, soumise et apeurée ; lui, inexpérimenté et dangereusement obèse. On ne sut qu'une chose : l'acte ne fut pas consommé.

Aux angoisses qu'avaient la cour et la famille à propos de la santé du rajah – qui ne montrait toujours aucun signe de narcolepsie ni d'insuffisance respiratoire – s'ajouta une inquiétude profonde sur sa vie sexuelle et l'avenir de la dynastie.

# 14

La réputation paisible et débonnaire de Jagatjit cadrait bien avec son physique d'homme ventru. Il fallait deux domestiques pour arriver à l'installer dans le cyclo-pousse aux roues fines et hautes qu'il utilisait pour ses promenades matinales. L'idée de cet engin était venue à J. S. Elmore, ingénieur en chef du Kapurthala, qui avait monté les roues d'un vélocipède sur un châssis auquel il avait ajouté une petite roue supplémentaire, un siège et une ombrelle pour protéger la tête royale des rayons du soleil. C'est ainsi que le rajah circulait en ville. Il s'arrêtait pour bavarder avec les uns et les autres, car, à sa manière, il était chaleureux. Il montait aussi à cheval. Ses tuteurs l'avaient habitué à l'équitation, mais il se fatiguait vite et avait peur de perdre l'équilibre. Il se trouvait plus à l'aise sur la croupe d'un éléphant.

Quatre ans après son mariage, le jeune ménage n'avait toujours pas de descendance. Mais l'angoisse sourde du palais fut reléguée à l'arrière-plan par un événement plus important. Car le 24 novembre 1890, à peu près en même temps que naissait Anita Delgado, l'homme qui, dix-huit ans plus tard, lui ferait la cour avec tant d'ardeur accédait au pouvoir.

Les préparatifs de la cérémonie durèrent deux semaines. Trois cents invités anglais et indiens participèrent aux trois jours de fêtes, qui comptaient des cérémonies, des banquets, des promenades le long du fleuve et des parties de chasse. *Civil & Military Gazette*, un journal publié à Lahore et fier de compter Rudyard Kipling comme pigiste, traitait dans son édition du 28 novembre 1890 du « chaos [régnant] pendant l'inauguration de la nouvelle piste de patinage du maharajah du Patiala, à cause du nombre élevé de chutes » ; de l'avertissement du gouvernement local aux jeunes commissaires de police du Penjab de ne pas venir travailler chaussés de babouches mais d'utiliser les chaussures réglementaires ; de l'amende de dix roupies imposée à un soldat anglais qui, ivre, avait injurié un cortège funéraire musulman, etc. Mais la une était consacrée à la cérémonie d'investiture :

« La scène au Durbar[1] Hall fut si pittoresque et si pleine de vie qu'elle restera gravée pour toujours dans la mémoire des spectateurs. Le Hall est une magnifique œuvre d'architecture, avec une très vaste cour intérieure couverte et éclairée à l'électricité. Plusieurs régiments des troupes de l'État attendaient à l'extérieur. L'un d'eux formé par des soldats distingués en uniforme bleu avec de larges turbans et des tuniques rouges ; l'autre, un régiment de cavalerie, dont les soldats et les chevaux ne peuvent être décrits avec suffisamment d'éloges ; et une longue rangée d'éléphants splendides, la figure peinte, aux tourelles tapissées et richement meublées, parfaitement immobiles si ce n'était le balancement de leurs trompes. La cour du Durbar Hall était pleine d'uniformes étincelants, tandis que, dans la galerie supérieure, les yeux brillants des visiteurs européens contemplaient la scène qui se

1. *Durbar* est un mot d'origine perse qui signifie « réunion de la cour ». Ce terme, très employé en Inde, s'utilise pour désigner toute réunion importante.

déroulait en bas. » Dans son discours d'investiture, sir James Lyall, ancien tuteur du rajah et actuel gouverneur général du Penjab, insista sur les excellentes relations qui avaient toujours existé entre la famille royale du Kapurthala et la Couronne, depuis l'époque du grand-père Randhir Singh. Il loua le dévouement des tuteurs et du Dr Warburton envers l'enfant-roi, félicita le rajah de ses bonnes études, surtout en anglais et en langues orientales, réussies grâce à « vos efforts et à votre capacité mentale », et remercia les membres du gouvernement pour leur collaboration qui avait permis d'atteindre, pendant sa minorité, « un progrès important dans tous les départements administratifs, sans rupture avec la tradition de l'ancien gouvernement sikh ». Il termina en reconnaissant la droiture, la prudence et le bon caractère du rajah, et lui souhaita d'être toujours un souverain juste et respecté de ses sujets, ainsi que le « propriétaire terrien libéral des grandes extensions de l'Oudh qui vous fournissent une rente si fabuleuse ». Il termina en citant un poète qui avait écrit à un roi d'Angleterre deux cents ans plus tôt des mots qui, en ce matin ensoleillé, semblaient étonnamment prémonitoires :

*Le sceptre et la couronne finissent par s'écrouler*
*Et tout devient égal dans la terre*
*Seule la mémoire des justes*
*Embaume le monde et fleurit dans la poussière.*

Son discours fut très applaudi. Puis sir James fit signe au rajah de le suivre. Ils firent quelques pas vers des fauteuils énormes en bois laqué et doré – les sièges du trône – où ils s'assirent. L'investiture était faite. Puis le rajah se leva et prononça son premier grand discours public « dans un parfait anglais, avec beaucoup de dignité et d'aplomb », ainsi que le décrivit le correspondant de la *Gazette*.

Il remercia ses tuteurs, promit de conserver la même équipe d'administrateurs locaux, mentionna les bons offices du Dr Warburton pour sa santé et s'engagea à suivre les conseils du gouverneur général. « Je vais prier pour que mes actions méritent d'être bien accueillies par Sa Majesté la Reine impératrice, tout en satisfaisant mon propre peuple. » L'ordre dans lequel il les avait mentionnées ne laissait aucun doute sur ses priorités.

« La cérémonie se termina et les invités rentrèrent dans leur camp, poursuivait la *Gazette*. Les courses de chevaux occupèrent le restant de l'après-midi et dans la soirée, au cours du banquet, on leva un toast à la santé de la Reine impératrice. »

Quand l'agitation s'éteignit et que le calme revint dans le petit État du Kapurthala, la rumeur que le rajah était incapable d'engendrer recommença à circuler. Personne ne doutait qu'il aimât les femmes. Plusieurs servantes avaient raconté comment, depuis tout petit, il avait essayé de les tripoter ; et, quand elles le repoussaient, essayé de les acheter. L'écho de ses bringues avec les maharajahs du Dholpur et du Patiala était parvenu jusqu'à Delhi et, plus d'une fois, ses escapades dans les montagnes avec les filles des tribus lui avaient valu une sévère réprimande. Son goût pour les *nautch-girls*, danseuses professionnelles de Lahore, considérée comme la capitale du vice, était notoire. Embauchées pour distraire les souverains, elles étaient également à leur disposition pour toutes sortes de faveurs sexuelles. Ce n'étaient pas des prostituées au sens strict, plutôt des sortes de geishas. Expertes dans l'art de satisfaire l'homme, de lui parler, de le mettre à l'aise et de le distraire, elles étaient chargées d'initier les jeunes gens à l'art du sexe, ainsi que de leur apprendre à se servir des contraceptifs. Il y avait plusieurs méthodes : du *coitus interruptus*, qu'on appelait le « saut en arrière », jusqu'aux suppositoires contenant du bouillon de giroflée et du miel, ou bien des feuilles de saule pleureur. D'autres techniques consistaient à boire une infusion de menthe pendant le rapport, ou à frotter son pénis avec le jus d'un oignon ou même avec du goudron. Ces danseuses courtisanes enseignaient aussi les règles du protocole de la cour ainsi que l'ourdou, la langue des rois. Les vieilles familles les récompensaient en leur donnant des terrains et en leur cédant des chambres dans les palais afin qu'elles puissent perfectionner leur « art ».

Harbans Kaur, l'épouse officielle, n'avait pas voix au chapitre des aventures amoureuses du prince. Comme les autres femmes, elle les admettait, tout comme elle acceptait le principe des mariages multiples, bien qu'elle n'ait aucune envie de partager son mari. C'étaient des habitudes si profondément ancrées qu'elles n'étaient jamais mises en question ; elles faisaient partie d'un mode de vie ancestral. La première épouse profiterait toujours du privilège d'avoir été la première et jouirait par conséquent d'un respect spécial. Elle était censée entretenir des relations sororales avec les nouvelles et partager conseils et secrets dans le but d'offrir un plaisir plus élevé au mari.

Dans le cas de Jagatjit, ce fut sa propre famille qui fit appeler les nautch-girls les plus expertes, de véritables beautés qui connaissaient les positions les plus sophistiquées que des siècles d'art indien avaient immortalisées dans les bas-reliefs des temples. Des attitudes inspirées par le *Kama-sutra*, qui était la base de l'éducation sexuelle et amoureuse des Indiens de bonne souche. Les règles du *kama* – l'amour – étaient réunies en une sorte de manuel technique écrit dans un style précis, sans obscénité, qui décrivait aussi les stratagèmes politiques nécessaires pour conquérir une femme. Les amants y étaient classés selon leur physique, leur tempérament et la taille de leur sexe, mesuré en pouces. Les proportions des corps des hommes et des femmes représentés dans les sculptures des temples correspondaient aux caractères sexuels décrits dans le *Kama-sutra*. Par exemple, la femme-gazelle, aux seins fermes, aux larges hanches, aux fesses rondes et au petit *yoni* (pas plus de six pouces), s'adaptait très bien en amour avec l'homme-lièvre, sensible « aux chatouillements sur les cuisses, les mains, la plante des pieds et le pubis ». L'homme-étalon, qui aime les femmes robustes et les repas abondants, s'entend merveilleusement avec la femme-jument aux fortes cuisses, dont le sexe sent le sésame, et dont la « maison de kama a une profondeur de neuf doigts ». Avant même d'apprendre les rudiments d'algèbre ou de mathématiques, les adolescents des familles de l'aristocratie apprenaient les positions comme l'ouverture du bambou, le clou, la position du lotus, la griffe du tigre ou le saut du lièvre. Une des plus connues, minutieusement décrite dans le *Kama-sutra*, avait un nom mystique : le devoir d'un pieux. Il s'agissait de pénétrer la femme comme un taureau monte une vache : debout, par-derrière, en tirant sur ses tresses d'une main vers le haut ; la femme s'y prêtait volontiers, inclinée en avant et se tenant les chevilles des deux mains. Même les gémissements étaient classés selon le degré de plaisir obtenu : celui de la colombe, du coucou, du pigeon vert, du perroquet, du moineau, du canard ou de la caille. «… Finalement, des sons articulés sortiront de votre gorge au fur et à mesure que vous atteindrez de nouveaux sommets de plaisir », ainsi se terminait le chapitre du *Kama-sutra* consacré aux « gémissements de l'amour ».

La famille espérait que les danseuses feraient « fonctionner » le rajah. Mais le résultat était toujours le même : le rajah jouissait de ses rapports sexuels, mais avait du mal à s'accoupler à cause de son ventre, qui comprimait et emprisonnait le pénis, même en érection.

C'est alors qu'intervint une courtisane d'âge moyen appelée Munna Jan. Elle portait encore les vestiges de sa légendaire beauté. Elle avait été convoquée plusieurs fois pour trouver une solution. « Si l'obstacle principal est le ventre du prince, suggéra-t-elle finalement, consultons donc le gardien des éléphants. » Cet homme, maigre et osseux, qui portait un turban rouge et une veste militaire râpée et sans boutons, déclara que les pachydermes ne se reproduisaient pas en captivité, non parce qu'ils étaient timides, mais parce qu'ils avaient besoin d'une position et d'un angle spécial, qu'ils n'arrivaient pas à obtenir au zoo ni dans les écuries. Il avait donc eu une idée pour résoudre ce problème. Il avait construit un monticule en terre et en pierre dans le bois derrière le nouveau palais. Là, les femelles d'éléphants se couchaient et la pente facilitait beaucoup le « travail » du mâle. Le résultat avait été spectaculaire. Les barrissements qui déchiraient les nuits tranquilles du Kapurthala en étaient la preuve, comme l'était aussi la quantité élevée d'éléphanteaux qui naissaient.

La déclaration du gardien redonna de l'espoir à la cour. Comment se servir de cette idée dans le cas du rajah ? La réponse arriva vite. Inspiré par l'idée du gardien, l'astucieux ingénieur J. S. Elmore dessina et construisit un lit incliné en métal et en bois, et pourvu d'un matelas élastique. Pendant la semaine qu'il mit à le fabriquer, il consulta plusieurs fois Munna Jan et la pria de trouver des filles pour l'essayer avec le rajah. La belle courtisane envoya ses compagnes les plus jolies. Leur sourire de satisfaction à la sortie de la chambre fut un diagnostic suffisant pour les membres du palais qui attendaient à la porte avec inquiétude. Quel succès ! Le rajah avait pu copuler… plusieurs fois de suite !

Neuf mois après ce glorieux jour dans l'histoire du Kapurthala, Harbans Kaur accoucha de son premier enfant, un garçon qui fut appelé Paramjit Singh. Le roi Édouard VII envoya un télégramme de félicitations, ce qui combla de joie le jeune prince. En remerciement de ses services, le rajah décida de récompenser Munna Jan avec des bracelets de cheville en or massif et une pension à vie de mille roupies par mois.

# 15

En 1893, Jagatjit Singh fit son premier voyage en Europe pour assister au mariage du duc d'York, le futur roi George V, qui deviendrait un de ses grands amis. Il avait l'intention de poursuivre son voyage jusqu'à Chicago, où se tenait la grande Exposition universelle à l'occasion du quatrième centenaire de la découverte de l'Amérique par Christophe Colomb. Huit mois de voyage en tout. Ce fut son premier contact avec le monde extérieur.

Il était accompagné d'un cortège important : son ministre des Finances, à la longue barbe noire tenue dans un petit filet ; son médecin le Dr Sadiq Ali, habillé à l'européenne en costume gris foncé et turban clair ; le chef de l'escorte, un géant à l'air bonasse avec sa barbe et ses moustaches grises ; et un Européen, le lieutenant-colonel Massy, un homme d'une cinquantaine d'années à la bedaine proéminente et dont le haut-de-forme brillant comme du vernis détonnait parmi la quantité de turbans. Sur la photo de groupe qui fut prise à Paris, le rajah se montre assis, le sceptre à la main, portant un manteau de soie claire, un pantalon à l'européenne, une grosse cravate et un turban couleur saumon. La paternité et l'exercice du gouvernement, ou peut-être simplement le fait de devenir adulte le faisaient maigrir. Il était toujours gros, mais moins obèse. Cette photo cache une autre surprise : une jeune femme aux traits fins et aux petits yeux noirs, vêtue d'une robe en satin à manches longues, de coupe européenne, assise sur une chaise à côté du rajah. C'était sa deuxième épouse, Rani Kanari, une jeune femme gaie et raffinée, dont il était profondément amoureux. Elle venait également de la vallée du Kangra, comme Harbans Kaur, et était issue d'une famille semblable : c'était une rajpute de noble lignée mais sans fortune. De la caste contre de l'argent : l'aristocratie des brahmanes – les prêtres indiens – mariait ses filles à des hommes de lignée douteuse, à condition qu'ils fussent très riches. Cependant, chez Kanari, il y avait eu aussi de l'amour. Le rajah avait voulu lui-même faire sa connaissance et en était tombé amoureux ; elle était différente des autres. Kanari n'était pas le prototype de l'Indienne soumise comme Harbans Kaur. Elle avait de la personnalité et le sens de l'humour. Mais elle ne parlait pas anglais et n'avait jamais quitté la vallée du Kangra. Le rajah lui proposa de l'épouser dès leur première rencontre. Dans son journal de voyage, Jagatjit Singh fera allusion au genre d'épouse qu'il recherchait et qu'il pensait peut-être avoir trouvé chez Rani Kanari, ainsi que, dix-huit ans plus tard, chez Anita Delgado : « Actuellement, un Indien cultivé éprouve le besoin d'avoir une femme intelligente dans son foyer, une compagne digne de partager ses joies et ses peines, grâce à ses qualités et à ses réussites personnelles. » La plupart des femmes indiennes étaient habituées à vivre dans la zenana et ne participaient pas à la vie sociale de leur époux. D'ailleurs, beaucoup d'Indiens voyaient d'un mauvais œil la liberté des Anglaises qui allaient au club et avaient une vie sociale. Leurs femmes restaient à la maison. Mais le rajah était un Indien instruit, très influencé par son éducation libérale et anglophile. Les Indiennes étaient capables de le satisfaire sexuellement et d'être les mères de ses enfants, mais il n'était pas facile d'en trouver une qui puisse partager tous les aspects de sa vie. Cela n'avait d'ailleurs jamais été facile, sauf peut-être pour l'empereur Chah Djahan qui, après avoir connu Mumtaz Mahal, resta auprès d'elle toute sa vie. Le rêve du rajah, partagé par plusieurs de ses collègues, était de trouver une femme capable d'être à la fois épouse et amie, et qui soit, comme lui, à l'aise aussi bien en Orient qu'en Occident. Il savait que ce qu'il cherchait était plus difficile à trouver qu'une aiguille dans une botte de foin, et il était convaincu qu'il devrait « former » cette épouse, pourvu qu'elle ait les qualités indispensables : un minimum de curiosité et surtout l'envie de s'ouvrir à un monde inconnu. Voilà les espoirs qu'il plaçait en Rani Kanari et c'est la raison pour laquelle il avait beaucoup insisté pour qu'elle l'accompagne dans son voyage.

Mais il s'était heurté à l'opposition ferme des autorités britanniques. Pour des questions de protocole, il n'était pas autorisé à voyager avec ses ranis, ni même avec Sa Première Altesse Harbans Kaur. Il réfléchit alors à la manière de contourner le problème. Il devait agir très discrètement car l'année précédente il avait déjà été sévèrement réprimandé par les Anglais en raison de son « mauvais comportement » pendant des vacances à Simla, une petite ville située au pied de l'Himalaya que les Britanniques avaient transformée en capitale d'été pour échapper à la grosse chaleur estivale de la plaine. L'incident avait provoqué une correspondance abondante entre le colonel Henderson, de la garnison de Lahore, et sir James Lyall. On reprochait au prince d'être sous l'influence de son ami le rajah du Dholpur, un noceur invétéré que les Anglais considéraient comme une crapule car il pratiquait la coutume ancestrale consistant à acheter des filles aux familles pauvres des tribus de la montagne. Les Anglais accusaient les rajahs du Dholpur, du Patiala et du Kapurthala d'utiliser un officier indien comme intermédiaire. « Leur alibi, disait une lettre du colonel Henderson datée du 4 mars 1892 à Lahore, est de dire qu'ils cherchent des servantes pour la zenana et il sera très difficile de prouver le contraire, même si nous savons que leur but est d'obtenir des concubines. Ces filles, quand elles entrent dans le harem d'un chef, travaillent comme servantes pour leurs épouses. Elles sont néanmoins à leur disposition en tant que concubines et ni les épouses ni les filles n'y font aucune objection. Nous ignorons quelles sont les intentions exactes du rajah du Kapurthala à ce sujet. » La même lettre accusait ensuite le rajah du Dholpur d'être l'instigateur et le responsable de toute l'affaire et souhaitait une punition pour l'intermédiaire – deux ans de prison ferme – pour faire réfléchir les jeunes princes. « Nous trouvons ces procédés parfaitement immoraux, contraires à nos lois et nous espérons en finir très vite avec ça », continuait Henderson qui, cependant, admettait finalement qu'il s'agissait de mœurs tellement enracinées qu'il serait presque impossible de s'en débarrasser. « Je tiens à prévenir sir James Lyall qu'il existe une tribu prospère dans les montagnes près des villages aux environs de Kumaon, où les filles sont pratiquement immariables. Elles ont pour coutume de descendre vers la plaine se faire entretenir par des hommes riches ou de gagner leur vie comme prostituées. Elles ne le font pas par besoin d'argent, mais parce que c'est la coutume. » Il n'était pas facile d'imposer la morale et les valeurs britanniques à une société archaïque comme l'Inde d'alors où, parmi certains groupes, la tradition de laisser les filles se prostituer était non seulement inattaquable, mais considérée comme sacrée. D'ailleurs, les rois des Indes ayant toujours eu des concubines, peu de souverains seraient disposés à s'en passer. Il y avait à cela une origine religieuse. Une ancienne croyance attribuait aux courtisanes des pouvoirs magiques permettant aux rois de lutter contre les mauvais esprits. Autrefois, le maharajah du Mysore, un homme pieux et puissant, plaçait les deux prostituées les plus connues et les plus dépravées de la ville à la tête du défilé pendant la fête de Dassora. On supposait que, grâce à la quantité de leurs expériences sexuelles, elles avaient pu accumuler les pouvoirs magiques que les hommes perdent pendant les rapports. Depuis la nuit des temps, on pensait que les courtisanes protégeaient les rois. Les monarques européens avaient sans doute la même opinion car eux aussi s'entouraient de beautés, parfois cultivées et intelligentes, qu'ils couvraient de titres et d'honneurs. Et cela malgré l'opposition de l'Église.

En Inde, les concubines finissaient par vivre dans le palais, classées selon leur catégorie : A1, A2, B3, etc., la plus basse correspondant aux villageoises. L'une d'elles, en général d'origine humble, était chargée d'une mission unique et exclusive : le contrôle du sperme royal, dont dépendait la « bonne qualité » des enfants et donc la « bonne qualité » des futurs gouvernants. La surveillance du sperme était une question d'État. En Inde, on a toujours cru que l'abstinence conduit à une accumulation excessive de sperme, et que celui-ci peut tourner, exactement comme le lait ou le beurre. C'est pourquoi cette concubine était mise au courant du nombre de rapports sexuels du monarque et, s'ils étaient trop espacés, elle se présentait devant le prince pour recueillir, moyennant quelques manipulations habiles, son sperme dans un chiffon en coton qu'on brûlait ensuite dans le jardin du palais en présence d'un fonctionnaire portant le titre merveilleux de gardien des déjections royales.

Même s'il n'était pas facile de reconnaître les concubines à leur façon de s'habiller, car elles étaient toujours très élégantes, la quantité et la qualité des bijoux qu'elles portaient indiquaient leur place dans la zenana. Il existait un autre signe distinctif : les épouses mangeaient dans de la vaisselle en or, tandis que les concubines étaient servies dans des écuelles en bronze. En général, les femmes étaient heureuses dans les harems car elles échappaient à une vie misérable à la campagne ; elles étaient sûres que, même lorsqu'elles ne seraient plus favorites, elles ne manqueraient jamais de rien, ni elles ni leurs enfants. Afin de contrôler la démographie du harem, on leur ligaturait les trompes à partir du second enfant.

Qu'il les achète ou non aux tribus des montagnes, le rajah du Kapurthala ne manqua jamais de concubines. Ses ministres, qui étaient des hommes sophistiqués, étaient parfois obligés d'abandonner leur travail au service de l'État pour lui chercher des femmes. « Je reviens du Cachemire avec deux filles pour Son Altesse, disait l'un d'eux dans une lettre. Le problème est que le rajah ne peut s'empêcher de penser que j'en ai profité moi-même. »

Les frictions du rajah avec les autorités anglaises étaient dues au paternalisme qui gouvernait les relations de la Couronne avec les princes. Pourtant, le contrat originel, celui de la fameuse proclamation de la reine Victoria, stipulait que personne ne pouvait se mêler des affaires de la zenana ni des activités internes des États. C'étaient des zones réservées. Mais les princes avaient parfois des caprices que les Anglais ne pouvaient permettre. Le rajah du Kapurthala avait ainsi été ulcéré qu'on lui interdise d'embaucher un secrétaire privé allemand nommé Rudolph Kohler. « Il n'est pas souhaitable que les rajahs emploient des étrangers européens, lui avait répondu le département politique, parce qu'ils peuvent nous faire du tort. Par exemple, ils pourraient fournir des renseignements secrets aux Russes, qui ne demandent qu'à poser un pied sur le sous-continent. Le gouvernement des Indes ne voit pas d'un bon œil l'engagement d'étrangers dans les États natifs. On ne peut avoir confiance qu'en des Anglais, et malheureusement pas en tous. » Le rajah trouvait que les autorités exagéraient et il avait insisté pour employer cet Allemand. Le Dr Warburton, consulté par le secrétaire du gouvernement du Penjab, fit un rapport négatif sur l'engagement de Kohler en invoquant une raison puissante : l'Allemand parlait très mal anglais et serait donc un piètre secrétaire. Jagatjit se fâcha et ne le salua plus pendant un certain temps, comme un enfant à qui on refuse un caprice. Il écrivit au secrétaire du gouvernement, expliquant que si le rajah du Dholpur avait pu engager un Français, pourquoi lui ne pourrait-il pas engager un Allemand ? Les Anglais tranchèrent : un jour, la police se présenta avec un ordre d'expulsion. Ils emmenèrent Rudolph Kohler, qui ne revint jamais au Kapurthala. L'action immédiate de la police était due à un avertissement du Dr Warburton : « Le rajah est sous l'emprise de l'Allemand qui aurait pu lui prendre de l'argent et qui participe à des conduites scandaleuses. » Probablement le médecin faisait-il allusion aux fameuses orgies où le rajah du Patiala les invitait. La lettre de Warburton se terminait ainsi : « Le rajah est furieux de ne pas pouvoir employer Rudolph Kohler et ne s'occupe pas de ses devoirs professionnels. » Le rajah boudait.

De cette expérience, Jagatjit avait appris qu'il ne servait à rien de tenir tête frontalement à l'autorité.

Résolu à emmener Rani Kanari en voyage – au cas où son sperme tournerait –, il décida de ne pas insister et mit en marche un plan secret. « Des centaines de mes sujets occupaient les deux côtés de la route. Ils me souhaitaient bon voyage et manifestaient des signes de tristesse à cause de mon absence prochaine », écrivit le rajah dans son journal le jour de son départ. En traversant Agra le 8 mars 1893, il se demanda si, en Europe, il verrait un monument aussi merveilleux que le Taj Mahal. Beaucoup plus tard, il écrirait que, parmi tout ce qu'il avait vu dans le monde, le Taj, unique et incomparable, était « le joyau de la Terre ».

À Bombay, après avoir assisté à une remise de prix au collège supérieur féminin Alexandra, où l'on éduquait les filles de la puissante communauté parsie, il s'embarqua sur le vapeur *Thames*, qui levait l'ancre l'après-midi : « Mes gens ne se lassaient pas de parcourir le bateau, d'admirer sa propreté et son ordre parfait, d'observer les manœuvres – nouvelles pour eux – des machineries compliquées. Ils se demandaient comment un aussi gros bateau pouvait trouver sa route en pleine mer, sans terre pour guider les marins… » Ses accompagnateurs – le médecin, le lieutenant-colonel Massy, le ministre, etc. – furent stupéfaits quand, à l'heure de l'apéritif dans le salon privé de la cabine-suite du rajah, ils furent reçus par une femme habillée d'un sari splendide. C'était Rani Kanari. Ils reconnurent tout de suite en elle l'un des trois domestiques sikhs enturbannés et vêtus de chemises *achkan* et de pantalons bouffants qui faisaient partie du cortège. Le rajah avait trompé tout le monde pour arriver à ses fins. Déguisée en domestique, Rani Kanari s'était faufilée dans sa suite. À cette époque, les passeports individuels n'existaient pas et le stratagème avait marché. Le seul à pouvoir dénoncer le subterfuge était le lieutenant-colonel Massy, mais le rajah savait qu'il ne le ferait pas. Massy, un de ses anciens tuteurs, l'estimait et le considérait comme un ami. Et puis il trouvait cette histoire amusante. Il la voyait comme la nouvelle espièglerie d'un prince de vingt et un ans, un peu capricieux mais bon enfant.

Ils firent une escale en Égypte ; puis visitèrent l'Angleterre, la France et enfin les États-Unis. À Londres, le rajah assista au mariage du duc d'York, sans son épouse, qui resta dans sa suite de l'hôtel Savoy – son deuxième foyer, comme il l'appellerait. Elle noyait son ennui dans du gin-fizz, boisson qu'elle commençait à un peu trop apprécier. Le lendemain, ils assistèrent, depuis le balcon de la suite, à une manifestation pour l'indépendance de l'Irlande qui rappela au rajah « l'agitation artificielle qui a commencé récemment aux Indes sous la baguette du parti du Congrès », comme il l'écrivit dans son journal. « Ces manifestations me rappellent une bouteille d'eau gazeuse, qui est pétillante dès qu'on l'ouvre, mais qui perd très vite son gaz et devient insipide. » Il se trompait, mais, à ce moment-là, il se sentait tellement sûr de sa position qu'il confondait ses désirs avec la réalité.

En Angleterre, Rani Kanari était toujours déguisée en domestique, mais plus tard, après avoir traversé la Manche, ils se détendirent, et elle assuma plus souvent son rôle d'épouse, s'habillant comme la plus élégante des Européennes.

# 16

La France fut la révélation du voyage. Le jeune rajah était enclin à l'aimer car il avait beaucoup lu sur le pays des Lumières, du Roi-Soleil et de Napoléon, personnage qui le fascinait. En outre, il était un grand amateur d'architecture, comme tous les monarques des Indes pour qui la construction de palais, de bâtiments et de monuments était une façon d'atteindre l'immortalité. La réalité l'éblouit davantage encore que ce qu'il avait imaginé. Paris le séduisit : la beauté de ses monuments, l'ampleur de ses avenues, le dessin de ses parcs, les bijouteries de la place Vendôme, les salons de thé, les théâtres de variétés… Le luxe, le bon goût et le raffinement à la française n'étaient comparables à rien de ce qu'il avait vu jusqu'alors. À côté, Londres lui sembla une ville grise, industrielle, ennuyeuse et laide. La France brillait à ses yeux et Versailles en était l'étoile la plus resplendissante. Il voulut y retourner tous les jours, sous le soleil ou par mauvais temps, pour y admirer les perspectives et le tracé des jardins par Le Nôtre ; pour parcourir la galerie des Glaces, symbole du pouvoir du monarque absolu, aux plafonds d'une hauteur de douze mètres et aux miroirs d'une taille exceptionnelle ; pour se laisser intimider par les cent vingt mètres de la galerie des Batailles, où sont représentées les scènes des conflits armés qui ont fait l'histoire de la France ; pour contempler quelques-unes des trois mille toiles de la Galerie historique, le plus grand musée d'histoire du monde ; pour observer la marqueterie des appartements du roi, les brocarts, les tissus et les broderies en fil d'or ; pour admirer l'opéra, les fontaines et les statues, les cheminées en marbre et les bas-reliefs, les stucs, les dorures et les sols en bois et en marbre. Il y trouvait tout ce qui pouvait éblouir un prince d'Orient : grandeur, beauté, pompe et sens de l'Histoire.

Jagatjit décida donc de bâtir son nouveau palais de Kapurthala en s'en inspirant. Ce serait son hommage particulier à un pays et à une culture qu'il admirait maintenant plus que l'anglaise. En outre... quelle manière élégante et subtile de taquiner les Anglais, si imbus de leur supériorité raciale et culturelle ! Il serait le seul prince à faire une chose pareille.

Comme il parlait français couramment, il se sentait à l'aise quand il prenait contact avec les architectes les plus réputés. Alexandre Marcel, qui était à la tête de l'atelier responsable de l'hôtel Crillon et de l'École militaire, et de beaucoup d'autres projets, et qui était très attiré par l'Orient, fut pris d'enthousiasme à l'idée de bâtir une mini-réplique de Versailles mélangée au palais des Tuileries dans les plaines du Penjab. Surtout quand le rajah lui fit savoir qu'il disposerait d'un budget illimité pour incorporer les dernières avancées techniques, comme le chauffage central, l'eau courante chaude et froide dans les cent huit chambres avec salles de bains qu'il avait prévu de construire, des ascenseurs électriques, des toits d'ardoise qu'on importerait de

Normandie, etc[1]. Bien qu'il fût impossible de faire plus grand que le palais de l'État voisin du Patiala, celui de Kapurthala rivaliserait en beauté et en originalité.

À Paris, ce rajah grand et gras, toujours merveilleusement habillé et plein de fabuleux projets, commença à susciter une grande curiosité. Son amour des achats – il se procurait chez Cartier des montres par dizaines et passait de fastueuses commandes au bijoutier Boucheron – ne passait pas inaperçu. Ses turbans en soie turquoise ou saumon se faisaient aussi remarquer car ils évoquaient la splendeur de l'Orient à une époque où l'Asie était en vogue. La France suivait avec une grande ferveur les découvertes des temples d'Angkor dans sa colonie du Cambodge. Les orientalistes étaient les vedettes de la peinture. Les explorations en Indochine enflammaient l'imagination populaire. C'est dans ce contexte favorable qu'apparut à Paris cet individu à l'aspect exotique, parlant un français choisi et discutant avec aisance de sa vie, de son pays et de son rêve pharaonique de construire Versailles aux Indes, mais aussi des mérites de Napoléon, ou des avantages et inconvénients de conduire une De Dion-Bouton par rapport à une Rolls-Royce. Le rajah, avec sa facilité pour les relations publiques, son amabilité, sa culture, sa richesse et sa bonne éducation, eut beaucoup de succès.

Son histoire d'amour avec la France devait durer toute sa vie. Ce fut un amour bien plus fidèle et durable

1. Alexandre Marcel fera partie de l'histoire de l'architecture française grâce au parc oriental de Maulévrier qu'il dessina dans la ville d'Anjou, considéré comme un exemple excellent de jardin japonais.

qu'aucun de ceux qu'il connut avec une femme. En France, il se sentait libéré des obligations et des contraintes du Raj britannique. En France, personne ne connaissait réellement les limites de son pouvoir, ni les humiliations qu'il devait parfois supporter de la part des Anglais quand ils lui refusaient un caprice. En France, il était traité comme un véritable souverain et cela flattait sa vanité. Tandis qu'en Angleterre, si riche fût-il, il n'était qu'un roi de pacotille. Un de plus dans la myriade de princes indiens. Son excellente maîtrise du français le différenciait de tous les autres et lui ouvrait les portes d'un pays et d'une culture. « Plus riche que le rajah du Kapurthala » devint une expression parisienne à la mode, ce qui montre bien la légende qui commençait à se tisser autour du personnage. Parmi les souverains des Indes, il était loin d'être le plus riche. Mais il sut s'entourer d'une aura qui le laissait entendre et qui le rendit célèbre[1]. Un de ses mérites fut de faire exister le nom de Kapurthala sur la carte du monde. Mais son plus grand succès, au fil des années et grâce à ses nombreux voyages, fut d'incarner l'image des Indes en Europe. Ce n'était pas mal, pour le prince d'un si petit État, qui n'avait droit qu'à treize coups de canon !

Le fait de voyager avec sa femme déguisée éveillait encore davantage la sympathie des familles aristocratiques françaises qui les recevaient dans leurs manoirs et leurs châteaux et qui trouvaient très amusant qu'un prince use de semblables ruses. Après avoir visité les châteaux de la Loire, le couple revint à Paris où il passa ses journées à prendre le thé dans les kiosques du bois de Boulogne, à visiter les bijoutiers de la rue de la Paix,

1. Des années plus tard, le dessinateur belge Hergé s'inspira du rajah pour un de ses personnages de *Tintin*.

à faire des achats dans les grands magasins du Bon Marché, à dévaliser l'usine des parfums Pinaud (« Je suis sorti de là plus pauvre, mais riche d'un grand choix de parfums », écrivit Jagatjit dans son journal), à s'entretenir avec Charles Worth, le démiurge de la mode parisienne, inventeur du prêt-à-porter et premier couturier à signer ses robes de sa griffe, à assister à des concerts au palais du Trocadéro ou à dîner chez la princesse de Chimay ou au d'Armonville, le plus luxueux restaurant de la capitale… Le rajah aimait aussi visiter les musées et les galeries d'art. Dans le musée de cire, un de ses accompagnateurs, le médecin Sadiq Ali, s'assit sur un banc pour se reposer quelques minutes. Quand il changea de position, un groupe de visiteurs se mit à hurler : ils l'avaient pris pour une statue.

Mais ses visites n'étaient pas toujours frivoles. Le rajah réserva plusieurs après-midi pour aller à la Bibliothèque nationale, où il tomba en extase devant les trois millions de volumes, et où il se plut à examiner la collection d'œuvres en sanscrit. Il visita également l'Institut Pasteur et eut la chance de rencontrer son fondateur : « C'est un homme âgé, à moitié paralysé, qui marche avec une canne. Il eut la gentillesse de m'expliquer son système tandis qu'il me montrait ses laboratoires, entièrement financés par des donations. Nous examinâmes des germes dangereux à travers de puissants microscopes. En prenant congé de lui, je lui promis qu'il recevrait un don important de ma part, en plus de celui qu'il touche déjà du gouvernement des Indes. Je tiens à ce que le Kapurthala collabore au progrès scientifique européen. »

New York fut l'étape suivante. Ils firent la traversée en six jours à bord du *Paris*, où il rencontra des passagers américains « qui ne se fatiguent jamais d'expliquer leur supériorité par rapport aux monarchies européennes ankylosées ». À New York, le cortège du

Kapurthala fit sensation. La presse locale ne les lâcha pas d'une semelle. « Ils disent de moi que j'ai cinquante-cinq épouses et que le but de mon voyage est d'ajouter une Américaine à la liste. Ils supposent également que je fume des cigares énormes et que je bois du champagne toute la journée. Nous nous sommes bien amusés de ces détails écrits sans malice et sans intention d'offenser. »

Chicago avait investi d'énormes sommes d'argent dans l'Exposition universelle, la plus formidable de toutes celles organisées jusqu'alors. C'était la première fois que les États-Unis surprenaient le monde avec une telle réalisation, qui annonçait leur future puissance. Pendant six mois, l'exposition fut visitée par vingt-sept millions de personnes, soit l'équivalent de la moitié de la population totale du pays. L'endroit ressemblait à un royaume enchanté. Tout ce que le monde avait à offrir de plus spectaculaire et de plus novateur dans les arts et les sciences était exhibé à l'intérieur de bâtiments blancs et magnifiques, élevés au milieu de lagunes et de parcs. Il y avait même une machine volante et un bateau submersible qui impressionnèrent beaucoup les Indiens. Reçus avec tous les honneurs, ils parcoururent l'exposition sur deux péniches. Dans l'une se trouvaient le rajah, le colonel Massy et le ministre des Finances, dans l'autre le reste du cortège, y compris Rani Kanari déguisée. Ils furent acclamés par une foule de plus de cinquante mille personnes rassemblées pour l'occasion. « Nous avons reçu la visite d'un monarque oriental, relata malicieusement le *Chicago Daily Tribune* du 16 août 1893. Leurs basques et leurs turbans brillaient avec une splendeur barbare. Il était probablement accompagné de ses esclaves et de ses guerriers qui saluaient d'une main avec des plumes de paon, tandis qu'avec l'autre ils caressaient leurs épées en argent. Au balcon du bâtiment de l'administration, le colonel

Massy, représentant de la suprématie anglaise, leva son verre de vin blanc et, au nom du monarque indien, trinqua à la santé de notre foule qui ne sait pas ce qu'est un roi. Ce fut la visite pittoresque, remplie de couleurs et de bruits, d'un roi des *Mille et Une Nuits* au fleuron de la civilisation occidentale. »

# 17

Quand le rajah et sa suite rentrèrent en Inde, ils furent reçus par le secrétaire militaire du gouverneur de Bombay. Rani Kanari, toujours déguisée en garçon, resta incognito. Le voyage l'avait moins changée que son mari, qui pensait déjà à sa prochaine escapade, fasciné par tout ce qu'il avait découvert en Europe et aux États-Unis. Pour elle, ç'a avait été plus difficile ; d'abord, parce qu'elle avait été obligée de toujours dissimuler sa présence, ce qu'elle avait d'abord vécu comme un jeu mais qu'elle finit par trouver pénible. Le fait de ne parler ni anglais ni français et d'avoir à vivre cachée l'avait empêchée de se faire des amis, de nouer ses propres relations ou de s'imprégner d'une autre ambiance. Elle était restée dans le cercle fermé des accompagnateurs indiens, où elle se sentait déplacée, étant la seule femme. Finalement, elle ne s'était jamais sentie aussi seule que pendant les longs après-midi passés à attendre le retour du rajah dans la suite de l'hôtel. Il revenait avec des histoires merveilleuses sur un monde qu'elle ne comprenait pas, qu'elle ne pourrait jamais comprendre. Elle était suffisamment lucide pour se rendre compte qu'elle n'était pas à la hauteur des aspirations de son mari. Cette frustration lui donnait le cafard et c'est pour le combattre qu'elle se servirait dorénavant de l'arme qu'elle venait de découvrir : d'abord le gin-fizz puis le Martini dry qui deviendraient ses boissons préférées pour le restant de sa vie. Peu à peu, sans s'en rendre compte, la princesse arrachée à la vallée du Kangra par un roi sikh entrerait dans le tunnel sans fin de l'alcoolisme.

Le rajah voulut faire profiter son État de son enthousiasme pour l'Occident. Dès son retour, il prit contact avec les autorités pour faire construire un central téléphonique, installer l'éclairage public dans les rues et un système d'égouts, et mettre en place l'éducation féminine dans les collèges. Le département politique constata avec plaisir les bonnes dispositions du rajah, mais lui rappela qu'il lui serait difficile de mettre en œuvre tous ces projets s'il continuait à dépenser autant et s'il s'absentait aussi souvent du Kapurthala. On lui rappela que, depuis des années, il passait les quatre mois d'été dans les montagnes et qu'il venait de faire un voyage de presque un an à l'étranger. Mais les avertissements tombèrent dans l'oreille d'un sourd : le rajah ne modifia ni sa façon de vivre ni ses projets. Il repoussa le financement du téléphone jusqu'en 1901 et commença les travaux de voirie et d'éclairage uniquement aux alentours de ses résidences. L'éclairage des rues attendrait que la construction de son nouveau palais – projet qui lui tenait vraiment à cœur – soit terminée. En privé, il se plaignait que le département politique n'apprécie pas sa contribution au développement du Kapurthala et se mêle trop de sa vie personnelle. Après tout, il avait quand même payé de sa poche la première centrale électrique, qui marchait au charbon à heures fixes, car il avait voulu que sa ville soit la première du Penjab à avoir l'électricité.

Le rajah, qui à cette époque avait beaucoup maigri et se distinguait par l'élégance de son port, n'était pas disposé à croupir dans son petit monde. Il savait qu'il pouvait compter sur la collaboration efficace de ses ministres et que sa présence quotidienne n'était pas indispensable au bon fonctionnement des affaires de l'État. Il était en pleine jeunesse et voulait rattraper tout ce que son obésité lui avait volé. Il continua à parcourir les Indes et, dans la même année, prit deux autres épouses, toujours d'origine rajpute, sans parler de ses nouvelles concubines. Au fur et à mesure que son harem s'accroissait, le nombre de ses enfants grandissait également. Les unes après les autres, ses femmes se retrouvaient enceintes, la dernière étant Rani Kanari qui, en 1896, mit au monde un fils appelé Charamjit, le benjamin de la famille, qu'ils finiraient par surnommer Karan. Au début du siècle, le rajah, qui avait eu tant de mal à engendrer son premier fils, était père de quatre fils officiels à qui il fit rapidement apprendre le français et l'anglais pour les envoyer ensuite faire des études en Europe et avoir ainsi l'excuse de leur rendre visite tous les ans. Les enfants des concubines, qui n'étaient pas reconnus officiellement, recevaient également une bonne éducation.

Sa soif de voyage était insatiable. Un rapport officiel calculait qu'il avait passé hors de l'État un cinquième du temps écoulé depuis son investiture. En mai 1900, il fut autorisé à se déplacer à condition qu'il ne reparte plus à l'étranger pendant les cinq années suivantes. « Il est très extravagant, disait le rapport, et, entre 1899-1900, il a dépensé le quart des recettes de l'État pour lui et ses frais de voyage en Europe. Lord Lansdowne l'a réprimandé sévèrement pour son manque d'intérêt vis-à-vis des affaires de l'État, pour ses absences fréquentes, son extravagance et son immoralité. Lord Lansdowne a même décidé de ne pas faire de visite à Kapurthala cette année. » Le rapport se terminait pourtant en l'excusant : « C'est un prince qui pourrait être bien meilleur. Il a un caractère facile mais se laisse influencer par ceux qu'il croit être ses amis. L'éducation qu'il donne à ses fils montre un certain degré de raffinement et son ambition principale est apparemment d'être traité comme un lord britannique et qu'on lui permette de se mélanger librement à la haute société[1]. » Jagatjit voulait tellement se sentir « international » qu'en 1901 il commit un sacrilège qui causa un grand scandale dans la communauté sikh : il se rasa la barbe. Non seulement c'était plus pratique, mais cela lui donnait un air moins « barbare ». Il n'aurait plus à l'enrouler dans un petit filet comme ses confrères ni à passer des heures à la peigner et à l'arranger. Il ferait comme n'importe quel Européen : il se raserait tous les matins. Pour les sikhs, son geste fut interprété comme un renoncement à sa religion et à son identité, une des cinq obligations de leur religion étant de ne jamais se couper les cheveux, par respect envers la forme originale que Dieu avait donnée à l'homme. Le rajah devenait un « Blanc ». Les quatre autres obligations étaient de toujours porter un peigne, symbole de propreté ; des caleçons courts pour rappeler la nécessité de continence morale ; un bracelet en métal qui symbolise la roue de la vie et un petit poignard pour se défendre contre toute agression. Ces signes extérieurs semblaient à Jagatjit pure formalité. Il avait conservé l'essentiel, à ses yeux, de sa religion : il priait tous les matins en lisant des pages du Granth Sahib. Bien plus tard, il déclarerait que s'il avait prévu que se raser offenserait autant les traditionalistes il ne l'aurait pas fait. En réalité, il était en avance sur son temps. À l'avenir, de nombreux sikhs se raseraient la barbe sans pour autant perdre leur identité.

Aucun doute, donc, sur son excentricité ; il se sentait l'héritier des empereurs d'autrefois, pour qui l'excentricité était une sorte de raffinement. À Kapurthala, au

1. Mémorandum sur le Kapurthala, 1er juin 1901 (British Library, Londres, Curzon Collection, p. 327).

cours d'une cérémonie solennelle, juste avant son second départ en Europe, en mai 1900, il posa la première pierre de son nouveau palais. Les habitants purent voir, une année après l'autre, surgir un bâtiment d'un style complètement inconnu d'eux, dont la façade fut peinte en rose avec des bas-reliefs blancs. De grandes baies vitrées à la française, des toits d'ardoise grise et des jardins inspirés par Le Nôtre, avec des statues allégoriques et des jets d'eau semblables à ceux de Versailles, formaient un cadre exceptionnel où *nannies* et concubines promenaient les enfants dans leurs poussettes.

Sa façon de voyager était également extravagante. En route vers Bombay sur le Penjab Mail, le rajah, dans ses wagons privés accrochés à la fin du train qui transportait un millier de passagers, donna ordre à son secrétaire de faire arrêter le convoi à la gare de Nasik. Il voulait se raser. Le chef de gare l'avertit qu'il n'était pas autorisé à le faire et appela son supérieur, qui à son tour lui donna ordre de faire partir le train. Le secrétaire insista pour payer les frais occasionnés par cet arrêt intempestif, tandis que les gardes du corps du rajah obligeaient le machiniste à attendre encore quelques minutes. Le chef de gare fut contraint de patienter, ainsi que les quelque mille passagers. Il éleva ensuite une plainte officielle aux plus hautes instances de l'administration des chemins de fer, qui fut transmise au département politique du Penjab. Le rajah avait encore fait des siennes. « Si le train n'avait pas attendu quelques minutes, répondit le rajah, j'aurais pu me blesser, ce qui aurait coûté plus cher à la compagnie des chemins de fer, à cause des assurances que j'ai prises, que les frais causés par un petit retard. » Un argument de choc.

Mais les Anglais, qui connaissaient bien les princes indiens, étaient capables de resituer les extravagances du rajah dans leur juste perspective. C'étaient des bagatelles comparées à celles de certains de ses collègues. Le prince d'un État du Sud, grand chasseur de tigres, accusé d'utiliser des bébés comme appâts, s'était excusé en précisant qu'il n'avait jamais raté un tigre de sa vie. Ce qui était vrai. Le maharajah du Gwalior avait fait venir une grue spéciale pour monter sur le toit de son palais le plus gros de ses éléphants. Résultat : le plafond s'était effondré et l'animal avait été blessé. Il avait simplement voulu vérifier la solidité du toit, car il avait acheté à Venise un lustre gigantesque censé rivaliser avec ceux des plafonds du palais de Buckingham. Ce même maharajah aimait tellement les trains qu'il en avait commandé un en miniature dont les locomotives et les wagons circulaient sur des rails en argent massif entre les cuisines et l'immense table de la salle à manger de son palais. Assis aux commandes, il manipulait les leviers, les manivelles, les boutons et les sirènes et contrôlait la circulation des trains qui transportaient des boissons, des brochettes, des cigares ou des sucreries. Les wagons-citernes, remplis de whisky ou de vin, s'arrêtaient devant le convive qui réclamait un verre. La réputation de ce train atteignit l'Angleterre, car un soir, au cours d'un banquet offert à la reine Marie, les locomotives s'emballèrent en raison d'un court-circuit, éclaboussant de vin, de xérès, de sauce aux épinards et de poulet au curry les robes et les uniformes des invités. Ce fut l'accident de chemin de fer le plus absurde de l'histoire.

Si le rajah du Kapurthala avait empêché le train – le vrai – qui unissait Delhi aux États du Nord de traverser son État pour ne pas avoir à se déranger chaque fois qu'un haut fonctionnaire passait par là, le rajah d'un des États du Kathiawar s'y opposa également mais pour une autre raison : il considérait que c'était une offense à sa religion que les passagers qui traversaient son territoire puissent être en train de manger de la viande de bœuf au wagon-restaurant.

Les extravagances n'avaient aucune limite. Un maharajah du Rajputana tenait toutes ses réunions, que ce soit le Conseil des ministres ou les procès, dans sa salle de bains, car c'était l'endroit le plus frais du palais. Un autre s'excitait sexuellement quand il entendait gémir les femmes qui accouchaient. Un autre, afin de faire des économies, unifia le poste de juge d'État et celui d'inspecteur général des danseuses en une seule fonction rétribuée cent roupies par mois. Un autre acheta deux cent soixante-dix automobiles et le maharajah Jay Singh d'Alwar, qui se procurait ses Hispano-Suiza trois par trois, les enterraient cérémonieusement dans les collines autour de son palais au fur et à mesure qu'il s'en lassait.

Le dernier nabab de Bhopal fut réprimandé par les autorités britanniques pour avoir dépensé une somme colossale dans la fabrication d'une salle de bains portable, avec chaudière d'eau, baignoire, water-closet, lavabos, etc., pour aller à la chasse ! Son frère, le général Obdaidullah Khan, irrité par les mauvaises manières d'un vendeur dans une horlogerie de Bombay, décida d'acheter immédiatement le stock entier du magasin.

Le maharajah de Bharatpur ne voyageait jamais sans sa statuette du dieu Krishna. Il réservait toujours une place pour la divinité. Les haut-parleurs des aéroports du monde entier répéteraient souvent cette annonce : « Ceci est le dernier appel pour que M. Krishna se présente à la porte d'embarquement… »

Pendant les banquets qu'il offrait, le nabab de Rampur, connu pour sa grande culture, organisait des concours de jurons en punjabi, en ourdou et en perse. Il gagnait à chaque fois. Il battit un jour son record en débitant gros mots et insultes pendant près de deux heures et demie sans s'arrêter. Son concurrent le plus sérieux n'avait tenu que quatre-vingt-dix minutes.

Les maharajahs faisaient des plaisanteries à la hauteur de leurs excentricités. Ils s'échangeaient des vierges, des perles et des éléphants. Un jeune prince à moitié ruiné, qui avait fait une bonne affaire après avoir vendu une douzaine de danseuses à un millionnaire parsi, ajouta à la dernière minute trois vieilles femmes dans le lot, gardant pour lui les trois plus jeunes danseuses.

Parmi toutes ces extravagances, celles du nabab du Junagadh, un petit État au nord de Bombay, surpassaient les autres. Passionné par les chiens, le prince en avait cinq cents, qu'il avait installés dans des appartements avec l'électricité où ils étaient servis par des domestiques. Un vétérinaire anglais, spécialiste canin, dirigeait un hôpital qui leur était réservé. Ceux qui n'avaient pas la chance de sortir vivants de la clinique étaient honorés par des funérailles où l'on jouait la *Marche funèbre* de Chopin. Le nabab se rendit célèbre en célébrant le mariage de sa chienne Roshanara avec Bobby, son labrador préféré, lors d'une cérémonie grandiose où il invita des princes et des dignitaires, y compris le vice-roi, qui déclina l'invitation « avec [ses] profonds regrets ». Cinquante mille personnes suivirent le cortège nuptial. Le chien portait un costume en soie et des bracelets en or, tandis que la fiancée, parfumée comme une dame, était couverte de pierres et de bijoux. Pendant le banquet, l'heureux couple fut assis à la droite du nabab avant d'être conduit dans un des appartements pour y consommer son union.

Généralement, plus ils étaient riches et puissants, plus ils étaient excentriques. L'autorité incontestable en matière des plaisirs de la chair et d'extravagances variées était un bon ami du rajah. Le maharajah Rajendar Singh, né la même année que Jagatjit, régnait sur les six mille kilomètres carrés du Patiala, État contigu au Kapurthala, plus peuplé et donc plus riche. Il avait droit à dix-sept coups de canon. Ses tuteurs lui avaient enseigné l'ourdou et l'anglais et, très jeune, il était devenu un espoir du polo et du cricket, jusqu'à ce que son penchant pour l'alcool et les femmes change le cours de sa vie. Son palais mesurait cinq cents mètres de large et la façade arrière donnait sur un immense lac artificiel. Des chiens afghans, des paons et des tigres enchaînés aux abords des étangs couverts de lotus peuplaient le jardin.

Si les Anglais craignaient que Jagatjit ne file un mauvais coton, que pensaient-ils de Rajendar, qui depuis l'âge de onze ans montrait d'excellentes aptitudes pour le sexe et la bringue. Lui et son cousin le rajah du Dholpur avaient une réputation de voyous « follement extravagants », comme les décrivait un fonctionnaire anglais. Mais le fait d'être critiqués dans des rapports secrets ne signifiait pas que la société coloniale britannique les laissât de côté. Au fond, ils avaient quand même le sang bleu. Avec la même familiarité que le maharajah du Jaipur appelait Lizzy la reine Élisabeth d'Angleterre, les trois amis – Kapurthala, Patiala et Dholpur – côtoyaient la bonne société pendant l'été à Simla et ils devinrent les compagnons préférés du nouveau vice-roi lord Curzon et de sa femme, jusqu'au jour où un incident rompit cette idylle. Les trois princes, devenus intimes de lady Curzon, l'invitèrent à dîner à Oakover, la résidence somptueuse de Rajendar à Simla, d'où l'on apercevait, parmi les saules et les rhododendrons en fleur, les pics enneigés de l'Himalaya. La dame avait souhaité voir de près les fameux bijoux du Patiala, réputés dans toutes les Indes. Avant le dîner, elle essaya un collier de perles assuré chez Lloyd pour un million de dollars et une tiare de mille et un diamants bleus et blancs, deux pièces considérées comme les trésors du Patiala. « Ces bijoux sont plus beaux sur un sari, dit alors Rajendar. Pourquoi n'essayez-vous pas celui-là, qui a appartenu à ma grand-mère ? »

Peu de femmes de la haute société auraient résisté à la tentation d'essayer cette tenue, que ce soit par coquetterie ou par plaisir de se déguiser en reine orientale. Lady Curzon se para donc des bijoux du Patiala, y compris du fameux diamant « Eugene », et s'enveloppa dans un sari rouge brodé de fils d'or. Elle était fantastique. Afin de garder un souvenir de cette mémorable soirée, les jeunes rajahs lui proposèrent de se faire prendre en photo, puisque le célèbre pionnier de la photographie en Inde, un sikh appelé Deen Dayal, faisait partie de la soirée.

Malheureusement pour les trois princes, la photo fut publiée dans la presse populaire britannique. Le scandale fut absolu : la vice-reine de l'Empire britannique déguisée en maharani ! Lord Curzon, fou de colère, fit interdire de séjour à Simla les trois princes, ainsi que tous les autres maharajahs, sauf permission préalable. Vexé, Rajendar construisit sa propre capitale d'été près du village de Chail, à soixante kilomètres de Simla et à trois mille mètres d'altitude. Il y fit bâtir le terrain de cricket le plus haut du monde, où les équipes britanniques, australiennes et indiennes livrèrent de grands tournois, tout en profitant des vues spectaculaires sur les glaciers du Kailash et les cimes de l'Himalaya.

Jagatjit, lui, fit édifier un manoir à cent kilomètres de Simla, à Mussoorie, une autre *hill station*, comme les Anglais appelaient ces villes d'été à l'atmosphère toujours frivole et gaie. Il s'inspira d'un des châteaux de la Loire qui l'avait tellement impressionné, avec ses tourelles pointues couvertes d'ardoise. L'intérieur fut décoré de tableaux et de mobilier de style français, de vases de Sèvres et de tapisseries des Gobelins. L'ensemble fut baptisé du nom exotique de Château Kapurthala. Le manoir se ferait connaître par ses bals déguisés dansant au son de grands orchestres. Grâce aux déguisements, les aristocrates indiens et les femmes européennes jouissaient de l'anonymat nécessaire pour leur permettre d'avoir des relations en cachette des maris, absents, car ils ne pouvaient passer quatre mois d'été en famille. À la fin des soirées organisées par le rajah, les couples, en secret, s'éloignaient en rickshaws et passaient par Camel's Back, la route circulaire derrière la colline d'où l'on voyait un paysage merveilleux de sommets enneigés, de terrasses verdoyantes et de prés fleuris. Les couples y restaient de longues heures et, bien plus tard, le rickshaw ramenait les dames à leur résidence. Quelques-unes, les plus aventureuses, faisaient entrer leurs amants chez elles.

Jagatjit n'était ni un coureur invétéré ni un buveur, mais un vrai gentleman qui jouissait du contact avec la haute société, contrairement à Rajendar et à son cousin, le rajah du Dholpur, qui préféraient s'entourer de proxénètes, de joueurs, d'alcooliques ou de parasites européens de bas étage. Les Anglais accusaient le rajah du Dholpur d'exercer une mauvaise influence sur son cousin, en l'incitant à mener une vie dissolue. Dans un rapport officiel, Rajendar fut traité « d'alcoolique, de père indifférent, de mari infidèle et de piètre administrateur ». Quand le vice-roi envoya un haut fonctionnaire pour discuter avec le maharajah de son indifférence à l'égard des affaires administratives et de son désordre financier, Rajendar, vexé, lui répondit : « Mais je m'occupe chaque jour des affaires de l'État, pendant une heure et demie ! »

Rajendar préférait la compagnie des chevaux à celle des hommes. Dans ses écuries, il avait sept cents pur-sang, dont trente étalons d'excellente qualité qui avaient fourni au Patiala et aux Indes de grands champions. Il aimait aussi le cricket et le polo et fut le mécène de Ranji, son aide de camp, qui offrit à l'équipe du Patiala son heure de gloire. Il parvint à faire des Tigres – son équipe de polo à l'uniforme orange et noir – la terreur de l'Inde.

La notoriété de Rajendar tenait au fait qu'il était un pionnier dans bien des domaines. La première automobile qu'il importa aux Indes, une De Dion-Bouton immatriculée *Patiala O*, causa une grande commotion. Ses sujets, abasourdis, trouvèrent que c'était un miracle de pouvoir se déplacer à quinze ou vingt kilomètres à l'heure sans l'aide d'un chameau, d'un cheval ou d'un éléphant. Le choc fut plus grand encore lorsqu'il annonça son mariage avec une Anglaise. C'était la première fois qu'un prince indien épousait une Européenne. Elle s'appelait Florrie Bryan et était la sœur aînée du chef des écuries de Son Altesse. Quand le vice-roi apprit son intention, il lui fit part de ses reproches, par l'intermédiaire de son délégué au Penjab : « Une alliance de ce genre, avec une Européenne d'un rang très inférieur au vôtre, est condamnée aux pires résultats. Elle vous mettra dans une position gênante, aussi bien parmi les Européens que parmi les Indiens… Au Penjab, comme vous pouvez vous en faire une idée, le mariage sera mal accepté. »

Malgré cet avertissement on ne peut plus clair, la *Civil & Military Gazette* du 13 avril 1893 annonça à la une le mariage secret du maharajah du Patiala à miss Florrie Bryan, selon le rite sikh. Une note expliquait que l'événement n'aurait pu attendre car la fiancée était enceinte de quatre mois. La noblesse du Patiala, le vice-roi et le gouverneur ignorèrent le mariage. Les princes du Penjab aussi. Jagatjit Singh, lui, se trouvait en Europe, sinon, il n'aurait pas manqué d'assister au mariage de son ami. Au fond, il l'admirait pour avoir osé faire ce que lui-même souhaitait : épouser une Européenne. Pour ses compagnons de bringue qui parcouraient les montagnes à la recherche de concubines et qui étaient experts en l'art d'aimer, la femme blanche était le trophée le plus précieux – peut-être parce qu'il était le plus difficile à obtenir.

# 18

La femme européenne incarnait le mystère, l'émotion et le plaisir qu'offrait l'Occident, un nouveau monde que les princes désiraient s'approprier. En outre, la provocation que représentait le fait de séduire une femme blanche était une métaphore des relations ambivalentes – mélange d'admiration et de rejet – entretenues avec le pouvoir britannique. Cela faisait aussi partie de la conception indienne de l'amour romantique, où des amants sont capables de défier la barrière des castes et des religions pour satisfaire leur passion. De grandes histoires d'amour, exploitées plus tard par le cinéma pour le plus grand bonheur des foules, nourrissent la mythologie indienne. Qui plus est, la femme blanche a sa place dans le *Kama-sutra*. Selon cette bible du sexe, la meilleure maîtresse a la peau très claire et on ne doit pas la chercher dans son propre pays, là où vivent les femmes qu'on épouse et dont le passé est connu et garanti par la famille. La maîtresse doit venir de loin, d'un autre règne, ou au moins d'une autre ville. Cette conception particulière de l'amour distingue la femme-mère, celle qu'on épouse, de la femme-maîtresse, celle avec qui l'on s'amuse et avec qui l'on jouit des rapports sexuels. Une dichotomie dont les racines remontent à l'antiquité d'une société polygame et à laquelle l'Europe n'échappe pas totalement. Mais, dans la mythologie indienne, donner du plaisir sexuel élève, tandis que mettre au monde les enfants, même si on les considère purs et sacrés, souille la femme qui doit ensuite se soumettre à des purifications constantes. En créant ces nouvelles vies, les femmes indiennes perdent à chaque fois une partie de leur corps et de leur âme. Il leur est donc plus difficile, pour ne pas dire impossible, d'offrir dans le plaisir une part d'elles-mêmes afin de devenir de bonnes maîtresses.

Il n'était donc pas étonnant que les Indiens de haute souche, bercés par les enseignements du *Kama-sutra*, rêvent d'avoir un jour des relations avec des Européennes. Posséder une Blanche était considéré comme un symbole extérieur de richesse et d'exotisme.

Ce premier mariage entre un prince indien et une Européenne fut un échec retentissant. Florrie Bryan, une grande blonde aux yeux bleus un peu dégingandée – une femme-jument d'ascendance femme-éléphant selon le *Kama-sutra* – ne fut heureuse que pendant sa lune de miel. Naïve, elle se pensait capable de changer son mari, ce qui était impossible. La vie de Rajendar tournait autour de la fête, des femmes et du sport. Florrie finit par se sentir de plus en plus seule. Ses compatriotes la fuyaient à cause de son origine modeste et les femmes du maharajah lui menaient une guerre sans merci. À tel point qu'au moment où son fils mourut de fièvre, à sa naissance, Florrie fut convaincue qu'il avait été empoisonné. Il n'y avait aucune preuve et l'Anglaise connaissait trop bien l'Inde pour croire qu'il n'y en aurait jamais.

Deux ans plus tard, Florrie fut victime d'un mal mystérieux. « Son corps souffrait d'une vraie maladie physique, rapportait un officier anglais, le lieutenant-colonel

Irvine. Mais ce fut le mal dont souffrait son âme qui fut l'agent ultime de sa destruction. »

Le millier de colombes blanches que Rajendar fit sacrifier pour honorer la mémoire de Florrie était une maigre compensation à l'abandon et au rejet qu'elle avait dû supporter. Ses bijoux finirent chez le rajah du Dholpur. Rajendar invoqua auprès des autorités britanniques que c'était le souhait de Florrie, mais une enquête révéla qu'il devait beaucoup d'argent à ce rajah.

Cinq ans après sa mort, le Premier ministre du Patiala annonçait qu'à la suite d'un accident de cheval le maharajah Rajendar Singh était décédé. Une fin glorieuse pour un passionné d'équitation. Mais tout à fait inexacte. Le vice-roi lord Curzon expliqua par courrier au roi Édouard VII que le maharajah avait succombé à une crise de *delirium tremens*. Il avait vingt-sept ans.

Le désir de femme européenne était si grand chez les princes que des profiteurs se consacrèrent à la médiation matrimoniale. Les premiers « agents » furent Lizzie et Park Van Tassell, une gouvernante et un Hollandais qui gagnait sa vie en faisant des démonstrations de vol en ballon. Ils marièrent leur fille Olivia au rajah de Jind contre la somme de cinquante mille roupies plus un versement en viager de mille roupies par mois. Devant le succès de l'opération, le couple décida de chercher des Européennes pour d'autres princes.

Les Anglais étaient déconcertés et furieux. Cette passion pour les femmes blanches troublait l'ordre social. L'union entre Européennes et princes indiens impliquait une égalité physique et émotionnelle qui mettait en doute la hiérarchie raciale et sociale de l'empire. Or cette hiérarchie était un reflet du système des castes, où chacun connaît sa place et où nul ne la remet en question.

Mais ils ne savaient pas comment réagir face aux amours des princes. Le vice-roi lord Curzon avait essayé d'empêcher ce nouveau mariage, mais le rajah de Jind lui avait fait comprendre que cela ne le regardait pas. Curzon, en homme peu habitué à être contrarié, empêcha Olivia de porter le titre de maharani et interdit au couple de se rendre à Simla. Pour le punir d'avoir été incapable d'empêcher ce mariage, il déplaça à un autre poste le lieutenant-colonel Irvine. En fait, le gouvernement colonial ne savait pas comment combattre cette armée de manucures, de danseuses, de collégiennes et de femmes européennes et américaines aux origines douteuses venues séduire les princes de leur empire.

# 19

Si les extravagances de Rajendar Singh, du Patiala, avaient atteint une cote élevée, celles de son fils Bhupinder allaient largement les dépasser. Avec ses cent trente kilos, ses moustaches pointues, ses lèvres sensuelles et son regard arrogant, Bhupinder, qui deviendrait un personnage de légende, se fit d'abord connaître par son appétit – il pouvait manger trois poulets de suite – et son goût pour le sexe – son harem compta jusqu'à trois cent cinquante épouses et concubines. C'était un homme qui brûlait d'une passion animale, un monarque absolu aux désirs insatiables. Il n'hésita pas, un jour, à lancer son armée sur le domaine de son cousin le rajah de Nabha pour y enlever une jeune blonde aux yeux bleus qu'il avait aperçue alors qu'il chassait.

Parce qu'ils étaient sikhs, parce qu'ils étaient monarques de deux États du Penjab et à cause de leur forte personnalité, Bhupinder et Jagatjit Singh devinrent très populaires en Europe. La presse faisait allusion à une rivalité entre eux qui n'exista jamais. Malgré leurs ressemblances apparentes, ils étaient de natures très différentes. Le nombre de concubines de Jagatjit ne fut jamais aussi grand que celui de Bhupinder. Ce dernier était beaucoup plus riche, plus vaniteux et plus guerrier. C'était un fanatique de polo ; Jagatjit de tennis.

Tous deux admettaient à contrecœur l'autorité des Britanniques ; s'ils avaient pu s'autoproclamer rois, ils n'auraient pas hésité. Mais le style de Bhupinder aurait été celui d'un monarque oriental, tandis que Jagatjit préférait les rois de France.

À leur façon, ils étaient tous les deux de bons pères. Les enfants de Bhupinder Singh vivaient dans un palais appelé Lal Bagh. Une armée de nannies anglaises et écossaises s'occupait d'eux. Ils avaient tous droit à la même éducation dans les meilleurs collèges. Un visiteur séjournant à Patiala compta un jour cinquante-trois poussettes garées devant le Lal Bagh. La même chose avait lieu à Kapurthala, mais à une échelle bien plus réduite.

Trois mille cinq cents serviteurs pullulaient dans l'énorme palais de Patiala. Bhupinder engagea un mécanicien anglais formé chez Rolls-Royce pour s'occuper de ses vingt-sept Silver Ghost, sans compter les quatre-vingt-dix automobiles d'autres marques. Il conserva et améliora l'écurie qu'il avait héritée de son père et continua à faire des Tigres les champions du sport national.

Si son père avait été un coureur renommé, les aptitudes pour le sexe dont fit preuve Bhupinder Singh dès l'enfance étaient tellement extraordinaires qu'elles en laissaient perplexes les fonctionnaires anglais. Il collectionnait les femmes comme les trophées de chasse, à la différence de Jagatjit qui, lui, tombait amoureux et était fidèle un certain temps. Le rajah du Kapurthala appréciait la compagnie de femmes belles et intelligentes et conservait leur amitié même après avoir rompu toute relation sentimentale. Bhupinder, lui, n'aimait que le sexe. Pendant les étés torrides, il invitait ses amis à se baigner dans sa piscine gigantesque où les attendaient de jeunes beautés aux seins nus vêtues d'un simple paréo de coton. Des blocs de glace rafraîchissaient l'eau et le monarque nageait dans le bonheur en s'approchant de temps en temps du bord de la piscine pour prendre une gorgée de whisky, et toucher un sein au hasard. Un jour, ayant envie de choquer, il invita un officier anglais qui, en voyant le décor, se demanda comment réagir. D'un côté, il avait envie de plonger dans cette piscine si « prometteuse » et, de l'autre, il craignait le qu'en-dira-t-on. Il finit par se laisser aller à la tentation et c'est ainsi que tout le monde sut ce qui se « cuisait » dans la piscine de Patiala.

Les pulsions sexuelles de Bhupinder étaient telles que, tout jeune encore, il inventa un culte pour les déguiser. Il le fit avec la complicité d'un prêtre hindou, le pandit Prakash Nand, adepte d'un ancien culte tantrique appelé Koul, du nom d'une déesse qu'il fallait apaiser moyennant certaines pratiques sexuelles. Deux fois par semaine, Bhupinder organisait donc des « réunions religieuses » dans une salle à l'écart du palais où le prêtre plaçait une statue en terre de la déesse Koul décorée de bijoux prêtés par le maharajah. Évidemment, les maharanis officielles n'étaient pas invitées à ces célébrations qui étaient entourées d'un grand secret. Le prêtre conduisait le rituel, vêtu d'une peau de léopard, le visage peint en rouge et la tête rasée sauf la mèche qu'il gardait au milieu du crâne. « Il avait l'air féroce mais serein et digne », racontera Jarmani Dass, Premier ministre du Kapurthala, qui fut un jour invité. Il commençait par demander à l'audience, composée d'un groupe important de jeunes filles des montagnes, la plupart vierges, de chanter à la gloire de la déesse. Puis il offrait à tous les assistants du vin mélangé à des aphrodisiaques et le maharajah invitait les vierges à s'approcher de l'autel et à se déshabiller pour prier la déesse. Ignorantes et intimidées par le faste religieux de la cérémonie, elles obéissaient. Au fur et à mesure que la nuit avançait et que l'effet de la drogue agissait, le grand prêtre demandait à certains couples de copuler devant la statue de la déesse, les priant de le faire doucement, car l'important n'était pas tellement l'acte sexuel en soi mais la manière de se contenir pour faire durer le plaisir. « L'une après l'autre, les vierges du harem, âgées de douze à seize ans, étaient amenées devant l'autel, en état d'intoxication, racontera Jarmani Dass. Elles avaient été achetées aux familles des tribus des montagnes et elles vivaient dans une aile du palais réservée aux enfants et aux adolescents. Quand on les trouvait suffisamment mûres, on les faisait participer aux cérémonies de la déesse et obéir aux ordres de leur maître. Le vin que le grand prêtre faisait couler sur la tête des filles glissait entre leurs seins et descendait sur le ventre et jusqu'au pubis, où le maharajah et ses invités posaient leurs lèvres pour absorber quelques gouttes de ce liquide très sacré et purificateur de l'âme. » Jarmani Dass ne précisa jamais si son chef, le rajah du Kapurthala, assistait à ces cérémonies. Il est probable qu'il ne se serait pas prêté à cette farce de mauvais goût. Il était trop raffiné pour cela. Une lettre confidentielle d'un fonctionnaire anglais proche du rajah et adressée au gouverneur du Penjab semble confirmer qu'il aurait dédaigné de telles soirées : « Les ministres de son entourage font l'impossible pour l'attirer vers des filles rajputes. Ils utilisent tous les moyens dont ils disposent pour modérer la forte attraction qu'il ressent envers les femmes européennes. Mais les filles rajputes ne plaisent pas au rajah. Sa conduite a toujours montré que son plus grand désir est de satisfaire son appétit sexuel avec des femmes d'origine ou de parenté européennes. Le rajah parle et lit couramment le français. Il souscrit à *La Vie parisienne*, une revue dont les illustrations sont quelquefois censurables. Il semblerait que, sur le mur de sa chambre, il ait une illustration très indécente, mais je n'ai pas pu le vérifier moi-même. »

En revanche, les deux princes collaborèrent étroitement dans le domaine de la recherche d'aphrodisiaques. Étant tous les deux hypocondriaques, ils s'entouraient de nombreux médecins traditionnels indiens et européens. Ils se les envoyaient l'un à l'autre. Un guérisseur aveugle appelé Nabina Sahib visitait régulièrement leurs palais. Il avait l'habileté de diagnostiquer les maladies par le pouls des patients. Comme les femmes du palais n'avaient pas le droit d'être vues et encore moins touchées par un médecin homme, le guérisseur leur attachait une cordelette au poignet pour les ausculter. Il prenait ainsi leur pouls en posant la corde à son oreille. L'exactitude de ses diagnostics stupéfiait les médecins européens.

Les rondes dans les palais commençaient tôt le matin. Les médecins se donnaient rendez-vous dans un salon et, après avoir discuté différents aspects des maladies des femmes, passaient les visiter dans leurs chambres. Surveillé de très près par des domestiques de confiance, parfois eunuques, le médecin s'adressait à la patiente à travers une jalousie ou un rideau. Le contact face à face n'était permis qu'en cas d'urgence. Le médecin était alors autorisé à passer sa main sous le rideau. « Il y a des femmes qui font semblant d'être malades, afin de pouvoir parler au médecin et se laisser prendre le poignet, avait écrit Nicolao Manucci, un médecin italien qui s'était occupé des femmes du harem de l'empereur Aurangzeb. Le médecin allonge son bras sous la jalousie ou le rideau et alors la femme lui caresse la main, l'embrasse et la mord doucement. Certaines la mettent sur leur poitrine… »

Au début du XX^e^ siècle, les médecins indiens étaient soumis aux règles strictes de la zenana. Dans certains États plus progressistes, comme chez les sikhs du Penjab, les médecins européens et américains pouvaient traiter les femmes directement et sans voile, mais seulement dans les cas graves. Leur prestige était tel que les princes avaient entièrement confiance en eux.

À la fin des consultations, leurs notes à la main, les médecins informaient le rajah, toujours en présence des guérisseurs indiens. À la zenana de Patiala, comme il y avait plus de trois cents femmes, il était impossible aux médecins de faire des rapports écrits sur chacune d'elles. Pour faciliter le processus, ils les énuméraient dans l'ordre alphabétique. Les maharanis étaient indiquées par des lettres : A, B, C, D, E, F, et ainsi de suite, et les deuxièmes épouses ou ranis par ordre numérique : 1, 2, 3, 4, 5. Finalement, on classait les autres de façon alphanumérique : A1, A2, B1, B2, C1, C2, etc.

Les rajahs rendaient visite aux femmes malades, aussi bien aux épouses « officielles » (filles de familles aristocratiques) qu'aux concubines qui venaient des tribus des montagnes. Une fois dans la zenana, elles avaient toutes droit aux mêmes attentions et avaient l'assurance que, même très malades, on ne les renverrait jamais. Pour savoir lesquelles de ses femmes avaient leurs règles, Bhupinder eut une idée qui fut bientôt copiée par d'autres rajahs : il leur demandait de laisser leurs cheveux défaits pendant leurs menstruations. Il savait ainsi qui éviter.

Poussé par son addiction sexuelle, Bhupinder faisait souvent appel à la science de ses médecins : il voulait connaître les potions et les substances les plus efficaces pour prolonger l'érection, ou découvrir s'il existait un moyen de rendre la jeunesse à une maîtresse plus âgée pour qu'elle puisse l'attirer comme la première fois. Toujours d'après Jarmani Dass, il réussit à ce que les médecins, à force de piqûres vaginales, fassent exhaler aux femmes des odeurs corporelles sensuelles et provocantes. Grâce à des contacts que lui avait fournis son ami le rajah du Kapurthala, il engagea des médecins français, dont le Dr Joseph Doré de la faculté de médecine de Paris. Il s'occupait des opérations les plus délicates, y compris gynécologiques, auxquelles Bhupinder, curieusement, aimait assister. Les médecins français pratiquaient aussi la chirurgie plastique, en particulier des seins. « Les médecins français étaient experts en cet art et l'exécutaient selon les désirs précis du rajah, qui les voulait parfois ovales comme des mangues Alphonse et parfois en forme de poire. Quand il avait du mal à maintenir un rapport sexuel avec une de ses femmes, les médecins étaient toujours prêts à faire une petite opération pour faciliter la pénétration. » Le maharajah transforma une aile de son palais en laboratoire dont les éprouvettes et les tamis produisaient une collection exotique de parfums, de lotions et de philtres. Les médecins indiens rivalisaient dans d'élaboration de mélanges aphrodisiaques à base d'or et de perles moulues, d'épices, d'argent, de fer et d'herbes. Ils réussirent à obtenir une potion efficace à base de carottes mélangées à des cervelles de moineaux. Mais ce ne fut pas suffisant pour augmenter la vigueur sexuelle du maharajah. Finalement, les médecins français firent venir au palais une machine à radiations. Ils firent suivre un traitement de rayons au prince, lui garantissant qu'il augmenterait « la puissance des spermes, la capacité des testicules et la stimulation du centre d'érection ».

Mais ce n'était pas la qualité de son sperme qui affligeait Bhupinder Singh. C'était un autre mal qui frappait nombre de ses collègues : un ennui affreux et un égoïsme colossal. Des années plus tard, quand un journaliste lui posa la question : « Altesse, pourquoi n'industrialisez-vous pas le Patiala ? », Bhupinder, comme si on lui avait posé une question stupide, répondit :

– Parce que plus personne ne voudrait entrer dans l'administration ; il deviendrait impossible de trouver des cuisiniers et des domestiques. Ils passeraient tous à l'industrie. Ce serait un désastre !

## *Troisième partie*

# « Je suis la princesse de Kapurthala »

# 20

– Madame, on vous a apporté un paquet.

– Je descends.

Anita s'étire doucement. Tous ses mouvements sont lents ; elle se déplace au ralenti. Elle pose sur le lit son éventail en plumes d'autruche et jette un coup d'œil à travers la baie vitrée de sa chambre de la villa Buona Vista. Le ciel est blanc, l'horizon se distingue à peine. En bas, les fleurs des plates-bandes sont fanées, le gazon n'est plus aussi verdoyant qu'au mois de janvier, les chiens sont accroupis à l'ombre de la véranda et la biche passe ses journées allongée au bord de l'étang. La chaleur est arrivée brusquement. Intense, sèche et brûlante. Une chaleur comme celle de Málaga au mois d'août. Sauf qu'ici ce n'est que le mois de mars. Il paraît que la température continuera de monter jusqu'aux pluies de juin. C'est dur pour Anita, qui en est à son huitième mois de grossesse. Sa beauté est celle d'une femme adulte. La courbe de son ventre sous sa robe en soie la dépouille de toute trace d'enfance. Elle a l'air plus grande et a un teint de pêche. Son charme est accentué par sa maturité précoce. Elle prétend qu'elle ne peut pas vivre sans les *punkas*[1], ses

1. Le mot *punka* désignait auparavant les hommes qui tiraient une corde pour ventiler. Il s'emploie aujourd'hui pour désigner l'appareil électrique, le ventilateur.

« ventilateurs humains ». Ce sont de vieux domestiques qui passent la journée allongés sur la véranda, en tirant sur une corde attachée à leur gros orteil. Cette corde passe par la fenêtre de la chambre, puis par une poulie au plafond, et fait bouger une grande barre de bois d'où pend un tissu humidifié d'eau parfumée, qui remue l'air. Cela soulage un peu. Mais il faut également lutter mentalement contre la chaleur. Il faut doser l'effort physique, mesurer ses pas et prévoir l'énergie nécessaire à n'importe quelle activité. C'est pourquoi Anita se déplace lentement. Elle descend les marches, appuyant ses mains enflées sur la rampe. « Serait-ce un autre cadeau du rajah ? » se demande-t-elle. Il n'y a pourtant rien à fêter. Le 5 février, jour de son anniversaire, son mari l'a surprise avec un merveilleux collier de perles. Mais il est vrai qu'il lui arrive parfois des cadeaux inattendus, comme celui d'un sujet qui envoya deux paons en remerciement d'une sentence judiciaire, ou celui d'un monarque ami qui annonçait sa visite par une caisse de bouteilles de whisky.

Le paquet, déposé dans le salon, ressemble à un petit cercueil. C'est une boîte en bois, clouée et scellée, qui vient d'Espagne. Le majordome se charge de l'ouvrir en faisant sauter les planchettes. Tout à coup, il lâche ses outils et part en courant, une main sur sa bouche. Le paquet exhale une odeur envahissante, un relent de pourriture qui vous prend directement à la gorge. En quelques secondes, c'est une révolution parmi les domestiques. Ils défont leurs turbans pour s'en couvrir le nez tout en continuant, à l'aide d'autres outils, à essayer maladroitement d'ouvrir le couvercle. Anita fait contre mauvaise fortune bon cœur et défait elle-même le paquet enveloppé dans du papier et du tissu. Elle est prise d'une telle nausée qu'elle s'arrête et aperçoit des vers gras et brillants qui sortent de la boîte. Elle pousse un cri et lâche tout. Un vieux domestique emporte la caisse dans le jardin et en extrait des choses qu'il n'avait jamais vues, mais qu'Anita connaît bien : un jambon de Jabugo, deux boudins de Burgos et plusieurs fromages de La Mancha, tout grouillants de vers. Le paquet a mis cinq mois pour arriver. Il est accompagné d'une lettre affectueuse de la famille Delgado, qui espère que ces mets lui permettront de se nourrir jusqu'à ce qu'elle soit habituée à la cuisine indienne. « Où croient-ils donc que je me trouve ? » se demande Anita qui leur adresse en réponse un câble urgent, les priant de ne plus rien lui envoyer de comestible, parce qu'elle mange très bien, « à l'européenne », et qu'elle boit même de l'eau minérale française.

La lettre donne aussi des nouvelles peu rassurantes : sa sœur Victoria y annonce son mariage avec George Winans, qui paraît être un baratineur. Les parents n'ont pas réussi à l'éviter, même après avoir éloigné leur fille de l'Américain en la ramenant à Málaga. Winans a débarqué chez eux un beau jour pour demander la main de Victoria. Quand on la lui a refusée, il a fait un scandale à leur porte, a sorti un pistolet et menacé de se suicider. Finalement, comme Victoria en était très amoureuse, il est parvenu à son but. Mais il a dû accepter la dernière condition des parents : de protestant, il s'est converti au catholicisme car, comme écrit Anita dans son journal, «… mes parents trouvaient que c'était bien assez d'avoir une fille mariée à un infidèle et ne voulaient pas que l'autre aussi s'égare dans ses croyances ».

Victoria se mariera au mois de mai, en l'absence d'Anita… Le monde est trop grand et la séparation des êtres aimés encore plus douloureuse en ces occasions qui marquent l'histoire des familles. Comme elle aimerait avoir près d'elle un des siens, à l'approche de la fin de sa grossesse ! Elle est accompagnée du rajah, toujours affectueux et attentif, et de Mme Dijon, qui continue à lui apprendre le français. Sa servante Lola, en revanche, dont elle devrait se sentir proche car elle est aussi originaire de Málaga, l'énerve. Elle est râleuse, faible et ne fait aucun effort pour s'adapter. Anita la renverrait volontiers en Espagne, mais elle préfère attendre la naissance de l'enfant. Lola ne fait rien d'autre que l'aider à s'habiller. Au contraire, il faut s'occuper d'elle parce qu'il lui arrive toujours des malheurs, même si la plupart du temps cela ne se passe que dans sa tête.

Et puis, il y a le brave Dr Warburton avec ses grosses moustaches blanches et son chapeau haut de forme. Il surveille attentivement l'évolution de sa grossesse et s'efforce de lui enlever la peur d'accoucher. Elle a rencontré la sage-femme, l'Indienne qui a fait naître les autres enfants du rajah et qui lui rappelle une Gitane andalouse. Mais elle ne peut pas lui parler à cause de la barrière de la langue. Anita est bien entourée, mais d'êtres étranges.

La vie à Buona Vista est extrêmement calme, encore plus depuis l'arrivée de la chaleur. Qu'il est loin l'air cristallin et piquant des matins du Cachemire où ils ont passé quelques jours en lune de miel dans un des palais du maharajah Hari Singh ! Ils étaient au bord d'un lac couvert de lotus de Srinagar, la Venise de l'Orient, capitale d'un État si beau « qu'il est impossible d'y être malheureux », comme l'a dit Anita au maharajah qui lui a répondu qu'elle était chez elle en ce palais. Le maharajah du Cachemire, qui a l'allure d'un empereur romain, règne sur quatre millions de musulmans et sur un territoire grand comme l'Espagne et beau comme le paradis.

C'est une immense vallée couleur émeraude, entourée des sommets aux neiges éternelles de l'Himalaya et traversée par des fleuves torrentiels où les martins-pêcheurs battent furieusement des ailes avant de s'élancer sur leurs proies. Un tapis de fleurs violettes et de tulipes rouges recouvre les prés. Anita y a vu davantage de fruits qu'en France : des fraises, des groseilles, des framboises, des poires, des prunes et des cerises si mûres qu'elles éclatent lorsqu'on y mord. Elle n'a jamais senti les parfums de tant de fleurs différentes que dans les jardins de Shalimar, et l'effet était enivrant en particulier le soir lorsqu'elle prenait une dernière tasse de thé, allongée sur une chaise longue. Ce furent des jours inoubliables, où elle joua au tennis, se promena dans la campagne, assista à des matchs de polo et contempla les couchers de soleil sur les eaux scintillantes du lac à bord d'une des *shikaras*, de petites gondoles aux noms naïfs comme *Nid d'amoureux* ou *Doux Oiseau de printemps*.

Pour Anita, ce fut aussi le temps de son entrée dans la haute société. Son comportement et son physique étaient le centre de tous les regards. Resplendissante dans ses vêtements indiens, elle assista à des dîners avec d'autres princes, comme le nizam d'Hyderabad qui se montra attentif et empressé avec elle. Cet homme si petit – il mesurait un mètre quarante – régnait sur vingt millions d'hindous et quatre millions de musulmans dans le plus vaste État des Indes. Il était le plus riche des princes ; on disait que, dans le tiroir de sa table de chevet, dans son palais d'Hyderabad, il possédait plusieurs diamants enveloppés dans une vieille revue, qui n'étaient qu'une partie de sa fabuleuse collection de bijoux et de pierres précieuses avec lesquels on aurait pu tapisser les trottoirs de Piccadilly. Il avait tellement peur d'être empoisonné que, pendant le dîner, Anita observa qu'il faisait goûter tous les plats à l'un de ses domestiques. Le nizam, séduit par le charme d'Anita, promit de lui offrir un bijou lorsqu'elle et son mari accepteraient de lui rendre visite à Hyderabad. Les autres princes et parents montrèrent aussi leur admiration pour la jeune Espagnole et firent des éloges sur le bon goût du rajah, tandis que les femmes, derrière les lattis, faisaient de sombres prédictions sur l'avenir difficile qui l'attendait. Car elle n'était que la « cinquième épouse ».

Le voyage fut entaché par un affront insensé. Le résident[1] anglais refusa de recevoir le rajah quand celui-ci lui annonça sa visite et celle d'Anita. Pour lui, c'était un véritable camouflet et il n'arrivait pas dissimuler sa colère vis-à-vis des Anglais qui « se mêlent de ce qui ne les regarde pas ». Dommage pour Anita, qui aurait aimé connaître les jardins de la Résidence, célèbres aux Indes pour leur collection de roses aux noms si typiquement anglais que *Marechal Neil* ou *Dorothy Perkins*, qui embaumaient l'air de toute une partie de la ville.

Il y a à peine deux mois qu'ils sont rentrés du Cachemire et pourtant on croirait une éternité. De retour au Kapurthala, ils ont repris la routine quotidienne, qui ralentit au fur et à mesure que la chaleur augmente. Personne ne fait rien durant les heures les plus chaudes de la journée. À l'aube, avant que le soleil ne pointe, Anita est auprès du rajah pour la *puja*, la prière du matin. Il lit des paragraphes du Granth Sahib et Anita l'accompagne, mais en priant la Vierge et les saints, car sa foi est restée intacte. « Moi je m'entends directement avec Dieu », a-t-elle dit un jour au rajah, qui l'a bien comprise, étant lui-même peu porté vers le respect du rituel. Chacun pratique donc sa religion à sa façon et côte à côte. Ils forment un couple heureux qui semble flotter au-dessus des écueils de la vie.

1. Le résident était le plus haut représentant de la Couronne britannique, sorte d'ambassadeur.

Après les prières, le rajah part à cheval et rentre avant huit heures, quand le soleil commence à taper. Il passe le reste de la journée dans son bureau à s'occuper des affaires de l'État avec ses ministres et conseillers. Ils discutent les devis et les demandes de construction de centrales électriques, d'écoles, d'hôpitaux ou de bureaux de poste. Il règne en monarque absolu, nomme et renvoie les ministres à son gré. Les élections n'existent pas sur ses terres. Quand il en a terminé avec les affaires, il part visiter ses autres palais.

Bien que sa nouvelle vie soit intéressante, Anita se sent très souvent seule. Son éducation andalouse se heurte au formalisme. Elle est traitée avec tant de respect et de distance qu'il lui est parfois impossible de parler avec naturel. En plus, sa grossesse la condamne à une vie sédentaire. Le rajah lui a conseillé d'apprendre l'ourdou afin de pouvoir communiquer avec les épouses et les filles des nobles, ou avec les fonctionnaires du Kapurthala. « Tu auras une vie moins solitaire et plus agréable si tu apprends une langue locale », lui a-t-il dit. Anita reste donc dans sa chambre, bavarde en français avec Mme Dijon et apprend l'ourdou avec un vieux poète. Elle fait de la couture, apprend à enfiler des perles et descend chaque fois qu'un vendeur ambulant sonne à la porte. Elle aime bien le cordonnier chinois, par exemple, qui pose le pied de son client sur une feuille de papier pour en dessiner la forme exacte et revient deux jours après avec une excellente paire de chaussures sur mesure. Ou le commerçant du Cachemire qui recouvre la véranda du contenu d'énormes sacs remplis de lingerie en soie, d'objets en papier mâché et de tapis. Le charmeur de serpents passe aussi par la villa, pour nettoyer le jardin. Il joue de sa flûte et entraîne les serpents, qu'on lui paie une roupie chacun. Ou le vieux sage hindou – un homme qui vit seul dans un petit temple voisin, toujours tout nu sauf le cordon très fin qui est passé autour de sa taille, et dont le corps est couvert de cendre blanche – qui vient chercher de l'eau sans oser demander l'aumône.

L'après-midi, Anita accompagne le rajah pour surveiller les travaux du nouveau palais qui sera terminé l'année prochaine. Il porte déjà un nom : L'Élysée. Avec ses cent huit chambres, il est beaucoup plus grand que la villa. Anita aime s'égarer dans ses jardins. Elle s'imagine assise à la terrasse de sa chambre pharaonique, en train de suivre du regard la nanny qui poussera le landau de son fils. Le rajah lui a cédé un bout de terrain pour qu'elle le plante et l'arrange à son goût, car elle veut avoir son propre « jardin du Cachemire ». Il y a tant de jardiniers que cela ne risque pas de trop la fatiguer. Ce sera son coin à elle, son refuge ; son paradis particulier.

De retour à la villa, ils rencontrent les *bistis*, les porteurs d'eau qui, leurs sacs en peau de chèvre à l'épaule, aspergent la maison. Ils mouillent également de gros châles qu'ils posent sur les fenêtres et sur les portes. C'est la guerre contre la chaleur et la poussière. Le parfum inoubliable du crépuscule pénètre peu à peu dans les salons : une odeur d'herbe coupée et de végétation arrosée, mélangée à la fumée d'encens qui fait fuir les moustiques. Quelquefois, un orchestre accompagne le dîner. Anita se familiarise avec les *ragas* et les *ghazals*, ces poèmes en ourdou qu'on chante comme des ballades d'amour. Souvent émouvants, ils évoquent des destins tragiques que l'amour finit par racheter.

La nuit, quand la température est intolérable, Anita abandonne le lit conjugal et fait ce qu'on lui a appris : elle sort sur la terrasse, enveloppe son corps d'un drap mouillé et s'allonge sur un lit en bois. Elle y reste de longues heures éveillée, non plus à cause de la chaleur, mais à cause de la peur. Elle pense à l'accouchement, à son enfant, aux maladies qui emportent les gens du jour au lendemain. En Europe, c'étaient des craintes qu'elle n'avait jamais. Mais ici, tout est différent. Anita vient d'apprendre que sa professeur d'anglais, qu'elle n'a connue que pendant une journée, est tombée malade avec l'arrivée des premières chaleurs. Elle en est morte. Le matin, elle donnait une leçon et, le soir, on l'enterrait, comme ça, tout d'un coup ! Car la chaleur, non contente de tuer, interdit de conserver les cadavres. Aux Indes, la mort frappe avec une rapidité inouïe. Depuis seulement quelques mois qu'elle se trouve ici, deux domestiques ont péri de la malaria. Comment ne pas avoir peur ?

Anita fait donc très attention à ce qu'elle mange, surtout en cette saison. Elle essaie d'éviter la viande, depuis qu'elle a vu les essaims de mouches autour des étals des bouchers musulmans du centre-ville. Elle lave ses fruits dans des écuelles d'eau où elle ajoute quelques gouttes de permanganate de potassium. Mme Dijon lui a conseillé de toujours le faire elle-même car, en matière d'hygiène, on ne peut avoir confiance dans le service. C'est une leçon qu'Anita a dû assimiler de force dès les premiers jours. Elle avait appris à l'un des cuisiniers à faire du « gaspacho indien », une variété locale de la soupe froide andalouse avec de l'huile de soja et un peu de curry pour que cela plaise au rajah. Un matin, en entrant dans la cuisine, elle vit l'un des quinze marmitons passer le gaspacho à travers une chaussette.

– Mais, que fais-tu ? lui demanda-t-elle, affolée. Tu ne vois pas que c'est une chaussette de Son Altesse !

– Ne vous fâchez pas, madame, j'en ai pris une sale, lui répondit fièrement le marmiton.

Comme elle est enceinte, tout le monde se croit obligé de lui donner des conseils et il est bien difficile de les suivre tous. La sage-femme lui a recommandé d'éviter les plats épicés, qui peuvent faire du mal au bébé. Le Dr Warburton lui a interdit de monter à cheval, de danser, de jouer au tennis ou au badminton. Il lui a lu un paragraphe du *Traité médical des enfants aux Indes*, une sorte de bible pour les Anglais, où il est conseillé de « maintenir un état d'esprit calme, gai et bien disposé » dans l'attente de la naissance. Mais le docteur s'est abstenu de lui lire un autre chapitre de ce même livre, qui énumère en une liste épouvantable les maladies courantes chez les enfants élevés aux Indes : abcès, piqûres de guêpes, de scorpions, morsures de chiens sauvages ou de serpents, choléra, coliques, indigestion et insolation… Sans parler de la malaria, des fièvres typhoïdes et de la variole. Afin de prévenir ces malheurs, un groupe de prêtres sikhs tient chaque mois un rituel de célébration pour l'enfant qui n'est pas encore né, et se réunit autour d'Anita pour prier.

L'après-midi du 25 avril, elle ressent ses premières contractions fortes. La villa Buona Vista est immédiatement saisie d'une activité fébrile. Les gémissements de la memsahib provoquent un mélange d'excitation et d'inquiétude chez les domestiques, les infirmières, les sages-femmes et les guérisseurs qui montent et descendent les escaliers en hâte. Après l'intervention de la sage-femme, les gémissements se transforment en hurlements qui déchirent l'air imprégné de chaleur. Anita crie comme une musulmane pleure ses morts. L'enfant vient par le siège et la sage-femme n'arrive pas à le redresser, même avec l'aide des infirmières. Le Dr Warburton arrive dans la soirée, accompagné de deux autres médecins. Anita continue à souffrir dans une mer de sueur et de larmes, secouée de tremblements sismiques qui lui déchirent les entrailles. Son teint est gris, elle est épuisée et incapable d'articuler un mot. « Les médecins ont eu peur que nous y passions, racontera-t-elle dans son journal. Je n'arrêtais pas de prier la Vierge de la

Victoire en lui demandant de m'épargner une mauvaise fin. » Elle a l'impression qu'elle doit payer tout le bonheur que la vie lui a donné, comme si elle devait racheter son extraordinaire destin.

Le Dr Warburton et ses assistants essaient de changer la position du bébé. Ce n'est pas la première fois qu'ils se trouvent devant un accouchement difficile, mais celui-ci est spécialement compliqué. La chaleur ne pardonne pas. « En voyant que chaque minute cela devenait plus dur, je m'en suis remise à la Vierge et lui ai promis une grande cape de cérémonie si elle me faisait la grâce de sauver ma vie et celle de l'enfant qui arrivait. » Finalement, le Dr Warburton réussit à sortir le bébé, ensanglanté et avec le cordon ombilical enroulé autour du cou. « Après des heures terribles dont je ne veux plus me souvenir, à moitié morte et percluse de douleurs, j'entendis les pleurs de mon enfant et la course des ayas et des domestiques qui annonçaient la bonne nouvelle. »

Le rajah, qui n'avait jamais vécu de si près l'accouchement d'une de ses femmes, a craint lui aussi pour la vie d'Anita. Mais sa confiance aveugle envers les médecins anglais l'a aidé à supporter l'angoisse de l'attente. Le dénouement le rend si heureux qu'il donne l'ordre de tirer treize salves d'honneur, annonçant de cette manière un jour de fête au Kapurthala. Il charge ses ministres de préparer une distribution gratuite de nourriture aux portes de la gurdwara, de la mosquée principale et du temple de Lakshmi, pour partager avec les pauvres le bonheur de ce grand jour. Ses serviteurs, à dos d'éléphant, distribueront des sucreries aux enfants de la ville. Enfin, fidèle à la tradition, il fera ouvrir les portes de la prison, pour remettre en liberté ses quelques occupants.

# 21

Dans le merveilleux Kamra Palace, l'ancien palais du rajah où vivent ses autres femmes, derrière les portes en bois sculpté et les jalousies, la nouvelle n'est pas reçue avec la même joie. Son Altesse Harbans Kaur est inquiète. Pas à cause de la succession, car son fils Paramjit est l'héritier légitime du trône du Kapurthala ; puis il y en a trois autres, dont celui de Rani Kanari, pour assurer une descendance de pur sang indien au cas où l'aîné ne pourrait assumer le gouvernement. Pas non plus parce que son mari a pris une autre femme, car une épouse ne doit pas se sentir humiliée ou rejetée. Épouser une autre femme ne provoque en principe aucun antagonisme, aucune hostilité ou jalousie parmi les épouses. Mais parce que Anita est d'abord une étrangère et qu'elle a refusé de faire partie de la zenana. Donc, la méfiance règne. À tel point qu'Harbans Kaur a refusé de reconnaître l'Espagnole comme épouse légitime.

Le fait que le rajah soit tombé tellement amoureux qu'il a abandonné le palais pour aller vivre avec l'« étrangère » à la villa Buona Vista est vécu comme une offense. Cela ne correspond pas à ce que l'on attend de lui. Il est vrai que Jagatjit leur rend visite régulièrement et qu'il s'inquiète de leur bien-être, selon les médecins et les ayas qui circulent d'un palais à l'autre. Elles ne manquent de rien, mais la question n'est pas là.

Depuis des mois il ne passe plus une seule nuit avec ses femmes, ni même avec ses concubines préférées. Des mois sans partager une soirée avec elles et sans consacrer un peu de son temps à sa nombreuse famille. Le harem se languit. Son seigneur, l'âme qui lui donne vie, est sous l'influence d'une étrangère qui lui a volé son cœur, l'a dépouillé de sa volonté et ne daigne pas leur rendre visite. Ce manque d'attention les vexe plus que tout car, d'après la tradition, les femmes plus âgées de la zenana s'occupent des nouvelles, pour rendre la vie en commun plus facile. Dans les grandes maisons, il ne doit exister ni frictions ni jalousies, même si la Première Altesse profite toujours d'une plus grande autorité. En refusant de faire partie du harem, Anita a fermé les portes à l'amitié des autres femmes du rajah, qui se sentent méprisées par une fille qui ne peut même pas se vanter d'être de bonne famille. Elles pensent que si elle manque de respect envers elles elle en manque d'autant envers le rajah. Car ce sont elles sa vie et sa famille. Anita n'est qu'une arriviste.

La folie d'amour du prince est si déconcertante qu'au Kamra Palace les femmes se demandent si Anita n'est pas un peu sorcière et si le rajah, dans un de ses voyages au-delà de la « mare noire », le nom de l'océan dans la mythologie indienne, n'aurait pas été victime d'un envoûtement. Cela expliquerait son changement d'attitude et son éloignement. Mais si c'était vrai… qui peut assurer qu'il ne nommera pas successeur le fils de l'Espagnole ? Et même si les femmes savent qu'il n'y a aucun risque, et que les Anglais ne le permettront jamais, la peur est mauvaise conseillère et ronge la sécurité paisible de la zenana.

Anita perçoit ces craintes quand les astrologues du règne viennent lui rendre visite. Après avoir observé le ciel, ils déduisent que l'enfant aura une longue vie, un puissant magnétisme personnel « et que tout ira bien pour lui tant qu'il ne s'éloignera pas de l'étoile de sa mère ». Mais elle reçoit également d'autres voyants qui la soumettent à de longues séances durant lesquelles ils l'obligent à chanter d'interminables mantras, à ouvrir et à fermer des livres, à jeter des dés sur un tapis et à réciter des prières pendant des heures. C'en est trop pour elle, à peine remise de son accouchement. Quand l'un d'eux essaie de lui faire boire quelques gorgées d'un breuvage supposé éloigner les mauvais esprits, Anita s'énerve et refuse : « J'ai eu peur. Tant de prophéties bizarres me firent soupçonner qu'il se préparait un complot contre mon fils pour lui refuser ses droits héréditaires, sous le prétexte que sa mère était une étrangère. » À travers des bribes de conversations entendues dans les dîners et les garden-parties, elle en est arrivée à connaître un peu l'histoire de Florrie Bryan. Mais c'est davantage la réticence qu'elle a remarquée chez Mme Dijon quand elle lui demande des détails sur le malheureux destin de la princesse anglaise qui l'a mise sur ses gardes. Même si Florrie Bryan est morte depuis plus de dix ans, son histoire plane toujours comme une ombre sur la vie de la princesse espagnole du Kapurthala.

Les Anglais aussi sont mécontents de la naissance de ce fils, un événement qui se heurte à leurs valeurs. Pour la première fois, le rajah ne reçoit aucune carte de félicitations du vice-roi ni, bien entendu, du roi empereur. Il reçoit seulement une note du gouverneur du Penjab avec quelques compliments pour un « événement si heureux ». Les Anglais n'ont toujours pas digéré le mariage. « Mademoiselle Anita Delgado, de famille respectable bien que d'origine humble – ainsi commence un rapport officiel de 1909 –, répugne, en tant qu'européenne, à vivre selon le système indien de la zenana, ce qui fait que le Rajah tourne et retourne dans sa tête la question de la position de cette jeune femme dans la société. » Le mot « mademoiselle » montre que les Anglais ne l'ont pas reconnue comme épouse. Pour le pouvoir britannique, Anita n'est ni une princesse ni une des femmes officielles du rajah, raison pour laquelle elle n'a pas été reçue par le résident du Cachemire. Si doña Candelaria savait… Quel fiasco ! L'Espagnole vit dans une sorte de vide légal, un no man's land. Elle ignore que son statut officiel a été au centre d'innombrables discussions dans les bureaux des hauts fonctionnaires du pouvoir colonial, et même dans celui du vice-roi. Le rajah s'abstient de lui raconter les nombreuses preuves de mépris qu'il a perçues chez les hauts fonctionnaires, aussi blessantes que celles de sa propre famille. Il refuse de révéler ce qui se trame dans les égouts du pouvoir, de crainte que la puanteur ne fasse échouer son idylle. Il a horreur qu'on se mêle de sa vie privée et que des fonctionnaires, ignorants des coutumes ancestrales de l'Inde, aient le droit de la conditionner. Qu'il est loin le temps de Ranjit Singh, le Lion du Penjab, le maharajah des sikhs, libre et fort, qui n'avait à plier devant personne car il était le pouvoir absolu ! Aujourd'hui, la puissance britannique se fait partout sentir, même là où il n'y a pas d'Anglais. Elle est constante, comme un ciel plombé aux nuages de plus en plus bas.

Le rajah profite de chaque occasion pour discuter le statut de sa femme avec les autorités de Delhi. Pourtant, cela le gêne profondément car on dirait qu'il mendie une chose à laquelle, selon lui, il a droit. « Le nouveau vice-roi et le gouverneur général du Penjab ont montré leur sympathie pour la cause de Son Altesse et ont fait savoir que le fait d'être les représentants directs de Sa Majesté le roi d'Angleterre les empêchait de montrer un quelconque signe de reconnaissance, officiel ou officieux, envers sa femme espagnole. Les chefs provinciaux et autres fonctionnaires britanniques ne sont pas tenus d'accepter ces restrictions. » Il a quand même obtenu qu'on ne l'appelle plus « mademoiselle ». Maintenant, elle est sa « femme espagnole ». Ce qu'il espère au fond de lui-même, c'est que, lorsqu'ils connaîtront Anita, ils apprécieront tant son charme et son sens de l'humour que tout changera. Peut-être les Anglais finiront-ils par la trouver aussi belle, aussi séduisante et originale que lui. Il n'arrive pas à comprendre pourquoi ils ne sont pas fascinés par ses gestes de danseuse andalouse, par la grâce de ses mains et le charme de son rire. Comme l'ont été les autres princes pendant leur lune de miel au Cachemire. Depuis, ils reçoivent sans cesse des invitations des quatre coins du sous-continent. Personne ne veut manquer de connaître la « femme espagnole » du rajah du Kapurthala.

La souffrance de l'accouchement, la convalescence ralentie par la chaleur impitoyable, et le sentiment de responsabilité qui l'emplit lorsqu'elle tient son fils dans ses bras ont exacerbé la sensibilité d'Anita. Elle pressent que sa vie est aussi fragile qu'un château de cartes et, connaissant l'antipathie des femmes de la zenana, elle a peur pour son petit. Elle insiste donc auprès de son mari pour que l'enfant soit baptisé au plus vite. Pas selon le rite catholique, ce qui est impensable, mais selon le rite sikh. Elle sait qu'en l'intégrant dans cette religion elle l'inclura dans le monde du rajah. Elle est suffisamment intelligente pour deviner que la religion est la meilleure protection. Et même une garantie d'avenir.

Quarante jours après la naissance, un cortège impressionnant, composé d'une caravane d'éléphants et de quatre Rolls-Royce, quitte Kapurthala pour entreprendre un voyage de soixante kilomètres jusqu'à Amritsar, la ville sainte des sikhs et la deuxième ville du Penjab après Lahore. Les éléphants passent difficilement dans les ruelles étroites qui entourent le Temple d'Or. Anita, vêtue d'un sari de couleur vive et la tête couverte, est ébahie par ce monument qui resplendit sous les rayons du soleil et dont l'image se reflète dans l'eau de l'étang sacré.

Construit sur les eaux scintillantes d'un vaste étang rituel qu'on franchit par un pont, le Temple d'Or est en fait un bâtiment de marbre blanc décoré d'ornements en cuivre, en argent et en or. La coupole, entièrement recouverte d'or, abrite le manuscrit original du Granth Sahib. Il est enveloppé dans de la soie et recouvert de fleurs fraîchement coupées. Chaque jour on aère ses pages en se servant d'un éventail en queue de yak. Seul un balai en plumes de paon est assez noble pour enlever la poussière sur un objet aussi vénéré.

Autour du lac, les fidèles aux longues barbes et aux moustaches florissantes, la tête couverte de turbans aux couleurs vives, tournent dans le sens des aiguilles d'une montre, pieds nus sur le marbre luisant. Ils sont quelquefois accompagnés de leurs femmes ainsi que de leurs enfants, dont les cheveux sont déjà ramassés en chignon. Certains se baignent dans le lac et saluent la divinité, mains jointes vers le ciel. D'autres égrènent des chapelets en bois parfumé tout en continuant de tourner. L'ambiance sereine et le calme imperturbable de l'endroit sont saisissants. La propreté aussi : « Ici on pourrait manger par terre des œufs frits », commente Anita.

Dans cet endroit sacré, il semblerait que les classes n'existent pas, ni les castes, ni les différences entre les hommes ; comme si le rêve du fondateur du sikhisme était devenu vrai. Il était hindou et s'appelait Nanak. À l'âge de douze ans, il surprit sa famille quand il refusa de porter autour du poignet le fil blanc traditionnel des brahmanes : « Ne distingue-t-on pas les hommes par leurs mérites et leurs actions ? » demanda-t-il. Il était convaincu que le fil créait une discrimination entre les hommes. Sa révolte contre la religion de ses parents le fit concilier l'hindouisme aux mille dieux à l'islam monothéiste, dans une nouvelle religion dépouillée de beaucoup des contradictions des deux autres. « Il n'y a pas d'hindous, il n'y a pas de musulmans ; il n'y a qu'un seul Dieu, la Vérité suprême », finit par proclamer Nanak, en digne héritier des mystiques qui ont toujours fait partie de l'histoire de l'Inde. Curieusement, à des milliers de kilomètres de son Penjab natal, en Europe, certains de ses contemporains vivaient aussi une période de renaissance religieuse. Comme Luther et Calvin, Nanak condamnait l'idolâtrie. Au lieu du dogme et de la doctrine, il défendait la croyance en la Vérité : « La religion ne repose pas sur des mots vides. Est religieux celui qui croit en l'égalité des hommes. » L'écho de ses prêches retentit aux quatre coins d'un pays soumis à l'injustice des castes et il s'entoura de *shishyas*, mot sanscrit qui signifie « disciple » et dont dérive le mot « sikh ». Nanak devint premier gourou, ce qui signifie « maître ». Lui et ses successeurs combattirent l'excès de rituels, l'inégalité, la discrimination et les mauvais traitements envers les femmes. Poursuivis par les Moghols, qui pratiquaient l'islam, les gourous surent mettre à profit la tyrannie exercée contre eux pour en extraire le ferment de leur vitalité. Le neuvième et dernier successeur du gourou Nanak transforma sa religion en une foi militante, en une fraternité combattante qu'il nomma *Khalsa*, « les Purs ». En signe de distinction et pour récompenser leur dévouement, il donna à tous les sikhs le nom de *Singh*, « Lion ».

La première fois qu'Anita vit des prêtres sikhs – ces « barbus à l'air de Mathusalem », comme sa servante Lola les décrivait – elle éprouva un mélange de crainte et de méfiance. À présent, au contraire, ils lui inspirent confiance et sympathie. Elle se sent protégée auprès d'eux. Elle est persuadée que tant que ces hommes, qui ont l'air de sages sortis de la Bible, seront près d'elle, rien ne pourra lui arriver, ni à son bébé.

Dans le Temple d'Or, les prêtres donnent à l'enfant le prénom d'Ajit, suivi du nom Singh, qu'il partage avec ses six millions de coreligionnaires. La cérémonie, très simple, consiste à faire boire aux assistants, dans une coupe en métal, de l'eau mélangée à du sucre par un sabre à double bord. Ce mélange de douceur et d'acier dont on verse aussi une goutte sur les lèvres de l'enfant est appelé *amrit*, « nectar de vie ». En même temps, un prêtre entonne les versets du baptême : « Tu es le fils de Nanak, fils du Créateur, l'Élu… Tu aimeras l'homme sans distinction de castes ni de croyances. Tu n'adoreras pas la pierre, ni les tombes, ni les idoles. Quand tu croiseras le danger ou la difficulté, souviens-toi toujours du saint nom des gourous. N'en prie aucun en particulier ; prie l'ensemble de la Khalsa. »

Dorénavant, Anita doit assumer la responsabilité de faire respecter par son fils les cinq règles fondamentales de sa religion. Pour qu'elle ne les oublie pas, le rajah les lui a écrites, en français, dans un cahier bleu à l'écusson du Kapurthala.

# 22

Anita passe sa première année aux Indes à la villa Buona Vista. Le couple ne se rend même pas à Mussoorie pour tenter d'échapper à la chaleur, de crainte que le voyage ne mette en danger la santé de l'enfant ou celle d'Anita. Peut-être y a-t-il une autre raison que le rajah n'ose avouer : le Château Kapurthala de Mussoorie est envahi par sa famille indienne. Vu l'atmosphère hostile qui y règne, il choisit de rester dans les plaines ardentes du Penjab. Anita comprend maintenant pourquoi les soldats anglais sont punis de quatorze jours de cachot quand on les surprend sans le fameux *topi* qui leur couvre la tête et le cou. Car cette chaleur de fin mai et début juin est un vrai danger de mort. Chaque fois qu'elle sort de la maison, à midi, le soleil est si fort qu'elle le ressent comme un choc. La température atteint quarante-deux degrés à onze heures du matin. Cela n'a plus rien à voir avec Málaga au mois d'août. Les journées sont infernales et l'air est si dense l'après-midi qu'on croirait pouvoir le couper au couteau. Pourvu que les pluies arrivent à temps ! La campagne est jaune, la terre pleine de crevasses et les animaux sont épuisés. Une douzaine de domestiques sont chargés d'arroser les chemins, de tirer sur les punkas et de mouiller persiennes et paillassons. Anita est épuisée et n'arrive pas à se remettre. Elle a insisté pour donner le sein à son fils. Obligée de le nourrir toutes les trois heures, elle a du mal à se rendormir à cause du hurlement des chacals qui crient comme des enfants désespérés. Lola l'aide comme elle peut, mais elle est également terrassée par la chaleur. Elle a du mal à se réveiller au milieu de la nuit pour porter le nourrisson à sa mère, ce qui oblige Anita à se lever. Tant de chaleur et d'efforts finissent par la rendre malade. Sa fièvre atteint trente-neuf degrés.

– Mastite, diagnostique le Dr Warburton, arrivé d'urgence à l'aube.

– Qu'est-ce que ça veut dire ? demande Anita.

– Une infection des seins. Vous devez cesser tout de suite de nourrir vous-même votre enfant car, en plus, vous avez un abcès. Je vais vous prescrire un traitement.

Pour Anita, ce diagnostic est un coup du destin. Elle éclate en sanglots, personne n'arrive à la calmer : ni le médecin qui lui assure qu'il s'agit d'une affection banale et facile à soigner, ni son mari qui lui promet qu'ils trouveront une bonne nourrice, ni Mme Dijon, qui se propose en exemple pour essayer de lui redonner l'envie de vivre. Anita est blessée au plus profond de son être. Humiliée de se sentir une mère incapable, obsédée par la terreur de toutes les maladies que peut attraper le petit Ajit, surtout en cette chaleur, elle passe la journée en plein désespoir, tandis qu'autour d'elle on active les démarches pour trouver une nourrice. Aux Indes, ce choix est d'une grande importance car on croit qu'à travers le lait la nourrice transmet ses qualités morales et spirituelles à l'enfant. Il est donc indispensable de trouver une femme honnête, d'un bon caractère et à la réputation irréprochable. C'est une leçon tirée de l'expérience, car il est arrivé que des nourrices donnent de l'opium au bébé pour l'endormir, ou que d'autres qui, n'ayant pas assez de lait, cessent en cachette de nourrir le nouveau-né pour continuer à alimenter leur propre enfant.

Ce sont finalement les pleurs d'Ajit qui rendent ses forces à Anita. Ses larmes stimulent son sens des responsabilités. « Est-ce qu'il se sent abandonné ? » se demande-t-elle naïvement. Elle se rend compte qu'elle n'a pas le luxe de pleurer sur elle-même quand c'est la vie de son fils qui est en jeu. Les médicaments du Dr Warburton la soulagent, elle s'oblige à se remettre, à enfouir son chagrin pour faire face à la tâche d'être mère. Ce qui n'est pas facile à dix-huit ans, esseulée dans un endroit si lointain, si ancien et si compliqué que les Indes.

Et puis on lui présente Dalima, qu'on a choisie parmi trente candidates au poste de nourrice. Cette jeune Indienne à la peau sombre et aux grands yeux noirs, fragile et douce comme une gazelle et mère d'une petite fille, respire le calme, l'équilibre et le bon sens. Son éternel sourire montre une rangée de dents très blanches et, bien qu'elle soit issue d'une famille pauvre, elle a des manières de princesse. Ses cheveux en queue-de-cheval sont très noirs et luisants d'huile de moutarde. Elle porte une tache rouge au front – le *tilak* – qui évoque le « troisième œil », celui qui sert à voir au-delà des apparences. Dalima parle un peu l'anglais et, contrairement à Lola, sait se montrer présente sans devenir fatigante. Et, surtout, elle sait s'occuper d'un bébé. À sa façon de le prendre dans les bras, à son regard tendre quand elle lui murmure à l'oreille, Anita réalise tout de suite qu'elle est devant la personne dont elle a le plus besoin en ce moment. Dalima est une bénédiction, un autre cadeau de sa protectrice, la Vierge de la Victoire. Elle se souvient alors de la promesse qu'elle avait faite à sa sainte patronne au moment de l'accouchement, et elle demande de l'aide à Mme Dijon :

– Je veux envoyer une lettre à Paris, chez Paquin, dit-elle à la Française. Je veux leur commander quelque chose de très spécial.

– Une nouvelle robe du soir ?

– Non, ce n'est pas pour moi.

– Puis-je vous demander pour qui ? hasarde Mme Dijon, les yeux grands ouverts, osant espérer que cela pourrait être pour elle.

– Je veux une cape brodée d'or et de pierreries pour la Vierge de la Victoire, la patronne de ma ville. Paquin fabrique les capes de cérémonie du shah de Perse…

Mme Dijon la regarde, médusée. Anita continue :

– Et c'est encore peu pour ma Vierge. Si je pouvais, je la couvrirais de diamants !

Dalima devient vite sa compagne préférée, son ombre. Toutes les qualités que l'Espagnole avait cru deviner chez elle se confirment. Parmi la myriade d'ayas et de servantes, Dalima est la seule qui mérite toute sa confiance, bien plus que Lola, qui est passée à l'arrière-plan. La fille de Málaga, jalouse de la nouvelle favorite, mange sans arrêt pour compenser l'ennui dû à son inactivité. Parce qu'elle est étrangère, elle s'est vu assigner un rang élevé dans la hiérarchie des domestiques, qui la traitent avec déférence, presque comme elles le feraient avec une autre memsahib. Elle profite de la situation et passe ses journées à se gaver. Elle devient si grosse que ses halètements lorsqu'elle emprunte les escaliers se confondent avec ceux des chiens du rajah.

La routine qu'impose la chaleur pèse lourd sur tout le monde, même si elle est quelquefois interrompue par une visite inattendue : l'Inde, avec ses excès, est une boîte à surprises. Un matin, un vacarme venant du dehors surprend Anita. Accompagnée de son inséparable Dalima, elle se précipite dans le jardin. Les domestiques se bousculent contre la grille latérale, à l'entrée de service. Les uns rient aux larmes, d'autres sont en colère ; tous sont très énervés.

– Ma sœur, donne-moi ton enfant pour que nous le bénissions et lui souhaitions bonne vie !

La voix grave de la femme qui s'adresse à Anita par-dessus la barrière de domestiques contraste avec son aspect. Elle porte des colliers de pacotille, un sari fuchsia, ses yeux sont ourlés de khôl et elle a un œillet orange dans ses cheveux noirs tressés. Elle est entourée d'un groupe tapageur de femmes excessivement maquillées qui agitent des tambourins.

– Madame, ne les écoutez pas. Ce sont des *hijras,* lui explique le majordome.

– Qu'est-ce que c'est ?

La tête du majordome montre son désarroi.

– Ni des hommes ni des femmes… Vous me comprenez ?

Anita a entendu parler des eunuques, cette caste secrète et mystérieuse, vestige de l'Empire moghol, dont la communauté est dispersée à travers les Indes. Il ne s'agit pas de travestis, mais de châtrés.

– Que voulez-vous ?

– Bénir l'enfant.

– Pas question.

– C'est la cinquième fois qu'ils viennent. Vous savez, c'est l'habitude…

Au-dessus de la voix du majordome, on entend le chant des eunuques : « Donne-nous ton enfant, ma sœur, nous voulons partager ta joie ! »

Le majordome s'approche d'Anita.

– Madame, je vais appeler la garde du rajah pour les faire expulser.

– Non, ose Dalima, effrayée d'intervenir dans la conversation.

Le majordome lui jette un regard furibond, pas pour ce qu'elle a dit, mais simplement pour avoir ouvert la bouche.

– Ce n'est pas la peine, dis-leur juste de s'en aller…

– C'est qu'ils nous menacent ! réplique le majordome.

– Ils nous menacent ? demande Anita, étonnée. Pourquoi ?

– Parce que c'est ce qu'ils font toujours…, bafouille le majordome, gêné d'avoir à expliquer quelque chose qui lui fait honte. Ils menacent selon leur coutume, c'est pourquoi le personnel est tellement agité.

– Et quelle est cette coutume ?

La pudeur fait baisser la voix à l'homme :

– C'est terrible, madame, continue-t-il. Ils menacent de remonter leur sari pour nous faire voir leurs parties intimes… bon, ce qu'il en reste. C'est ce qu'ils font toujours quand on leur refuse l'entrée d'une maison ou un pourboire. Tout le monde finit par céder, madame, pour éviter une vision aussi désagréable…

Anita éclate de rire. Dalima esquisse un léger sourire, puis elle ajoute :

– Mais ce sont de braves gens, memsahib, tous les enfants indiens sont bénis par eux.

– Ah oui ?

– Ils portent chance, ajoute Dalima, car ils ont le pouvoir de laver les péchés des vies précédentes.

Anita se tourne vers le majordome.

– Vos enfants aussi ont été bénis par eux ?

– Oui, bien sûr, memsahib. Personne ne veut contrarier les hijras.

Anita réfléchit. Et s'ils avaient raison ? Pour quelqu'un d'aussi superstitieux qu'elle, plus son fils recevra de bénédictions, mieux cela vaudra. « L'une d'elles marchera bien », se dit-elle. Au fond, rien n'est superflu s'il s'agit de protéger le petit Ajit. Si tous ont besoin de protection sur ces terres, lui, le fils d'une étrangère, encore plus. Et puis elle a confiance en Dalima, qui parle avec son cœur.

– Eh bien, nous allons vous l'amener tout de suite, lance-t-elle sous le regard stupéfait du majordome.

L'enfant dans les bras, Anita se fraie un chemin parmi les domestiques qui la regardent en silence ; puis elle le remet à l'eunuque habillé de fuchsia. Celui-ci le prend délicatement et se met tout à coup à tourner au son des grelots qu'il porte cousus dans sa jupe et des tambourins des autres : « Le bébé est aussi solide que Shiva et nous supplions le Dieu tout-puissant qu'il nous remette les péchés de ses vies précédentes… » Ils chantent et certains se mettent à danser. En même temps, l'eunuque en fuchsia sort d'une boîte un peu d'une pâte rouge et dessine un point sur le front du bébé. Par ce geste symbolique, les péchés antérieurs du fils d'Anita passent aux eunuques. Et ils s'en réjouissent car leur mission, celle que leur a confiée l'Inde aux mille castes en les faisant boucs émissaires, est accomplie. Ils dansent ensuite en l'honneur de la mère et lancent des grains de riz sur sa tête. Même la température accablante n'arrive pas à gâcher cette fête improvisée, gaie et agitée. Anita, qui, il y a seulement quelques minutes, trouvait ces individus étranges et lointains, les croit maintenant ses amis. Lorsqu'elle reprend l'enfant, le majordome s'approche timidement d'elle.

– Memsahib, les eunuques se font payer pour leurs services…

Anita se tourne vers Dalima qui lui confirme les paroles du majordome.

– Je vous donnerai cinq roupies, annonce Anita.

– Non, memsahib. Ils demandent plus cher et personne n'ose marchander avec eux, de crainte d'être victimes de leurs malédictions.

Anita s'approche du groupe des eunuques, qui la dévorent du regard. Ils font des réflexions sur sa robe, ses bijoux, son maquillage et la beauté de ses traits. Leurs grands sourires laissent entrevoir une profusion de dents en or qui tranchent sur leurs lèvres rouges de bétel.

– Combien veux-tu ? demande Anita à l'eunuque en fuchsia.

– Memsahib, je me permets de vous répondre par une autre question, et j'accepterai volontiers ce que vous nous donnerez après avoir médité votre réponse : quelle est pour vous la valeur de l'effacement des péchés de toutes les vies précédentes ?

Anita réfléchit, et va trouver le majordome.

– Donne-lui cent roupies. Mon enfant, en tant que fils de sa mère, avait certainement beaucoup de péchés.

Au début du mois de juin, une chose qui semblait impossible est arrivée : la chaleur a augmenté. Tous les regards sont braqués sur le ciel dans l'attente des premiers nuages annonciateurs de la mousson. Le son des cantiques des paysans qui prient la déesse Lakshmi de féconder leurs champs parvient jusqu'à Anita, allongée sur la terrasse. Elle entend également les halètements de Lola et le battement frénétique de son éventail, comme les ailes d'un insecte géant autour du feu. Le mieux est de rester tranquille pour ne pas trop transpirer. Le rajah a interrompu ses promenades matinales à cheval et se réfugie dans la lecture.

– Combien de temps va durer cette chaleur ? demande Anita à Mme Dijon.

– Si tout va bien, si les pluies arrivent à temps, plus ou moins jusqu'au 10 juin. Les derniers jours sont toujours les plus éprouvants.

Parfois, Mme Dijon a l'art d'être prophète. Le 10 juin, vers quatre heures de l'après-midi, un bruit assourdissant se fait entendre ; un tourbillon d'air brûlant soulève des nuages de poussière et arrache les feuilles des arbres et même quelques tuiles, qui se brisent sur le sol. Comme si ce vent allait engloutir toute la villa. Les domestiques ont l'air contents. Cet orage sec confirme l'arrivée imminente des pluies. Dalima en pleure d'émotion. Ses parents sont des paysans qui dépendent de l'eau pour leurs récoltes. Tous les Indiens ressentent la même émotion car quand la mousson ne vient pas, ce qui arrive quelquefois, des famines déciment la population. La dernière a eu lieu en 1898, quand le rajah dut faire arrêter la construction du nouveau palais afin d'aider son peuple. L'arrivée d'une mousson est décisive dans la vie du sous-continent : l'échec d'une récolte de riz peut signifier la perte d'un million de vies.

Les heures passent et l'air sec et brûlant dessèche les gorges. Les yeux piquent comme s'ils étaient pleins de sable. Le jardin et la campagne sont recouverts d'une couche de poussière jaunâtre que le vent apporte du désert du Thar. De gros nuages s'accumulent à l'horizon. Au fur et à mesure que le ciel noircit, la pression devient insupportable. Mais la pluie ne tombe toujours pas. Ce sont des jours dangereux pour les enfants, car il y a un grand risque de déshydratation. Anita est accablée, elle a tout juste la force de garder son bébé toujours humide, en se servant d'un drap mouillé. Elle a l'impression de vivre enfermée dans un bateau au milieu d'une mer de poussière en furie.

Le cauchemar dure plusieurs jours. Puis le vent s'arrête, le mercure monte de quatre ou cinq degrés, plongeant tout le monde dans le désespoir, en une torture savamment administrée par le dieu de la mousson qui refuse de lâcher du lest.

Trois jours passent encore. Et, finalement, Anita entend une pétarade sur le toit, comme si on lançait des pierres contre les tuiles. Les cris de joie qui éclatent chez elle et qui lui parviennent du village que l'on aperçoit de l'autre côté de la rivière lui donnent l'espoir que l'enfer va s'arrêter. Ce sont les premières gouttes, si grosses qu'elles font un bruit sourd en s'écrasant. Tout à coup, un éclair secoue la villa, réveille l'enfant et fait trembler violemment toutes les tuiles. « La mousson est arrivée ! » entend-elle. La première pluie est d'une exceptionnelle intensité. Le bruit de l'eau sur le toit est assourdissant. Au bout d'un instant, un vent léger traverse le rideau d'eau chaude, apportant une caresse de fraîcheur. Anita et Lola se précipitent dans le jardin. Le rajah est sorti également et se trouve devant la fontaine de l'entrée, les bras en croix, regardant en l'air, le turban dégoulinant. Il reste là à se faire tremper, en riant face au ciel qui se vide. Derrière la maison, les domestiques participent à cette fête, sautent et chantent comme des enfants. Comme s'il n'y avait plus de castes, ni de différences entre maîtres et domestiques, entre riches et pauvres, entre sikhs et chrétiens. Comme si, soudain, les hommes, abattus depuis des jours, revenaient à la vie. Même les palmiers en tremblent d'émotion. L'explosion de joie traverse les campagnes et les villes du Penjab. Dans les casernes, les soldats, après avoir été si longtemps paralysés, se mettent à danser eux aussi, tous nus et trempés.

Quand il cesse enfin de pleuvoir, la vapeur monte du sol jusqu'à une hauteur de trente centimètres, recouvrant des parties du jardin de lambeaux de coton blanchâtre. L'humidité est telle qu'Anita assiste à un phénomène ahurissant : le jardinier met sa pelle dans un de ces bancs de vapeur et ramasse un petit nuage blanc. Il l'emporte de l'autre côté du jardin, où il le lâche en secouant sa pelle.

Quand le soleil se lève, Anita et le rajah sortent vérifier s'il y a eu des dégâts dans leur nouveau palais. En route, ils contemplent un extraordinaire spectacle : des colonnes de vapeur montent de la ville de Kapurthala comme d'une énorme marmite en train de bouillir. Dans les rues, les hommes enlèvent leurs chemises, les femmes se douchent habillées sous les gouttières et des bandes d'enfants nus se poursuivent en criant de joie. À leur retour, après avoir donné des instructions au chef de chantier et vérifié que les dommages sont presque inexistants, ils s'étonnent de trouver le gazon de la villa Buona Vista de nouveau verdoyant, comme par enchantement. Des grenouilles et des crapauds coassent sur les chemins inondés. Et les cris de Lola se font à nouveau entendre dans la demeure, car la pluie a ressuscité toutes sortes d'insectes, y compris de gros cancrelats marron que la fille de Málaga poursuit à coups de balai dans les moindres recoins.

# 23

Après le soulagement des premières pluies, Anita s'aperçoit qu'il fait toujours aussi chaud, mais moins sec. Il pleut tous les jours, plusieurs fois, il faut se changer souvent car la sueur trempe les vêtements. Ni douche ni bain n'arrivent à arrêter la transpiration. On a la sensation d'avoir toujours les mains humides. Un mot nouveau se fait entendre avec les moussons : *flood*, « inondation ». Il est sans cesse dans la bouche des domestiques qui se battent, seaux à la main, pour collecter l'eau des gouttières, ou avec des serpillières pour sécher les flaques. Un matin, depuis la terrasse, Anita aperçoit la villa entourée d'eau. Le débit de la rivière a grossi pendant la nuit et les jardiniers se déplacent sur des barques habituellement amarrées au quai. Ils déménagent la biche, les paons, les chats et les chiens, affolés de se trouver dans cette arche de Noé improvisée. En ville, les trombes d'eau ont mis hors d'usage la petite centrale électrique et les routes inondées empêchent des chars à bœufs de circuler. Par conséquent, le prix de certains produits flambe, comme le riz ou les pommes de terre, difficiles à ravitailler. Pendant ces journées, Anita est témoin du lien spécial et intime qui lie le rajah à son peuple. Durant les parcours en voiture ou à dos d'éléphant, aux portes du nouveau palais ou devant la grille de la villa, les sujets attendent leur souverain et s'en approchent sans crainte. Certains prononcent le mot *dohai*, qui veut dire « Je demande votre attention ». Les paysans se plaignent du prix des oignons et des problèmes provoqués par la crue des eaux. Ils s'adressent au rajah en l'appelant « père », car il incarne la force protectrice et la justice bienveillante d'un père parfait. C'est une relation curieuse, faite de confiance, de respect et de familiarité. Quelquefois, un paysan l'arrête simplement pour lui demander comment va sa famille ou lui parler de la sienne. Le rajah rit et blague en punjabi avec les fermiers, les commerçants ou les enfants. Il s'adresse à eux d'une manière très différente de celle qu'il emploie avec les Anglais, ou même dans son palais avec ses propres enfants, avec lesquels il maintient une certaine distance.

Les enfants de Jagatjit ont à peu près l'âge d'Anita et font leurs études en Angleterre. L'héritier, Paramjit, est sur le point de rentrer au Kapurthala. À l'âge de dix ans, le rajah l'a fiancé à la fille d'une famille noble rajpute de la principauté de Jubbal. Il marie ses fils comme on l'a marié lui-même, afin d'améliorer la caste. Il a l'intention de célébrer le mariage dès que le jeune homme reviendra d'Angleterre, au cas où, contaminé par les idées européennes, il serait tenté de choisir de son côté une autre femme. Car le rajah, malgré son air libéral et occidental, est un Indien conventionnel. Comme il connaît le caractère faible et l'humeur mélancolique de Paramjit, il est à peu près certain qu'il ne s'opposera pas à l'épouse qu'il lui a choisie. À Harrow, le célèbre collège anglais où il poursuit ses études en compagnie de ses frères et des rejetons de l'élite britannique, il a un condisciple indien qui entrera bientôt dans l'histoire. Son nom est Jawaharlal Nehru, qui écrira un jour à propos de l'héritier du Kapurthala :

« C'est un inadapté, toujours malheureux et incapable de se mélanger aux autres camarades, qui se moquent de lui et de sa manière d'être. » Dans un rapport confidentiel, le département politique du Penjab le décrit ainsi : « L'héritier est un irresponsable qui s'intéresse à peine aux affaires de l'État. Le bien-être du peuple ne l'inquiète nullement. Son obsession est de demander de l'argent à son père pour vite le dépenser. » Le deuxième fils du rajah, Mahijit, est plus sérieux et meilleur étudiant. Le troisième, Amarjit, fait ses études à Oxford ; depuis son enfance, il fait preuve d'un sérieux penchant pour la carrière militaire. Tout le monde s'accorde à trouver que le plus jeune, Karan, le fils de Rani Kanari, est le plus brillant. Il a fait une partie de ses études au lycée Janson-de-Sailly à Paris, avant d'entrer également à Harrow. Il est so-ciable, extraverti, s'exprime bien, s'intéresse à tout et aime la campagne, les chevaux et la politique. Anita meurt d'envie de les connaître tous ; après tout, ce sont ses… beaux-fils ! Elle rit en y pensant, mais, en même temps, elle a peur qu'ils ne soient influencés par leurs mères et qu'ils ne l'acceptent pas. Elle commence à souffrir du vide auquel elle est condamnée aussi bien par les autorités britanniques que par la famille du rajah.

Malgré les rigueurs du climat, ses premiers mois en Inde s'écoulent dans le plus grand bonheur. Une fois remise de son accouchement et grâce à la tranquillité que lui permet la fidèle et affectueuse Dalima, elle redécouvre les plaisirs de l'exercice physique, en particulier l'équitation. Pendant la saison des moussons, elle part chaque jour avec son mari, à quatre heures du matin, galoper pendant des heures. Ils traversent des champs de riz et des plantations de fèves et d'orge embaumées par le parfum enivrant des fleurs de moutarde, ces petits points dorés qui s'étendent à l'horizon.

Ces grandes promenades à cheval conduisent Anita dans des endroits qu'elle n'aurait pas connus autrement. À l'entrée de certains villages, des paons les accueillent en piaillant puis les paysans, toujours attentifs et hospitaliers, leur offrent un verre de lait ou une banane et, sous les branches d'un manguier, leur parlent de leurs familles ou de l'état des récoltes. Quand le temps s'améliore et que la chaleur se calme, Anita pratique un autre sport que le rajah a mis à la mode dans son État : le tennis. Il existe une subtile concurrence sportive entre les princes indiens : le maharajah du Jaipur est un grand joueur de polo et attire dans son État les meilleures équipes du monde. Bhupinder Singh du Patiala s'est spécialisé dans le cricket. Probablement influencé par les joueurs qu'il a connus en France, Jagatjit Singh du Kapurthala a choisi le tennis, qu'il pratique avec un turban, un pantalon bouffant et une chemise indienne qui descend jusqu'aux cuisses. Avant de commencer, il troque son *kirpan* – le poignard sikh – contre une raquette, ramasse ses basques et les attache à la taille. Il a l'intention d'inviter le champion de tennis Jean Borotra pour donner des leçons à Kapurthala où, deux fois par semaine, des nobles de la cour, quelques membres de la famille et n'importe quel amateur viennent jouer. Quand la partie est finie, les sportifs s'asseyent pour prendre le thé sous une tente et, s'il s'agit d'un invité renommé, le rajah l'invite à sa table. Ces après-midi de tennis ont beaucoup fait pour améliorer le niveau de ce sport au Penjab. Anita y perfectionne son style et en profite pour faire de nouvelles connaissances, car la seule règle pour participer est d'être joueur. C'est ainsi qu'elle rencontre Rajkumari Amrit Kaur, une très grande sportive. Amrit Kaur, Bibi pour les intimes, est une parente du rajah, une fille de la branche chrétienne de la famille qui aspirait au trône, expulsés de

Kapurthala par les Anglais et installés à Jalandar, à quinze kilomètres. Fille d'un rajah détrôné, Bibi se déplace dans son propre rickshaw tiré par quatre hommes pieds nus portant le turban bleu et l'uniforme du Kapurthala. Elle aime aussi se déplacer seule, à cheval, avec ses raquettes dans les sacoches. Elle est toujours vêtue avec élégance et très joliment coiffée avec de grandes boucles ramenées sur les joues. Connue pour sa générosité, elle est rentrée d'Europe avec des malles pleines de cadeaux somptueux pour toutes ses nièces et cousines : des robes françaises, des colliers de pierres taillées, des étoles de fourrure, etc. Bibi jouit d'une enviable liberté dans un monde où c'est presque impossible. C'est pourquoi les femmes de la zenana la regardent avec méfiance, tout en l'admirant en secret. Elle n'obéit à aucune règle, et se permet de faire une chose scandaleuse en public, du jamais-vu, une véritable provocation : elle fume avec un long fume-cigarette noir et argent. Les autres femmes l'en excusent, puisqu'elle est chrétienne. Elles la considèrent comme à moitié blanche, un peu comme si elle venait d'une autre galaxie.

Un courant de sympathie passe tout de suite entre Bibi et Anita. L'Indienne a un an de plus que l'Espagnole et elle est presbytérienne. Elle parle français et anglais parfaitement, joue au bridge, chante et pratique le piano en professionnelle. Anita l'estime car elle représente un véritable fantasme : elle est aristocrate, libre et riche. Son père a la réputation d'être un « chrétien pieux », un homme engagé dans l'idée d'une Inde indépendante, opinion tout à fait contraire à celle du rajah, avec qui il n'entretient donc aucune relation. Mais Bibi, elle, participe à la vie du palais, surtout quand il y a une réception qui l'intéresse ou pour participer aux compétitions sportives. Grande, les yeux châtains, un peu dégingandée, elle est amateur de sport depuis ses années de pensionnat à la Sherbourne School for Girls, à Dorsethire, où elle a passé le baccalauréat. En plus d'être championne locale de tennis, c'est une jeune femme cultivée, amusante et très vive. Avec un pied sur chaque continent, elle a une mentalité ouverte et dépourvue de préjugés qui séduit vite Anita.

Le rajah voit d'un bon œil que sa femme éprouve de l'amitié pour Bibi, c'est une façon de compenser le blocus des autres femmes de sa famille et de rompre son isolement.

– Mais n'oublie pas que cette branche de la famille est contaminée par des idées révolutionnaires et absurdes que je ne partage pas du tout, la prévient-il.

Elle ne répond pas, elle sait très bien ce que veut dire le rajah. Bibi utilise des expressions telles que « l'Inde sous le joug de l'Angleterre » et s'indigne devant les coutumes ancestrales et dégradantes pour les femmes, comme les mariages arrangés entre enfants ou la vie de réclusion à laquelle elles sont soumises. Étant chrétienne, elle a eu la chance que ses parents ne l'aient pas mariée, mais, à présent, ils essaient désespérément de lui trouver un époux. Elle ne veut rien savoir. Elle est rentrée d'Angleterre l'esprit de travers, désireuse de changer la mentalité de son pays. Elle rêve de retourner à Londres pour entreprendre des études universitaires. Elle a trouvé en Anita une bonne interlocutrice. Les grandes promenades à cheval qu'elles font ensemble l'après-midi sont aussi l'occasion pour Bibi de montrer à son amie l'autre visage des Indes, celui qu'elle ne connaîtra jamais si elle reste enfermée entre les murs de la villa Buona Vista. Anita découvre la campagne, la pauvreté des paysans, et elle commence à se sentir proche d'un pays dont le cœur bat à un rythme très différent de celui de la haute société.

Un après-midi, Bibi, vêtue à l'anglaise, portant de grandes bottes en cuir et une bombe en velours noir, arrive à cheval, assise à califourchon. Elle porte une jupe-culotte, un vêtement encore inconnu au Kapurthala, bien qu'il soit accepté dans d'autres régions depuis que les filles du vice-roi se promènent à cheval le long du Mall de Simla dans cet habit nouveau et scandaleux.

– Aujourd'hui, je veux te présenter la princesse Gobind Kaur, annonce-t-elle à Anita. Tu seras très contente de faire sa connaissance. Prends Négus et suis-moi. Je t'emmène à son palais.

Négus est le cheval préféré d'Anita, un spécimen anglo-arabe noir comme jais, aux flancs luisant de reflets argentés. Pour elle, il représente la liberté.

Ensemble, les deux amies chevauchent dans la campagne pendant vingt kilomètres avant d'arriver dans un village appelé Kalyan, de l'autre côté de la frontière du Kapurthala. Elles approchent d'une hutte en pisé où une femme d'un certain âge fait sécher des bouses sur les murs. En reconnaissant Bibi, la femme l'embrasse avec effusion. « Ce ne peut pas être la princesse », se dit Anita. Mais elle se trompe. Cette femme aux mains noirâtres, vêtue d'un sari sali de terre et de fumée, sans bijoux, est la princesse Gobind Kaur, cousine au troisième degré du père de Bibi. L'homme qui arrive sur le chemin est son mari, Waryam Singh, un ex-colonel de l'armée du Kapurthala, anobli pour services glorieux rendus par ses ancêtres.

– Et le palais ? demande Anita.

– Nous y sommes, répond Bibi en riant et en montrant la hutte.

« Les Indes sont un monde surprenant », pense Anita. Il y a quelques années, Gobind Kaur vivait dans un palais de six étages, à Kapurthala, entourée du luxe et de la sophistication qu'impliquait son rang. Mariée de force à un noble très riche, mais dégénéré, faible et alcoolique, elle était résignée à son sort et s'ennuyait mortellement. Un jour, le colonel Waryam Singh arriva au palais pour y inspecter la garde. Ce fut le coup de foudre. Très vite, ils devinrent amants. Pendant longtemps, ils se fréquentèrent en secret. Il entrait dans le palais par un sous-sol qui donnait sur la rue et passait une partie de la nuit avec la princesse. Jusqu'au jour où ils furent découverts et durent s'enfuir. Sans vêtements, sans bijoux et sans argent. Waryam Singh fut déshonoré publiquement par les membres de sa famille et déshérité. Les amants n'eurent pas besoin de partir très loin, il leur fallait simplement échapper à la juridiction de l'État du Kapurthala. Ils s'installèrent donc à Kalyan, en territoire britannique. Là, ils vivent comme des paysans, un peu mieux parce qu'ils sont sûrs de ne jamais mourir de faim. Aussi bien Bibi que d'autres membres de la famille leur donnent de l'argent, ce qui leur a permis d'acheter des terres.

Bibi admire profondément Gobind Kaur. Aux Indes, une femme qui renonce à tout pour l'amour d'un homme est une chose exceptionnelle, cela fait d'elle une héroïne. Et si, au Kapurthala, personne ne parle de Gobind Kaur, car le poids du scandale se fait toujours sentir, son histoire s'est propagée aux quatre coins des Indes, à travers des ballades et des chansons populaires.

– Ne dis pas au rajah que je t'ai amenée ici, demande Bibi. Il ne le comprendrait pas.

Anita acquiesce en buvant le thé que la princesse lui a offert dans une tasse en terre. Elle est absorbée par ses pensées car l'histoire de Gobind Kaur ne la laisse pas indifférente. Voilà une femme qui a payé très cher le prix de sa liberté. Et elle ? Faudra-t-il un jour qu'elle renonce à tout pour être libre ? Son idylle avec le rajah durera-t-elle éternellement ? Sera-t-elle un jour acceptée ou continuera-t-elle à passer pour une intruse ? Elle revient toujours à la même question, celle que son ami le peintre Anselmo Nieto lui avait posée : « L'aimes-tu vraiment ? » « Oui, bien sûr que je l'aime », se répond-elle à elle-même. Par exemple, il y a quelques jours, quand son mari est tombé de cheval, elle était affolée à la pensée que cela aurait pu être grave. « Cette angoisse devait bien être de l'amour », se dit-elle. Tandis qu'elle regarde le soleil s'enfoncer dans les champs de moutarde baignés d'une brume bleutée, une autre question lui traverse l'esprit : « Et si un jour je tombais follement amoureuse d'un autre homme, comme Gobind Kaur ? » Elle préfère éloigner rapidement cette idée, dans un réflexe de défense, sans vouloir réfléchir à ce que pourrait lui réserver une telle éventualité. Car la réponse l'obligerait à se poser une nouvelle question : « Suis-je jamais tombée amoureuse, ne serait-ce qu'une fois ? » Aimer le rajah est une chose ; une autre, bien différente, est de tomber amoureuse de lui. Elle sait que, pour elle, il n'y a pas eu de coup de foudre. Elle n'a jamais connu cet amour capable d'ébranler, ce sentiment de folie si bien décrit dans les chansons de flamenco… Peut-on vivre toute une vie sans jamais être broyée par l'amour ? Sans se laisser emporter par l'extase ?

– Ram, Ram !

Des paysans qui reviennent au village la saluent en joignant leurs mains. C'est le moment magique de la journée. Les gens l'appellent l'« heure de la poussière de vache », à cause des nuages de poussière que soulèvent les animaux en regagnant leurs étables. Le ciel se teinte de lilas pâle. L'odeur de fumée qui se dégage des réchauds où les femmes préparent le dîner envahit les ruelles et se répand dans la plaine. Les hommes rentrent, leurs outils à l'épaule, leurs turbans et leurs *longhis* souillés de terre. Les chiens aboient en furetant pour trouver de quoi manger. C'est un paysage ancien, mais qui semble éternel. « Il n'y a rien de plus beau qu'un coucher de soleil sur un village indien », se dit Anita.

# 24

Tout au long de l'année, Anita assiste à des actes civiques et sociaux où le rajah et elle-même jouent le premier rôle. Les fêtes religieuses se tiennent à Amritsar et de nombreuses réceptions ont lieu à Lahore, capitale du Penjab, à trois heures de route de Kapurthala. Habituée à la vie tranquille de la villa Buona Vista, Anita est fascinée par le contraste avec l'ancienne capitale de l'empire des Mille et Une Nuits. Par la beauté de ses monuments et l'élégance de ses palais, par les trésors qu'ils contiennent et par son atmosphère désinvolte et gaie, Lahore est connue comme le « Paris de l'Orient ». Plus cosmopolite que Delhi, elle jouit depuis longtemps de la réputation de ville la plus tolérante de l'Inde. Les sikhs, les musulmans, les hindous, les chrétiens et les parsis fréquentent ensemble les bars du Gymkhana Club et du Cosmopolitan Club. Les femmes de la haute société s'habillent un peu comme les courtisanes françaises du XVIIe siècle et les hommes comme des vedettes du cinéma muet. Dans les réceptions, dîners et bals de la haute société offerts par les nobles et les magnats du commerce dans leurs demeures somptueuses des quartiers résidentiels, il n'existe aucune discrimination. Il n'y a en ville qu'un seul endroit, le préféré des Anglais, le Penjab

Club, où un écriteau affiche : « Pour Européens seulement ». Anita trouve à Lahore le contrepoint parfait à l'atmosphère provinciale et étouffante de Kapurthala. Ici, les ragots et les intrigues suscitées par les femmes du rajah n'ont pas cours. « C'est comme avoir quatre belles-mères », dit-elle en riant. Lahore est une grande ville, avec un cantonnement militaire anglais. Ceux-ci dirigent les affaires du Penjab dans un ancien palais moghol, siège des bureaux du gouverneur britannique.

Le voyage hebdomadaire devient une habitude dont Anita ne saurait se passer. Comme ses promenades à cheval, c'est un bol d'air frais. Le rajah la conduit lui-même dans une de ses Rolls ; il a toujours une visite à rendre dans la ville la plus importante de la région. Mais ce que préfère Anita, c'est faire les courses toute seule, c'est-à-dire sans son mari, simplement accompagnée de Dalima, de Lola et de deux ou trois domestiques pour porter les paquets.

– Viens me chercher au bureau du gouverneur quand tu auras fini, lui demande un jour le rajah en la quittant à l'entrée de la rue des bijoutiers, où Anita a envie d'acheter des cadeaux pour sa famille en prévision de son imminent voyage en Europe.

Elle lui répond en lui envoyant un baiser, d'une façon si spontanée et osée que le rajah ne peut s'empêcher de sourire. Les femmes quittent la voiture et s'engouffrent dans un labyrinthe de ruelles bondées d'échoppes et d'ateliers. L'Espagnole aime se fondre au spectacle grandiose de ce bazar oriental et fouiller le cœur de la ville. Au bout de quelques heures, elle émerge, triomphale, suivie de sa cohorte de domestiques chargés d'une montagne de paquets, et va en général se promener un peu le long du Mall, une grande avenue à l'européenne bordée de cafés, de bars, de magasins, de restaurants et de théâtres.

L'approche de son voyage, où Anita compte emmener son petit Ajit pour le présenter à ses parents, a décuplé sa folie d'achats. Elle est si contente de revoir bientôt sa famille qu'elle voudrait leur apporter tout ce qu'elle voit, comme si elle pouvait leur offrir un morceau d'Inde enrobé comme une boîte de chocolats. C'est pourquoi elle parcourt aujourd'hui avec plus de délices encore la rue des bijoutiers, admirant les merveilleux bracelets en or, les boîtes laquées et les coffrets en bois de santal ; puis, dans la rue des parfumeurs, les bâtonnets d'encens et les flacons emplis d'essences exotiques ; elle regarde des quantités de babouches brodées de paillettes, s'arrête devant un magasin de la rue des armureries qui vend des fusils, des lances et des kirpans, la dague des sikhs que son fils Ajit devra un jour porter à la taille. Les vendeurs de fleurs sont cachés par des montagnes d'œillets et de jasmin, les marchands de thé proposent une douzaine de feuilles différentes, du vert pâle au noir. Les marchands de tissu, pied nus et accroupis sur des nattes dans leurs petites échoppes, les invitent à choisir parmi leurs marchandises. Des femmes, cachées sous leur burqa, les yeux aux aguets derrière leur visière, comme des « nonnes à l'heure des vêpres », selon Anita, s'intéressent à la grande variété de voiles des magasins spécialisés : les uns sont carrés, d'autres petits comme des mouchoirs ou de la taille d'une grande écharpe, il y a des masques d'Arabie qui ne cachent que le front et le nez, ou des burqas à résille comme celles des Afghanes : tout un échantillon de vêtements pour se dérober aux regards lascifs des hommes.

Le palais du gouverneur est l'ancienne résidence du prince Asaf Khan, le père de Mumtaz Mahal, la muse qui inspira le Taj Mahal. Grandiose et raffiné, aux fenêtres élégantes, longues et étroites, et avec de grandes cours intérieures, ce palais est un véritable bijou de l'art indo-moghol. Anita, suivie de ses servantes et des domestiques portant les paquets, se présente devant les gardes anglais vêtus de kaki. « Le bureau du gouverneur, *please* ? »

– Je regrette, mademoiselle, mais je ne peux vous y conduire.

– Je viens chercher mon mari qui est avec M. le gouverneur.

– Vous devez attendre qu'ils finissent, madame.

– Je suis la princesse de Kapurthala, affirme l'Espagnole.

– Je n'en doute pas, madame, mais je ne peux pas vous permettre d'entrer. C'est le règlement, je regrette.

Les protestations d'Anita se heurtent à l'impassibilité du garde.

– Si vous ne me laissez pas le prévenir que je suis ici, envoyez au moins quelqu'un pour le faire.

– Je ne suis pas autorisé à interrompre une réunion du gouverneur. La seule chose que je puisse faire c'est vous accompagner à la salle d'attente…

Anita est obligée de céder et de se taire. On la conduit dans une galerie où il n'y a que des femmes, la plupart en burqa, assises sur des bancs de bois. Pour la première fois, tandis qu'elle attend son mari, elle se rend compte combien il est dur d'être traitée comme une femme normale.

Quand le rajah termine son rendez-vous et quitte le bureau du gouverneur, il trouve Anita assise sur un banc, qui le regarde comme un oiseau perdu. Le rajah n'est pas de bonne humeur. Il a dû supporter les impertinences du gouverneur qui lui a demandé, comme d'habitude, si le fait de partir en voyage si longtemps en Europe ne porterait pas tort aux affaires de l'État. Le rajah a répliqué, comme toujours, qu'il laisse les affaires entre de bonnes mains. Mais ce qui l'a vexé davantage, c'est la communication officielle selon laquelle Anita n'a pas le droit de s'appeler altesse, d'utiliser le titre de maharani ou de princesse, en dehors du cercle strict du Kapurthala. Elle n'a même pas le droit de s'appeler *spanish rani*, la rani espagnole, comme on la connaît déjà dans le monde. « Le gouvernement de l'Inde n'a pas reconnu et ne reconnaîtra pas le mariage de Son Altesse à la dame espagnole », dit une lettre du bureau du vice-roi, que le gouverneur lui a lue à haute voix, en réponse à une demande officielle du rajah de reconsidérer le statut de sa femme. La fin du document a profondément irrité Jagatjit, car il s'imagine que sa première épouse y est pour quelque chose. « Il faut tenir compte du fait, dit le document, que Votre Première Altesse a également refusé de la [Anita] reconnaître. » Même si ce document admet que l'Espagnole a été reçue en société par de hauts fonctionnaires et leurs épouses, il recommande « qu'aucun fonctionnaire, ni même un subordonné ou un assistant du commissaire de police, ne fréquente jamais l'épouse espagnole du Rajah ». Comme si elle avait la peste.

– Si j'avais su que les ordres se feraient de plus en plus stricts, j'aurais réfléchi davantage avant de l'épouser, déclare le rajah au gouverneur. Il me semble injuste de laisser ma femme hors de la société européenne que nous aimons fréquenter et qui, au Penjab, est composée principalement de fonctionnaires civils et militaires du gouvernement.

– Je le comprends, Altesse. Nous savons que votre épouse espagnole est en train de se faire une place grâce à sa personnalité et à son charme. Je reconnais que ces restrictions entrent en conflit avec la pratique quotidienne, ce que j'ai déjà signalé au vice-roi.

– Et qu'a-t-il répondu ?

– Que nous ne pouvons pas faire d'exceptions. Le mariage du rajah du Jind à Olivia Van Tassel pose le même problème. Elle n'a pas le droit de s'appeler « maharani Olivia ». Et le gouvernement n'a pas reconnu non plus le mariage du rajah de Pudokkatai avec l'Australienne Molly Fink. Nous ne pouvons pas reconnaître les mariages mixtes des princes des Indes, Altesse, à moins de remplir certaines conditions. C'est une question de bon sens…

– De bon sens ? Le bon sens, c'est de ne pas se mêler de la vie privée des princes.

– Altesse, je vous prie de nous comprendre. Notre position est raisonnable et cohérente. Le gouvernement pourrait reconnaître le mariage d'une femme européenne à un prince indien uniquement sous certaines conditions : premièrement, qu'elle soit la seule épouse. Deuxièmement, que l'État où elle se marie la reconnaisse comme rani ou maharani, ce qui n'est pas le cas car la rani officielle du Kapurthala est votre première épouse, Harbans Kaur. La troisième condition est que la descendance de l'épouse ait droit au trône. C'est en respectant ces conditions qu'on peut protéger les droits de la femme européenne. Autrement, nous reconnaîtrions des mariages morganatiques, c'est-à-dire des mariages exaltant le statut du prince au détriment de celui de sa femme. Et cela, en tant qu'Européens, nous ne pouvons pas l'admettre.

L'explication logique du gouverneur n'a nullement impressionné le rajah, qui se trouve dans la position désagréable de tenir tête à ses alliés. Les Anglais l'ont élevé, lui ont assuré le trône et l'ont protégé en garantissant ses frontières et son pouvoir. Une partie de son cœur est anglaise, bien qu'il y ait des moments, comme celui-ci, où il ne les supporte pas. Son orgueil n'admet pas qu'on lui impose des limites, ni qu'un fonctionnaire lui dicte sa façon de vivre, à lui qui a dîné en tête à tête avec la reine Victoria à Balmoral.

– Je crains que ces règles, que vous modifiez selon l'intérêt du moment, ne finissent par miner les bonnes relations qui ont toujours existé entre vous et la maison royale du Kapurthala, conclut le rajah d'un ton menaçant.

– Ce serait regrettable, Altesse, et je l'ai signalé au vice-roi, car il s'agit d'une éventualité que nous avons évaluée, lui répond le gouverneur en tordant ses épaisses moustaches grises.

D'un ton conciliant, comme s'il voulait minimiser l'affaire, il ajoute :

– Permettez-moi de vous rappeler que ces restrictions sur le papier sont de simples recommandations et que, dans la pratique, comme vous en avez l'expérience, elles ne s'appliquent pas nécessairement. Vous pouvez continuer à mener la même vie, Altesse, sans préjudice pour votre réputation ni celle de votre épouse.

– Les restrictions que vous m'imposez représentent une ingérence inacceptable dans ma vie privée. Vous savez très bien qu'elles limitent mes mouvements et restreignent mes contacts avec la société.

– Altesse, je me permets de vous demander d'avoir un peu de patience. Je vous propose d'attendre l'arrivée du nouveau vice-roi pour revoir cette situation et tenter de revenir à l'ancienne, moins restrictive. Je ferai moi-même la demande officielle pour donner à votre femme toute la reconnaissance possible. Je suis sûr que le règlement a été durci à cause de la quantité de plus en plus nombreuse de mariages mixtes.

En rentrant à Kapurthala, Anita interroge le rajah au sujet de sa conversation avec le gouverneur.

– Ne t'en fais pas, mon chéri, je les mettrai tous dans ma poche, en les prenant au charme.

Mais le rajah est inquiet. Il n'est pas habitué à la confrontation, que ce soit avec la famille – et ils sont tous contre lui – ou avec les Anglais, ses parents adoptifs. Son rôle n'est pas de se battre, mais de régner sans rendre de comptes à personne. C'est ce qu'il a fait tout au long de sa vie, et il a bien l'intention de continuer. Son intuition lui dit que le temps finira par arranger la situation, mais il aimerait que rien ne vienne troubler l'harmonie de son ménage. La jeune femme ravissante assise à son côté, c'est son œuvre, et elle est peut-être la seule chose dans sa vie pour laquelle il se soit vraiment battu. Elle est sa compagne, n'en déplaise à ses autres femmes et aux Anglais.

– Lundi, ce sera mon anniversaire, lui annonce le rajah. J'aimerais que tu sois présente pendant la puja que nous organisons tous les ans en famille. Nous nous réunissons autour du livre saint pour en lire des paragraphes et réciter des prières.

– Tu m'as dit une fois que tu préférais que je ne n'assiste pas à cette puja, tu t'en souviens ? Pour ne pas blesser la sensibilité des ranis…

– Tu as raison, mais j'ai changé d'avis. Je veux que tu y assistes, pour bien faire comprendre que je ne tolérerai plus qu'on t'ignore. Tu seras au premier rang. Comme la nouvelle maharani du Kapurthala.

# 25

Avec tant de domestiques et de commérages, il est difficile de préserver l'intimité. Tout le monde sait tout, grâce à l'inextricable réseau de communications que maintiennent les domestiques des différents palais. Au Kapurthala, tout est su avant même d'être vrai…

La fidèle Dalima a entendu des rumeurs à propos de la réaction furieuse d'Harbans Kaur quand elle a su qu'Anita participerait à la puja, une cérémonie considérée comme des plus intimes par la famille. Cette décision du rajah ouvre un nouveau front dans la guerre domestique. Une guerre entre le poids de la tradition, que réclament ses femmes, et la volonté du souverain. Qui la gagnera : trois mille ans de coutumes ou l'amour du prince pour Anita ?

L'Espagnole aurait préféré ne pas assister à cette cérémonie, pour éviter que sa présence ne les irrite. Elle ne veut pas être l'objet de tous les regards et de tous les commentaires, sachant qu'ils ne sont jamais flatteurs. Dans cet affrontement, c'est elle le champ de bataille.

Mais elle accompagne pourtant son époux au palais des femmes, où elle n'est pas revenue depuis son mariage. Elle marche dignement, habillée en princesse orientale avec un sari qui lui cache une partie du visage et portant des bijoux offerts par le rajah. Au front, elle arbore une splendide émeraude en demi-lune. « Vivant ensemble on finit par se ressembler ! Je me suis donc mise à aimer tous ces colifichets autant que mon mari et, petit à petit, j'ai rempli un coffre de bijoux avec de belles pièces », écrirait-elle un jour dans son journal. L'émeraude est le dernier des cadeaux, un caprice d'Anita, qui s'est rendu compte que les bijoux sont sa seule garantie de sécurité. Cette pierre ornait le front du plus vieil éléphant des écuries du palais. Un jour, Anita la remarqua alors qu'elle assistait à son premier défilé : « Je trouvais que c'était dommage qu'un éléphant porte une émeraude aussi belle, donc je l'ai demandée au rajah. »

– Tu peux dire que tu viens d'obtenir la lune, sourit son mari en la lui offrant.

Elle était enveloppée dans un papier de soie sur un plateau d'argent que portait un vieux trésorier.

– J'ai eu du mal à t'en faire cadeau.

Effectivement, cela n'avait pas été facile. Retirer le bijou de l'éléphant pour l'offrir à Anita avait été perçu comme un défi à la tradition. Ce geste avait sûrement provoqué une cascade de rumeurs. Mais le rajah l'avait fait en connaissance de cause, pour soutenir sa femme, sachant parfaitement que ce serait examiné et commenté à fond. « Le rajah lui a offert la lune de l'éléphant ! » La nouvelle s'était vite répandue. Le message était qu'il était capable de tout pour sa femme. Plus qu'un cadeau, c'était un acte politique.

Anita, discrète et malgré tout présente, joue son jeu. Pour la puja de l'anniversaire, elle a soigné sa toilette et son maquillage. Elle veut être resplendissante car, sans en être consciente, elle sent que c'est son meilleur argument. Comment refuser au prince le plaisir d'être uni à une femme aussi belle ? Quelle épouse serait assez cruelle pour cela ? Anita commence à comprendre la logique du harem qui tourne autour du bien-être et du plaisir du seigneur de la maison.

La cérémonie se déroule calmement dans une salle où les murs sont décorés de petits fragments de glaces incrustés, en forme de fleurs. La lueur des bougies placées dans de petits autels encastrés se reflète dans les milliers de miroirs en un scintillement resplendissant. Les femmes ont refusé de la saluer, sauf Rani Kanari, gentille et chaleureuse. Elle lui demande des nouvelles de son fils, et Anita, qui comprend maintenant un peu l'ourdou, lui répond qu'elle l'amènera un jour en visite. Kanari est toujours jolie, malgré ses poches sous les yeux et son visage gonflé de Martini dry. Assises autour du prêtre et du rajah, sur des matelas en soie recouverts de coussins brochés et allongées sur de grands traversins en velours rouge, les femmes lisent les textes sacrés et invoquent le Très-Haut pour que leur maître et seigneur jouisse d'une longue vie prospère. C'est une image qui évoque une harmonie domestique digne d'un empereur moghol, même si, sous la surface apparemment calme, il existe des courants violents et des sentiments amers d'abandon. Les regards échangés à la dérobée par les femmes à travers les petits miroirs montrent leur curiosité et leur ressentiment. « Aujourd'hui si jeune et si fraîche, pensent-elles. Mais… et demain ? Qu'arrivera-t-il demain, quand ce teint si lisse perdra son éclat, quand cette peau de velours commencera à montrer les ravages du temps, quand du feu de l'amour il ne restera que les braises, s'il en reste… » Harbans Kaur sait que ce n'est qu'une question de temps : Anita tombera comme une mangue trop mûre. C'est la loi de la vie. Elle connaît son mari, ses caprices et son goût de la luxure. Elle espère seulement que, pendant son idylle avec l'étrangère, il ne fasse pas trop de bêtises. « Que lui aura-t-il offert que nous ne sachions ? » se demande-t-elle en observant la demi-lune de l'éléphant sur le front marmoréen de l'Espagnole. « Pourquoi s'obstine-t-il à la montrer partout, comme si elle était un animal de foire ? Ne se rend-il pas compte qu'il se déclasse en agissant ainsi ? » Harbans Kaur est vieux jeu, et même s'il est vrai que son mari se déclasse, cela n'a d'importance que dans les cercles les plus traditionnels, parmi les familles de vieille souche qui vivent isolées dans les vallées de l'Himalaya, dans les montagnes du Sud ou dans le désert du Rajputana. Les Indes ont changé mais la femme du rajah l'ignore parce qu'elle n'a pas pu le vérifier. Le seul voyage qu'elle ait fait dans sa vie a été celui de son mariage : de chez ses parents, dans les profondeurs de la vallée du Kangra, à la zenana du rajah.

Harbans Kaur ne se rend pas compte qu'Anita se fait remarquer partout où elle va, que les princes se disputent la faveur de s'asseoir à côté d'elle dans les dîners, pour écouter son rire de colombe, que certains tombent sous son charme, comme les mauvaises langues l'affirment à propos du nizam d'Hyderabad. Sa réputation de jolie femme, pleine d'esprit et originale, la précède dans les principautés voisines qu'elle et le rajah visitent pendant cette première année au Kapurthala. Anita est la femme que beaucoup aimeraient avoir : jeune, gaie et pleine de fraîcheur. Amie et amante en même temps. Le contraire d'une Indienne à l'ancienne, comme Harbans Kaur, que la loi du *purdah*[1] empêche de fréquenter d'autres hommes que son mari.

Anita a de l'audace : elle n'a pas honte de demander ce qu'elle ne comprend pas. Au nabab d'un État voisin, qui l'a assise à sa droite, loin du rajah, à l'occasion d'un banquet de soixante-dix convives, où la vaisselle et les couverts sont en or, elle ose demander :

1. La loi du *purdah* fait allusion à la coutume islamique de porter le voile.

– Altesse… pourquoi servez-vous du jambon au four et du champagne puisque ces deux aliments sont interdits par votre religion ? N'êtes-vous pas musulman chiite ?

Ses manières, son accent en ourdou et sa question, naïve mais osée, font éclater de rire le nabab qui, surpris, lui répond à voix basse, d'une façon complice :

– Oui, Anita, mais j'exerce mes prérogatives : je baptise les aliments et change leur nom. Au porc j'ai donné le nom de faisan et au champagne celui de limonade, aussi je ne pèche pas en les consommant.

Et l'hôte, en plein fou rire, ordonne à ses domestiques de remplir les assiettes et les coupes. Comme beaucoup de ses collègues, ce nabab se sent au-dessus du bien et du mal. Que signifient les restrictions religieuses pour des souverains qui se croient d'origine divine ? Les rites et les interdictions sont bons pour les hommes, pas pour les dieux.

Bhupinder Singh le Magnifique, le maharajah du Patiala, est également sensible au charme d'Anita et, lorsqu'il la reçoit à l'occasion de la fête qu'il donne en honneur des nouveaux vice-rois, il agit comme s'il la connaissait depuis toujours. Il voudrait lui accorder les plus grands honneurs et la faire asseoir à côté de lui, mais les responsables anglais du protocole ne le permettent pas. Bhupinder et Anita ont le même âge et tous les deux sont l'objet de la colère des Anglais ; Anita pour avoir épousé un prince et Bhupinder pour sa réputation de coureur. Sa piscine est maintenant célèbre jusqu'en Angleterre et les rumeurs sur les vierges des montagnes et le culte sexuel à la déesse Koul inquiètent le pouvoir colonial. À tel point que son couronnement a été annulé « jusqu'à ce qu'il se tienne mieux ». Ils craignent qu'il ne finisse comme son père, qui succomba à son amour de l'alcool et des femmes : « Quand ils commencent à mal tourner, dit une lettre du gouverneur du Penjab au chef du département politique, les hommes de cette famille courent à leur ruine. » Les Anglais ont décidé de repousser d'un an son intronisation, jusqu'à ce qu'il ait démontré qu'il peut tenir les rênes de son État. La réaction de Bhupinder a été d'inviter à Patiala le nouveau vice-roi lord Minto et sa femme, ainsi que de nombreux amis et princes, parmi lesquels se trouvent Anita et le rajah. Pour elle, Patiala est comme Kapurthala multiplié par cent ; les dimensions du palais – « qui ne finit jamais », comme l'a décrit Kipling –, la taille des parcs, du lac et de la piscine, la centaine d'automobiles de luxe, les animaux sauvages enchaînés à l'ombre de manguiers centenaires font son admiration. C'est le royaume de la démesure, seul endroit où Bhupinder Singh le Magnifique ne détonne pas.

Frappés par ce « jeune homme qui mesure presque deux mètres, pèse cent kilos et s'habille de vêtements brochés et de bijoux de rêve », les Minto sont accueillis par un défilé de cinq cents soldats sikhs à cheval, aux uniformes spectaculaires et bien équipés, par un match de polo auquel assistent dix mille personnes, par des parties de chasse et des banquets au palais. En se promenant autour du lac, lady Minto remarque la statue qu'a fait placer Bhupinder dans un coin du parc. Elle représente la reine Victoria avec l'inscription suivante : « Victoria, Reine d'Angleterre, Impératrice des Indes, Mère du Peuple ».

– Impossible d'être plus loyal, dit la femme du vice-roi qui, par ce commentaire, met en marche la réhabilitation de l'indocile maharajah.

Les officiers anglais chargés du protocole se mettent en quatre pour cacher l'Espagnole et surtout pour éviter un contact avec des dames anglaises de haut rang. Les ordres sont les ordres. Mais tant de zèle a des effets contraires, il excite la curiosité. Les femmes, qui prétendent mépriser l'Espagnole, meurent en fait d'envie de la connaître, ou tout au moins de l'apercevoir : « Qu'y a-t-il en elle pour qu'on en parle tellement ? Est-elle aussi belle que le disent les princes ? Qu'a donc vu le rajah en cette fille ? Encore une sur les pas de Florrie Bryan ! » commentent-elles, le regard acéré. Au milieu de tant d'invités et d'Européens, Anita n'est pas vexée des efforts des uns et des autres pour l'éloigner, l'observer, la disséquer ou l'analyser. Elle les ignore parce que, dans le fond, elle se sent libre. Si ce monde venait à s'écrouler, il y en a un autre où elle trouverait refuge : celui de sa famille et de ses amis en Espagne. En pensant à eux, elle trouve une consolation à la solitude qui la guette comme un tigre sur la branche d'un banyan. Et puis, le fait de savoir qu'elle éveille une aussi grande curiosité flatte sa vanité. Elle aime être l'objet de tant d'attentions. L'ancienne Camélia a un petit côté star.

Comme si de rien n'était, elle joue au tennis avec Sister Steele, chef des nannies du palais, une Anglo-Indienne corpulente, drôle et avec du caractère, dont la mission est d'élever les nombreux enfants que le maharajah, à l'âge de dix-huit ans, a déjà eus avec ses quatre femmes, sans compter ceux avec ses concubines. Un Anglais appelé Tweenie, réputé pour son excellent service au tennis et pour son habitude de boire plus de trente tasses de thé par jour, est un ancien mécanicien de chez Rolls-Royce. Il habite le palais et a la charge des garages. Le photographe officiel est un Allemand appelé Paoli. Taciturne, les cheveux en brosse, portant des lunettes à monture métallique, il déambule dans la foule avec son énorme appareil et son trépied, et photographie la famille et les invités. Mais le plus incroyable de tous est un Espagnol, le lieutenant-colonel Frankie Campos, une surprise qu'Anita n'espérait pas.

– Appelez-moi Paco, lui dit-il tout de suite.

Paco détient le très gros poste de Nazaam Lassi Khaana, chef des cuisines royales. Frère d'un cardinal espagnol qui habite Rome, rêveur et réaliste en même temps, son mauvais caractère en fait la terreur des cuisines. Il a le sang chaud. Ce n'est pas étonnant, avec quatre-vingt-quinze cuisiniers à ses ordres qui préparent chaque jour des repas pour mille personnes, sans compter les invités au palais et les déjeuners de ceux qui partent à la chasse. Les repas doivent être adaptés à tous les goûts et conformes aux différentes religions : végétariens pour les hindous, avec de la viande mais sans porc pour les musulmans, internationaux pour les Européens, etc. À toutes ces tâches s'ajoute l'appui logistique aux cuisiniers qui voyagent avec les princes hindous les plus orthodoxes, obsédés par l'idée de préparer leurs aliments de façon précise pour qu'ils ne soient pas contaminés par une caste inférieure. Campos est un vrai chef militaire : il met au point des stratégies, dicte des plans d'action et donne des ordres d'attaque. On raconte que si par hasard il trouve un cheveu dans une assiette, il le compare minutieusement avec les cheveux de chaque marmiton de la cuisine. Quand il découvre le coupable, il lui fait raser la tête, même s'il appartient à l'équipe de cuisine d'une autre maison royale. La diplomatie n'est pas son fort.

Campos est arrivé à Patiala après avoir travaillé comme cuisinier au Savoy de Londres, l'hôtel préféré des maharajahs. Il a connu là-bas Bhupinder et accepté le contrat juteux que celui-ci lui offrait. Marié à une Anglaise dont il continue à être très amoureux, il a souffert la plus grosse déception de sa vie en apprenant que sa femme le trompait avec un militaire anglais sur le bateau qui l'emmenait aux Indes pour le retrouver. Depuis lors, Campos vit dans l'espoir qu'elle se présentera un jour dans son bungalow pour lui demander pardon. Avec le temps, son caractère s'aigrit et ses colères finissent quelquefois par des crises de larmes qui laissent tout le monde perplexe.

– Princesse, demain je vais faire une paella indienne en votre honneur…, annonce-t-il à l'Espagnole.

En rencontrant Paco, Anita s'aperçoit qu'elle est en train d'oublier sa langue maternelle. Elle n'arrive plus à parler espagnol sans intercaler des mots et des expressions françaises ou anglaises. À tel point que, le soir même, elle écrit à ses parents pour qu'ils lui apportent à Paris, où ils vont se retrouver bientôt, un exemplaire de l'histoire d'Espagne et un autre de *Don Quichotte*, « sinon mon espagnol va perdre l'habitude de parler, ne pratiquant avec personne ici », écrit-elle textuellement.

Le rajah, qui a demandé un rendez-vous à lord Minto, apprend qu'il doit venir « sans compagnie ». L'entretien est bref, protocolaire, et on l'y informe des idées du nouveau vice-roi sur les mesures qui seront adoptées afin que les Indiens participent plus activement aux affaires du gouvernement. À la fin, le rajah fait allusion au statut de sa femme. Lord Minto lui promet de faire ce qu'il pourra, tout en lui assurant que la loi dictée par son prédécesseur, qui annule tout droit de succession des enfants nés de l'union entre un prince indien et une Européenne, restera en vigueur par ordre de l'empereur.

– Cette loi ne m'inquiète pas, Excellence ; dans mon cas il n'y a pas de problème de succession, car j'ai un fils aîné de ma première épouse. Je veux simplement qu'on reconnaisse mon mariage avec ma femme espagnole et qu'on annule les restrictions imposées.

Le vice-roi lui répond vaguement. Alors le rajah, crispé, lui rappelle les mots du prince de Galles qui, pendant sa visite en 1906, montra publiquement son désaccord envers l'attitude condescendante et hautaine des fonctionnaires anglais vis-à-vis des princes indiens.

– Excellence, je me permets de vous rappeler les paroles de votre futur empereur, à savoir que les princes des Indes doivent être traités comme des égaux et non comme des collégiens.

Cela dit, il prend congé du nouveau vice-roi, qui est surpris par tant de véhémence. Comme d'habitude, le rajah quitte la réunion déçu et furieux. Ces Anglais froids comme l'acier sont d'une supériorité de plus en plus irritante. Leur arrogance est sans limites. Où pensent-ils arriver ainsi ?

Pendant ce temps, sa femme, envers et contre tous, gagne des batailles insoupçonnées. Avant leur voyage en Europe ils honorent une dernière invitation, du gouverneur du Penjab à Lahore, qui organise un durbar pour les princes de la région. Conrad Corfield, jeune fonctionnaire de l'Indian Civil Service, l'institution qui forme les administrateurs et les hauts fonctionnaires, est chargé d'orchestrer la réunion de façon que « les membres du gouvernement ne voient pas la rani espagnole ».

« Il y avait des loges dans la salle du durbar où les dames pouvaient s'asseoir, racontera plus tard Corfield. Aussi ai-je fait poser d'énormes pots contenant de grands palmiers devant la loge d'Anita, pour la cacher des autres. Mais quand elle est arrivée et qu'elle a vu ces arbres, elle est entrée dans une autre loge. Résultat : la femme du gouverneur s'est trouvée devant elle. Elle en avait tellement entendu parler que, dans le fond, elle souhaitait la connaître. Elle la salua devant tout le monde avec une révérence. Anita était ravie. Moi, je reçus une réprimande pour n'avoir pas su contrôler la situation. »

# 26

Le rajah sait que cela n'a pas toujours été ainsi. Il y eut un temps où les Anglais ne vivaient pas comme une minorité, enfermés dans leurs casernes, leurs forts, leurs palais et leurs quartiers, horrifiés à l'idée de se mélanger aux autres. Il y eut un temps où les vice-rois britanniques n'étaient pas obsédés par l'idée d'éloigner les Indiens des Européens. Il y eut un temps, au début de la colonisation anglaise, où les idées et les gens se mélangeaient librement. La frontière entre les cultures était floue.

Les Anglais qui s'installèrent en premier aux Indes n'étaient pas des individus arrogants, imbus de supériorité raciale, comme ces vice-rois et gouverneurs à la mentalité victorienne capables d'investir une énergie considérable à contrôler les mouvements d'une Espagnole de dix-huit ans mariée à un rajah. Ces hommes venaient d'une société plus puritaine, plus sévère et plus dure que celle des Indes. Ils n'entraient pas dans un monde vierge peuplé de tribus analphabètes tout juste sorties du néolithique ; les Indes n'étaient pas l'Amérique. Ils arrivaient dans un pays dont la civilisation était le fruit de milliers d'années d'un brassage intense de cultures, de religions et d'ethnies. Une civilisation affichant un grand degré de raffinement, et aux mœurs tolérantes.

Ces Anglais adoptaient les habitudes de la noblesse locale et prenaient une compagne, que l'on appelait une *bibi*. Elles étaient issues de toutes les classes sociales, depuis les courtisanes et les femmes de la haute société jusqu'aux anciennes esclaves, ou même des prostituées. Dans ce territoire immense, truffé de royaumes et de principautés, les courtisanes ne manquaient pas. Certaines étaient très sophistiquées, telle Ab Begum, qui, au XVIIe siècle, se montrait nue dans les fêtes de Delhi, sans que personne ne s'en aperçoive car elle se peignait de la tête aux pieds comme si elle portait des pantalons ; même ses bracelets étaient des dessins[1]...

Le rajah entretient avec les Anglais une relation ambiguë, faite d'amour et de haine. Il les admire et en est dégoûté à la fois. Il trouve qu'ils ont perdu la mémoire, qu'ils refusent de se souvenir combien ils étaient rudes et sauvages, qu'ils ne veulent pas reconnaître tout ce que les Indes leur ont appris. Par exemple, l'hygiène. Les bibis qu'ils méprisent tellement à présent leur ont appris à se laver. Ils ont commencé par des ablutions, comme les Indiens, en se versant des seaux d'eau sur le corps. Plus tard, ils se sont habitués au bain et à la douche quotidienne. Ils ont oublié que le mot « shampooing » vient d'un mot hindi qui veut dire « massage ». Ils ont oublié l'amour qu'ils ressentaient envers leurs bibis, qui s'occupaient de la maison, des domestiques et qui les soignaient quand ils étaient malades. Avec elles, ils ont appris à faire l'amour, grâce à la source inépuisable des pratiques sexuelles du *Kamasutra*. Les positions qu'elles considéraient comme normales étaient inconnues de la plupart des Britanniques

1. Voir White Moghuls de William Dalrymple, Penguin, 2003.

ou jugées dépravées et malsaines en Europe. Elles disaient que les Anglais ne savaient pas faire l'amour, qu'ils étaient brutaux, contrairement aux jeunes Indiens qui connaissaient les mille manières de prolonger le jeu de l'amour et les plaisirs du sexe. Ne comparaient-elles pas les soldats britanniques à des « coqs de village, incapables de prendre le cœur d'une Indienne à cause de leur brutalité sexuelle » ? Grâce aux Indiennes, les Anglais purent donner libre cours à leurs fantaisies érotiques les plus sophistiquées.

Les Anglais des Indes ont oublié qu'à cette époque leurs compatriotes échangeaient des bottes en cuir et des casques en acier contre des soieries précieuses ; qu'ils apprenaient la langue locale pour le plaisir d'écouter des récitals de cithare dans le désert, et qu'ils mangeaient avec leurs doigts, avec la main droite, la main gauche étant réservée à l'hygiène personnelle, comme des hindous et des musulmans. Ils ne prisaient plus de tabac et leurs bouches étaient rouges à force de mâcher de la noix de bétel. L'expression « devenir natif » vient de cette époque.

Un cas plus rare fut celui de Thomas Legge, un Irlandais qui, à la mort de sa femme, se retira du monde et devint fakir. Il vécut d'aumônes, comme les vieux sages hindous. Il dormait dans une tombe du désert du Rajputana et s'adonnait à des pratiques spirituelles, le trident de Shiva à la main, tout nu et sans respirer.

Un autre cas célèbre fut celui de George Thomas, le prototype de l'aventurier européen. Après avoir été au service de plusieurs rajahs du Nord, il réussit à bâtir son propre règne au Penjab occidental et devint le rajah du Haryana[1]. En Angleterre, on l'appelait le « rajah de

1. Son histoire servit d'inspiration pour le personnage de Kipling dans *L'homme qui voulut être roi*.

Tipperary ». Il fit construire un palais, frappa sa propre monnaie et constitua un harem considérable. Il devint tellement indien qu'il en oublia sa langue maternelle. À la fin de sa vie, il ne parlait que l'ourdou. Son fils, anglo-indien, devint un poète connu qui déclamait des vers d'Omar Khayyam dans les *mushairas*[1] de la vieille Delhi. Ce qui était drôle, c'est qu'il s'appelait Jan Thomas.

Les plus hauts représentants de l'empire changeaient également. Comme le rajah aurait aimé rappeler au vice-roi l'histoire de sir David Ochterlony ! La plus grande autorité britannique à Delhi pendant les derniers temps de l'Empire moghol recevait ses visiteurs allongé sur un divan, fumant le narguilé, vêtu d'une casaque en soie, d'une toque moghole et éventé par des domestiques avec des plumes de paon… Toutes les nuits, ses treize femmes le suivaient en procession dans la ville, chacune assise sur son propre éléphant luxueusement harnaché. Tout en vivant comme un prince oriental, il défendait avec acharnement les intérêts de la Compagnie. À cette époque, ce qui était valable pour l'Angleterre l'était aussi pour les Indes, et vice versa.

Mais arriva un moment où les Anglais craignirent que l'acculturation et les brassages ethniques ne soient nuisibles à la consolidation de l'empire. Le mélange risquait de créer une classe d'Anglo-Indiens capable de mettre un jour en cause le pouvoir britannique, comme cela arriva en Amérique du Nord à leur grande humiliation. La survie du Raj ne pouvait admettre qu'il y ait des « créoles indiens ». Aussi la mentalité changea-t-elle petit à petit et un sentiment de supériorité, morale et individuelle, s'infiltra dans la société britannique. La conscience de race, l'orgueil national, l'arrogance et le

1. Récital de poésie en plein air.

puritanisme remplacèrent la curiosité et la tolérance. La vie devint de plus en plus difficile pour ceux qui montraient trop d'enthousiasme envers leurs femmes indiennes, leurs enfants métis et les coutumes locales. Un ensemble de lois interdit aux enfants de parents mixtes d'être employés par la Compagnie des Indes orientales. Plus tard, une autre loi limita l'admission des Anglo-Indiens dans l'armée, sauf les « musiciens, les joueurs de cornemuse et les maréchaux-ferrants ». On leur refusa le droit d'aller étudier en Angleterre. Puis une loi obligea les fonctionnaires à aller travailler habillés de vêtements strictement européens : finis, babouches confortables et pyjamas – qui devinrent des vêtements de nuit –, plus de larges kurtas, parfaitement adaptées aux rigueurs du climat indien. L'armée britannique donna des ordres pour empêcher que les officiers européens participent au festival de Holi, la fête des couleurs, la plus grande célébration du calendrier hindou. Un enterrement chrétien fut refusé à un horloger écossais, ancien fondateur du Collège indien de Calcutta, qui avait succombé au choléra, sous prétexte qu'il était devenu plus hindou que chrétien.

Le nombre de bibis indiennes dans les testaments diminua progressivement jusqu'à complète disparition. Et les Anglais qui vivaient à l'indienne commencèrent à être ridiculisés par les nouveaux représentants de la Compagnie. Même l'habitude que les Blancs avaient prise de fumer le narguilé disparut. Les Européens ne s'intéressèrent plus à la culture indienne, certains qu'elle ne pouvait plus rien leur apporter. Les Indes étaient devenues un eldorado, une terre à conquérir sans se laisser conquérir par elle. William Palmer, un banquier anglais marié à une bégum et qui vivait comme un prince moghol, en avait eu la prémonition quand il écrivit, au début du XIXe siècle : « Notre arrogance et notre injustice vont nous attirer la vengeance d'une Inde unie.

Plusieurs insurrections ont déjà éclaté… » Cinquante ans après ces mots, la mutinerie de 1857 mettait fin à la confiance mutuelle qui avait existé entre deux peuples. Entre deux mondes.

Depuis lors, l'Orient et l'Occident continuèrent à s'éloigner l'un de l'autre et, aujourd'hui, le rajah et Anita sont victimes de l'abîme qui les sépare. Qu'un Indien aille vivre en Europe et s'habille d'un costume et d'une cravate ne surprend personne ; mais qu'une Européenne épouse un Indien, parte aux Indes, s'habille en princesse orientale et vive comme elle en a envie, voilà qui est scandaleux. Que les Français rapportent les pierres d'Angkor à Paris est bien vu, mais si le rajah veut importer des statues françaises pour son parc… quelle excentricité ! Kipling a-t-il raison quand il dit : « L'Orient c'est l'Orient, l'Occident c'est l'Occident, et les deux ne se mélangeront jamais » ? Le rajah tient à croire le contraire. L'écho d'un passé plus libéral abrite l'espoir que les deux mondes finiront par se réconcilier. C'est son souhait le plus profond depuis qu'il est rentré fasciné par son premier grand voyage en Europe et en Amérique. Et, à son humble échelle, il pense y consacrer sa vie.

# 27

Enfin le jour du départ arrive ! Lola est très excitée pendant les préparatifs. Elle est tellement énervée qu'elle plane. Elle rentre à Málaga, qu'elle n'a plus l'intention de quitter pour le restant de sa vie, du moins c'est ce qu'elle dit. Elle a oublié ce qu'est une servante en Espagne : mal payée, peu respectée et sans avenir. Mais, de loin, elle voit tout en rose. Elle déteste l'Inde, les repas épicés, la chaleur, l'isolement et les insectes. Et pourtant elle y vit comme une reine. Ce n'est pas en Espagne qu'on verrait des femmes de chambre servies par des domestiques qui préparent leurs repas et lavent leur linge !… Mais il y a longtemps qu'Anita s'est désintéressée de Lola ; elle n'a qu'une envie, c'est de la perdre de vue. Mme Dijon fera également partie de la suite. Elle rentre en France jusqu'à ce que le rajah redemande ses services. Anita aura du mal à se séparer de la Française qui lui a tant appris et dont la présence réconfortante lui a donné assurance et confiance. Sans elle, la vie à Kapurthala sera plus solitaire et infiniment plus dure.

Le mari de Dalima a refusé que sa femme accompagne Anita en Europe. Les domestiques racontent que la nourrice a des problèmes à la maison, mais elle est si discrète qu'elle n'en parle pas. Ou peut-être en est-elle incapable. Il semblerait que son mari l'ait menacée de la répudier si elle s'en va. Comme Anita en a besoin, et surtout le petit Ajit pour qui Dalima est une seconde mère, elle a résolu le problème en leur offrant une quantité d'argent telle qu'une famille pauvre indienne ne peut refuser. Dalima ne voulant pas se séparer de sa fille, la petite fera aussi partie du cortège, qui compte trente-cinq personnes.

Deux jours avant le départ, Bibi vient lui fait ses adieux. Son aspect négligé et son humeur sombre donnent l'impression qu'il lui est arrivé quelque chose. Elle a le regard perdu, comme celui d'un naufragé.

– Qu'as-tu, Bibi ? lui demande l'Espagnole, tandis qu'elle range des montagnes de vêtements éparpillés sur les meubles de sa chambre.

Car il ne s'agit pas seulement du voyage, mais de laisser tout en ordre pour le déménagement dans le nouveau palais. À son retour d'Europe, ils n'habiteront plus la villa Buona Vista. Ils occuperont enfin l'Élysée.

Bibi, assise au bord du lit, est sur le point de répondre mais elle éclate en sanglots.

– Est-il arrivé malheur ?

Anita pense au pire, à une maladie ou à un décès.

– Je n'ai pas le droit de me sentir triste à cause de ça…, répond Bibi. J'étais persuadée que mes parents me renverraient en Angleterre pour être admise à l'université, mais ils ont refusé… Ils ne veulent pas, un point, c'est tout.

Bibi est inconsolable. Anita, navrée, ne sait comment réagir. Comment une fille aussi solide et vivante que Bibi peut-elle pleurer pour une chose qui lui semble si triviale ?

– Et tu ne peux pas faire tes études à Lahore ?

– Ils n'admettent pas les filles dans les collèges là-bas, et puis ils n'ont pas d'université. Mon père prétend qu'une fille n'a pas besoin de faire des études universitaires. Ils veulent que je me marie et que j'arrête de leur casser les pieds…

Il y a un long silence qu'Anita n'ose interrompre.

– … Mais je ne veux pas de ce genre de vie, Anita. Je veux faire quelque chose par moi-même. Qu'y a-t-il de mal à cela ?

– Que ton père ne le veut pas.

– Bien sûr.

Bibi fait un effort pour se calmer. Anita lui donne un mouchoir.

– J'ai été pensionnaire en Angleterre pendant dix ans, Anita. Je suis indienne, mais je me sens aussi européenne. Que vais-je faire de ma vie dans ce trou ? J'adore le Penjab, je suis une privilégiée, mais j'y étouffe.

– Tu veux que je demande au rajah d'intervenir auprès de ta famille ?

– Oh non, ce serait pire et cela n'aboutirait nulle part. Il n'y a rien à faire. Je connais mes parents, ils ne céderont pas. Pour eux, ma formation est terminée. Je sais jouer du piano, au tennis, et je parle anglais avec le meilleur accent. Avec cela, ils sont satisfaits. Mais pas moi. Ils pensent que ce que j'ai envie d'apprendre ne sert pas à grand-chose. Ce qui est utile aux autres leur paraît vulgaire.

– Dans mon pays, on dit que le mal finit toujours en bien, tente Anita, sans savoir que cette phrase, dans le cas de Bibi Amrit Kaur, est prophétique. Ne te rends pas malade, tu t'en sortiras…

– Fais un bon voyage, Anita. Je vais te regretter, lui dit Bibi en l'embrassant.

Bibi est déconcertante, avec son mélange d'Indienne et d'Européenne, d'aristocrate et de femme simple, de demoiselle et de samaritaine. « La pauvre, comme elle est seule ! » se dit Anita en la voyant disparaître à cheval. L'Espagnole la comprend parfaitement car elle aussi vit entre deux mondes, sans appartenir à aucun d'eux. Rien ne rapproche autant deux êtres qu'être laissés de côté, se sentir différents des autres, déracinés. Rien ne renforce davantage l'amitié que comprendre la solitude de l'autre.

Anita retrouve Bombay avec stupéfaction. Lors de son premier séjour, à son arrivée aux Indes, elle avait été intimidée par le brouhaha de la ville. Aujourd'hui, elle la trouve imposante, avec ses bâtiments solides face à la mer, ses demeures coloniales, son port plein de vie et ses marchés bruyants dont les odeurs lui sont maintenant familières. En passant devant un petit autel, elle retrouve le parfum de tubéreuse, un peu plus loin l'odeur piquante des piments frits à la sauce curry, les effluves douceâtres du *ghi*, le saindoux utilisé par les pâtissiers, ou l'arôme particulier des *bidis*, la cigarette des pauvres, une simple feuille roulée et remplie de tabac haché. Aujourd'hui, elle sait distinguer un Indien du Sud d'un Indien du Nord, un brahmane d'un *marwari*[1], un jaïn d'un parsi ou une musulmane *bohra* d'une chiite. Elle sait reconnaître une mosquée, une gurdwara ou un temple hindou. Elle distingue un vrai mendiant de celui qui boite pour faire pitié. Elle sait marchander dans les petites échoppes près de l'hôtel Taj Mahal, où elle achète les derniers cadeaux à offrir en Europe. Quand elle prononce une phrase en ourdou ou en hindi, le vendeur ouvre les bras comme s'il se trouvait devant une déesse du panthéon hindou, car il est très rare de rencontrer une Blanche qui parle une des langues du pays.

1. Caste des marchands.

Bombay est la véritable porte des Indes, à seulement vingt jours de navigation de l'Europe. Le rajah a réservé les meilleures cabines du SS *America* – qui appartient à la compagnie de navigation anglaise P & O (Peninsular and Oriental) – pour se protéger du soleil, c'est-à-dire celles qui donnent à tribord. La navigation est bonne, la mer est calme, pas comme pendant son premier voyage. Les concerts l'après-midi, les jeux de bingo et les bavardages avec les autres passagers – contents de rentrer chez eux – font paraître la traversée plus courte.

En arrivant à Marseille, le rajah et Anita sont surpris de constater qu'ils forment un couple célèbre en Europe : une foule de photographes et de journalistes les attendent au pied de la passerelle du bateau. Le rajah est agacé par l'impertinence des questions tandis qu'Anita fait un effort pour y répondre. « Princesse, est-ce vrai que vous mangez tous les jours du serpent ? Votre fils sera-t-il le roi des Indes un jour ? Est-ce vrai que vous vivez enfermée dans un harem ? Vous entendez-vous bien avec les autres épouses de votre mari ? » Les réponses simples d'Anita, qui révèlent sa vie normale, semblent décevantes. Les journalistes préféreraient entendre qu'elle déjeune de serpent tous les jours, que son fils sera empereur et qu'elle est la reine du harem. Mais, même ainsi, l'histoire de l'Andalouse devenue princesse des Mille et Une Nuits éveille les passions.

À leur arrivée à Paris, le quai de la gare d'Austerlitz est également bondé de reporters qui leur posent quantité de questions indiscrètes, mais parmi tout ce monde, au milieu des porteurs chargés de paquets et des chariots croulant sous les malles du cortège, Anita aperçoit une silhouette légèrement voûtée : c'est celle de son père, le brave don Ángel Delgado, accompagné de doña Candelaria et de sa sœur Victoria, qui habite Paris avec son mari américain. Les Delgado sont venus de Madrid pour cette réunion familiale, car Anita et le rajah n'auront pas le temps de se déplacer en Espagne. « On dirait qu'ils ont rétréci », pense Anita, surprise. Elle les voit plus fragiles, mais très bien habillés, son père avec un chapeau de feutre gris et doña Candelaria étrennant un manteau en astrakan et un chapeau en plumes d'autruche. Derrière eux se trouve Victoria, avec un gros ventre. « Mes parents n'arrêtaient pas d'embrasser le petit Ajit, qu'ils appelaient "mon petit Indien". Victoria le regardait et le tripotait comme s'il était un jouet, en pensant que bientôt elle en aurait un à elle dans les bras… »

Avec sa famille à Paris, sa vie sociale lui est pénible. Les dîners chez les amis de son mari la fatiguent. Elle préférerait rester chez elle avec ses parents, après avoir baigné et couché son fils, aidée de Dalima. Dans les petits plaisirs de la maternité elle trouve une compensation à l'agitation et à la frivolité de sa vie mondaine. Mais sortir est le prix à payer pour être le couple le plus en vogue de Paris. Le rajah est heureux d'être l'objet de tous les regards et parce que, dans les dîners chez les marquises et les ducs, il rencontre les grands personnages de l'époque : les écrivains Marcel Proust, Émile Zola et Paul Bourget, le grand chorégraphe russe Serge de Diaghilev, etc. Il éprouve une profonde satisfaction de faire partie de ce monde. Peu de princes indiens peuvent s'en vanter et encore moins se flatter de mettre les Indes à la mode en Europe. Diaghilev vient de lui annoncer qu'après l'avoir rencontré il s'est inspiré des Indes pour le sujet de son prochain ballet, *Le Dieu bleu*.

La vie entière du rajah tourne autour de son intense activité sociale. Non seulement cela lui plaît, mais il nourrit de grands projets pour l'avenir immédiat : il va marier son fils Paramjit, l'héritier du Kapurthala, à la princesse Gita qui est en train de finir ses études à Paris. Cette princesse est la fille d'un de ses vieux amis tombé en déchéance, le maharajah de Jubbal. Chez Cartier, le rajah achète à son fils la montre dernier cri, la Santos Dumont, appelée ainsi en hommage à un aviateur brésilien qu'il a eu le plaisir de rencontrer lors de son précédent voyage et qui s'est rendu célèbre pour avoir réussi à voler dans un appareil plus lourd que l'air. À sa belle-fille, il achète une autre montre, hexagonale, avec des brillants incrustés. Et six autres pour sa propre collection. Le rajah veut que le mariage soit un événement social de premier ordre. Ce sera également l'occasion d'inaugurer le nouveau palais où il vivra avec Anita. Sa première démarche est d'affréter un paquebot pour transporter de Marseille à Bombay les cinq cents Anglais et les trois cents Français invités qu'il a l'intention d'accueillir en grande pompe. Il veut que ce soit une célébration brillante, originale et somptueuse, comme le sont toujours les mariages des héritiers dans les principautés indiennes.

– Je vais te présenter Gita, la fiancée de mon fils, annonce-t-il à sa femme. Elle sera un jour la première maharani du Kapurthala. Je veux que vous deveniez amies.

La future belle-fille a l'âge d'Anita. Bien que par ses gestes et sa façon de parler elle semble être française, c'est une Indienne rajpute de haute caste. Avec ses cheveux bouclés châtain clair, ses grands yeux noirs, sa bouche fine et bien dessinée et son teint couleur de blé, Gita est une jeune fille insouciante qui termine ses études au couvent de l'Ascension, où des générations de filles de la bonne société parisienne ont été élevées. Le rajah a insisté pour que sa belle-fille reçoive une éducation française. Il a engagé les services d'une dame de compagnie appelée Mlle Meillon, et c'est lui qui se charge des frais.

Tous les trois dînent chez Maxim's et, quand le rajah évoque ses projets pharaoniques de mariage, Gita ouvre grands les yeux. Surprise, plaisir ou frayeur ? Anita ne sait comment interpréter ce regard. Gita raconte qu'elle est très heureuse à Paris et qu'elle aimerait que cette étape de sa vie ne finisse jamais. Elle ne semble pas avoir envie de rentrer aux Indes, pas même pour y devenir princesse. Elle a quelque chose de Bibi, cette fille, dans son aisance à se mouvoir entre les deux mondes. Mais, dans le fond, Gita est plus indienne et plus mondaine, il lui manque le côté rebelle qui rend Bibi si singulière. Il est difficile de savoir ce qu'elle pense, de connaître ses sentiments. Les Indiennes sont habituées dès l'enfance à suivre la route tracée par leurs parents, sans s'y opposer ni la discuter. Une fois seules, Gita raconte à Anita qu'elle a rencontré son futur mari une seule fois, quand elle avait dix ans et lui douze. C'était leur présentation officielle mais ils étaient déjà fiancés depuis l'enfance. Elle l'a trouvé sérieux, tendu et un peu sombre. Ils ne se sont rien dit et, depuis, ils ne se sont jamais revus.

Ce que le rajah et Anita sont loin de soupçonner, c'est que Gita souffre un véritable calvaire d'amour et qu'il n'est pas sûr qu'elle se présente à Kapurthala le jour de ses noces. L'idée de rentrer aux Indes pour épouser un homme qu'elle ne connaît pas lui est devenue insupportable. Gita s'est laissé « contaminer par l'Occident », comme diraient les mauvaises langues. Elle est follement amoureuse d'un officier de l'armée française, un grand blond, Guy de P., avec qui elle vit une idylle dans le plus grand secret. La rencontre avec son beau-père et Anita lui a fait comprendre que le moment d'entreprendre le voyage le plus long de sa vie approche inexorablement. Et c'est un voyage qui lui fait horreur. Elle est malheureuse car elle n'est pas assez européenne pour tout sacrifier par amour, ni suffisamment indienne pour accepter le destin qu'on lui a tracé. Elle pense sérieusement à fuir et à disparaître au bras de son amoureux. Aura-t-elle le courage de le faire ?

Le temps passe vite, entre les visites chez les grands bijoutiers à qui le rajah commande de nouvelles pièces avec des pierres apportées des Indes, les dîners dans les meilleurs restaurants et les promenades à cheval au bois de Boulogne, où il conserve toujours une écurie au club hippique. Anita, malgré son plaisir à monter Lunares, ne pense qu'à rester auprès des siens. Elle veut profiter au maximum du peu de temps dont elle dispose. Les nouvelles qu'on lui donne de chez elle sont cocasses : les habitués du café veulent être décorés par Son Altesse, surtout l'écrivain Valle-Inclán, qui ne veut pas mourir sans avoir visité le Kapurthala. Le grand auteur d'opérettes Felipe Perez y Gonzalez a pondu un poème sur le couple qui circule de bouche à oreille :

*Un rajah des Indes ici est arrivé,*
*D'une danseuse de Málaga il s'est follement épris,*
*Elle est plus belle et plus drôle qu'une houri…*

Anita s'amuse de toutes ces histoires d'un Madrid qu'elle meurt d'envie de retrouver. Pour l'instant, elle fait de sérieux efforts pour répondre à toutes les questions que ses parents lui posent. Elle essaie de leur expliquer son existence de princesse, mais il lui est difficile de leur faire comprendre l'Inde. Comment décrire la dévotion du peuple du Kapurthala quand elle a fait son entrée en ville à dos d'éléphant, juste après le mariage ? Ou la chaleur avant les moussons, le baptême à Arimtsar, les garden-parties, les fêtes à Patiala, les couchers de soleil sur la campagne, l'alliance de la misère et du luxe ? C'est un monde trop lointain et trop différent pour qu'ils puissent l'imaginer ; d'ailleurs, Anita ne veut pas entrer dans les détails pour ne pas les inquiéter. Elle ne veut pas leur parler de la façon dont les Britanniques se conduisent avec elle ni de ses mauvaises relations avec les femmes du rajah.

– Mais l'enfant est baptisé ou non ?

Doña Candelaria est obsédée par la situation spirituelle de son petit-fils ; c'est une idée fixe.

– Je t'ai dit que oui. Il est baptisé selon la religion de son père.

– Je n'ai jamais entendu parler de cette religion *sih*. Moi je veux savoir s'il est vraiment baptisé.

– Tu veux dire si un curé l'a baptisé dans une église ? Eh bien, non… Là-bas il n'y a pas de curés, ni d'églises. Et s'il y en a, c'est pour les Anglais.

– Alors, c'est très grave, Anita. Il faut baptiser sérieusement cet enfant. S'il lui arrivait quelque chose, dans son état actuel de païen, il serait condamné au feu de l'enfer, pour toujours. Il faut le sauver.

Un matin, profitant de ce que sa fille et le rajah sont en voyage à Biarritz et lui ont laissé l'enfant, doña Candelaria le prend dans ses bras et, sans rien dire à Dalima ni à don Ángel, sort dans la rue. Sans la moindre hésitation, elle se rend à Notre-Dame : « En vitesse, racontera Anita dans son journal, sans préambule ni prières, elle *christianisa* son petit-fils dans le bénitier de l'entrée. »

Quand doña Candelaria annonce à sa fille, de retour de Biarritz, qu'Ajit est sauvé en tant que chrétien et que dorénavant elle peut dormir tranquille, Anita s'affole.

– Mon Dieu, maman… si jamais le rajah l'apprend !

– Je n'ai rien fait de mal.

– S'il l'apprend, il sera furieux.

– Je ne crois pas qu'un peu d'eau bénite puisse faire du mal à un *sih*.

– Tu vas me promettre de ne pas ouvrir la bouche… Ne dis rien, ni à papa ni à Victoria.

– Personne ne le saura, ma fille… Je te le promets.

Après un silence, Anita regarde fixement sa mère. Elle hésite à lui demander quelque chose qui lui tient à cœur :

– Dis-moi… comment l'as-tu appelé ? lâche-t-elle finalement, pleine de curiosité.

– Ángel, comme son grand-père. On ne sait jamais.

Biarritz a été pour Anita le théâtre d'une scène désagréable avec les Anglais. À cause d'une erreur de protocole, la suite où ils sont descendus à l'hôtel du Palais était contiguë à celle du roi d'Angleterre Édouard VII. Il semblerait que le monarque n'ait fait aucun commentaire, mais ses aides de camp se sont plaints à la direction. Quel scandale d'avoir comme voisin un rajah en concubinage avec une danseuse espagnole !

L'anecdote a été l'objet de tous les potins des dames de la noblesse et des membres du cortège. Mais, d'un autre côté, ceux qui crachent leur venin sont les mêmes qui sont muets d'admiration devant ce couple étrange lorsqu'il fait son apparition au banquet de gala, lui portant une broche de trois mille diamants et perles dans les plis de son turban et elle, splendide, avec sa demi-lune en émeraude sur le front. Tous les deux sont tellement à l'aise qu'ils semblent être nés pour cette vie-là. Anita a une telle facilité pour traiter les inconnus qu'ils en restent perplexes. En outre, elle a un talent mystérieux pour comprendre tout le monde, où que ce soit, et dans n'importe quelle langue. Ce n'est donc pas étonnant que les photographes et les reporters soient à l'affût du moindre de ses mouvements, tels des chiens de chasse.

Avant de partir pour Londres afin de s'embarquer ensuite vers Bombay, Anita remet à sa mère un grand paquet, lourd, enveloppé dans du papier cadeau.

– Maman, je veux que tu emportes cela à Málaga. C'est une promesse que j'ai faite à la Vierge de la Victoire pour m'avoir sauvée pendant l'accouchement.

En l'ouvrant, doña Candelaria pousse un soupir d'extase. La cape de la Vierge, truffée de pierres précieuses, est un chef-d'œuvre. Les artisans de la rue de la Paix ont mis plus d'un an à la confectionner.

– Je veux que tu dises à l'évêque que je fais ce don à mes compatriotes et à la Vierge, pour qu'elle soit la plus belle d'Espagne pendant les fêtes.

Les adieux sont tristes, comme toujours. Anita n'est pas sûre de pouvoir revenir l'année prochaine. Elle emporte les livres – son histoire d'Espagne et *Don Quichotte* – qu'elle avait demandés à ses parents. Elle éprouve une grande nostalgie de Madrid, de Málaga et de ses amis, ainsi que des odeurs, des couleurs et des bruits de l'Espagne. Ses racines. Comme si elle pressentait ce qui trotte dans la tête de sa fille, sa mère lui lance :

– Sais-tu qu'Anselmo Nieto s'est marié ?

Elle écoute la nouvelle avec un léger pincement au cœur. Anselmo, le peintre à l'air de torero, l'aspirant éternel, s'est lassé de l'attendre. C'est logique, mais Anita aimait savoir qu'au loin quelqu'un se mourait d'amour pour elle. Vanité inconsciente car, si elle y avait réfléchi, elle aurait combattu ce sentiment, se taxant d'égoïsme.

– Sa femme s'appelle Carmen, continue doña Candelaria, et ils viennent d'avoir une petite fille. Lui est revenu de Paris peu de temps avant que tu ne partes aux Indes. Il réussit assez bien ; il participe à beaucoup d'expositions avec un groupe de jeunes. Ils se font appeler « indépendants ».

– Je suis contente que tout aille bien pour lui, répond Anita.

La tristesse dans sa voix est davantage un réflexe d'orgueil blessé que de véritable chagrin d'avoir perdu un homme qui pour elle n'avait pas été autre chose qu'un rêve. Mais personne n'aime perdre un prétendant.

*Quatrième partie*

# La roue du karma tourne pour tout le monde

# 28

La passion du rajah pour le luxe ne cesse d'augmenter, comme s'il voulait compenser les modestes dimensions de son État par davantage de pompe. À l'uniforme des membres de sa garde, une veste bleu marine aux revers argentés et un turban bleu ciel, il a ajouté un pompon rouge en hommage à la marine française. Ainsi paré, le pompon dansant sur le turban, les dignes guerriers sikhs escortent la calèche qui transporte le célèbre couple dans les rues de Kapurthala à son retour d'Europe. La foule les salue chaleureusement et, dans le centre-ville, l'affluence de ceux qui veulent leur souhaiter la bienvenue est telle que le cortège est obligé de s'arrêter plusieurs fois. Le rajah a instauré ce rituel : chaque fois qu'il rentre de voyage, il fait un parcours dans les principaux temples sikhs, hindous et musulmans, pour remercier les dieux d'avoir protégé son retour, et pour reprendre contact avec ses sujets.

Puis la procession s'éloigne de la ville et monte jusqu'à la grille d'entrée du nouveau palais, l'Élysée, qui sera dorénavant leur résidence. Une double rangée d'éléphants les accueille dans l'avenue bordée d'arbres qui conduit au porche d'entrée. Avec ses cyprès, sa pelouse, ses buissons parfaitement taillés et ses massifs de fleurs entretenus par cinq cents jardiniers, avec ses réverbères en fer forgé, ses balustrades Renaissance et ses statues allégoriques parmi lesquelles se distingue un tigre prêt à l'attaque, œuvre du sculpteur français Le Courtier, le jardin est tellement français que, pendant un bref instant, Anita pense qu'elle n'a pas quitté l'Hexagone. Encadré par les montagnes enneigées qui se profilent à l'horizon, le bâtiment rosé, avec ses bas-reliefs blancs, est bel et bien le rêve du rajah devenu réalité : « J'ai réussi à transplanter un morceau de France au pied de l'Himalaya », dit-il avec fierté. Avec son toit mansardé couvert d'ardoises, son porche soutenu par des paires de colonnes et ses cent huit chambres, le palais est immense, surtout comparé à la taille du Kapurthala. Ses proportions ne sont en rapport qu'avec la vanité du prince et son désir de concurrencer les grands de ce monde. Mais les courtisans applaudissent le rajah pour le féliciter d'emménager dans ce bâtiment situé aux environs de la ville. Ils sont convaincus que cela renforcera son aura aux yeux du peuple. Ses détracteurs pensent l'inverse ; pour eux, voilà au contraire un symbole inéluctable de l'abîme grandissant entre les princes indiens et leurs sujets.

Six cents ouvriers ont mis neuf ans à terminer l'intérieur. Les murs du Durbar Hall (la salle des audiences) sont décorés dans le plus pur style indien, avec des bas-reliefs en bois qui combinent motifs français et orientaux. Le plafond, finement sculpté, avec une coupole en vitraux, est éclairé par de petites lumières en forme d'étoiles. À mi-hauteur se trouve une galerie réservée aux dames de la cour pour qu'elles puissent suivre, cachées derrière les balustrades, le déroulement des cérémonies officielles. Le blason du Kapurthala – un éléphant et un cheval encadrant un écusson d'armes et l'inscription *Pro Rege et Patria* – est dessiné sur le parquet aux bois de différentes couleurs. Il brille tellement, à force d'être poli, que les domestiques s'y regardent pour ajuster leurs turbans. D'énormes porcelaines de Sèvres, des copies de tapis des Gobelins, des meubles d'époque et des tapisseries d'Aubusson, commandées selon la taille des pièces, montrent l'enthousiasme du rajah pour le style français du XVIIIe siècle. À l'exception de la chambre japonaise et du fumoir turc, chacune des cent huit suites porte le nom d'une ville ou d'une célébrité française. La table de la salle à manger peut accueillir quatre-vingts couverts. Une chaudière à charbon fournit de l'eau chaude vingt-quatre heures sur vingt-quatre, pour le plus grand confort des résidents, invités, employés et travailleurs. Car le palais sert aussi de siège au gouvernement. Les différentes administrations occupent le sous-sol. Le bureau et les chambres de Son Altesse se trouvent au premier étage, d'où l'on a une très belle vue sur le parc et, au fond, sur la ville. Sa chambre à coucher est séparée de celle d'Anita par un très grand vestiaire. Les pièces de l'Espagnole, qui comprennent la chambre de l'enfant et celles de ses femmes de chambre, ouvrent sur une grande terrasse. L'endroit n'a ni l'intimité ni le charme bucolique de la villa Buona Vista, mais il est vaste, pratique, grandiose. Anita s'y trouve un peu perdue, les premiers jours, car les seuls liens qu'elle avait encore avec son passé, Mme Dijon et Lola, n'existent plus. Elle ne regrette pas sa femme de chambre, au contraire, mais elle a le mal du pays. Lors d'un prochain voyage, elle en ramènera une autre, une Andalouse si possible, ne serait-ce que pour se souvenir d'où elle vient. Elle a besoin d'une référence dans ce monde d'illusions.

Les épouses du rajah ont décidé de s'opposer aux aspirations de leur mari : elles refusent de déménager la zenana dans une aile de l'Élysée.

– Nous resterons au vieux palais, Altesse, lui a dit Harbans Kaur, du ton décidé de celle qui a médité ses mots.

– Et pourrais-je savoir la raison de votre refus ? Je vous offre le palais le plus moderne et le plus luxueux des Indes et vous le dédaignez.

– Vous connaissez bien notre raison. Nous serions heureuses de déménager au nouveau palais si l'Espagnole acceptait de faire partie de la zenana.

– C'est impossible et vous le savez. Elle n'est pas habituée à vivre ainsi. Elle gardera ses propres appartements.

– Altesse, nous ne trouvons pas correct de vivre en purdah dans le nouveau palais tandis que vous partagez votre vie avec une étrangère dont le comportement est une insulte à nos traditions, précisément parce qu'il méprise les règles du purdah… Je vous prie de comprendre notre attitude.

Devant la fermeté de sa première femme, le rajah n'a pas voulu poursuivre la discussion. Elle est venue lui rappeler la règle numéro un de la société indienne : chacun à sa place.

– Notre monde s'écroulera si l'on ne conserve pas nos traditions, termine Harbans Kaur avec gravité.

Autrement dit : ou il les aura toutes ou il n'en aura aucune. Peut-être les femmes ont-elles cru qu'elles réussiraient à faire pression sur lui, que le rajah finirait par remettre Anita à sa place. « Elles sont naïves, pense-t-il. Personne ne fait pression sur le rajah. » Mais peut-être est-ce lui l'ingénu. Dans cette guerre des nerfs, ses épouses comptent sur le temps, qui joue en leur faveur. En attendant, elles s'opposent à tout et boycottent ses tentatives pour faire accepter Anita.

Le rajah ne raconte pas cette conversation à sa femme. Il ne tente même pas de lui demander de faire partie de la zenana. Il sait que ce serait inutile et, de toute façon, il n'y tient pas. Cela voudrait dire qu'Anita deviendrait une « native ». Or, ce qui l'attire, c'est justement qu'elle ne soit pas comme les autres, qu'elle ait sa personnalité, et sa propre voix. À condition toutefois qu'elle ne bouleverse pas trop sa vie.

Le rajah réagit comme d'habitude : il répond au mépris de ses femmes par un plus grand affront. Vous ne voulez pas vivre sous le même toit que l'Espagnole ? Vous ne voulez pas l'accepter ? Eh bien, c'est elle qui se chargera d'organiser le mariage de l'héritier de la maison du Kapurthala.

Anita s'inquiète de la tournure que prennent les choses.

– Elles me détesteront encore plus, mon chéri. Ne serait-ce pas plus raisonnable qu'Harbans Kaur s'occupe du mariage ? Au fond, il s'agit de son fils.

– Non, je veux que tu organises tout. Mes épouses s'occuperont des femmes de nos invités indiens et de rien d'autre. Elles ne sont bonnes qu'à cela.

– J'ai envie que tes enfants arrivent, soupire Anita.

Elle les a rencontrés lors de son passage à Londres, au cours d'un dîner. Paramjit, l'héritier, lui a paru introverti, très sérieux et intimidé par la figure paternelle. Le contraire de sa fiancée Gita, pétillante et pleine de vie. Mahijit était plus amusant, bien qu'un peu distant et très frivole. Amarjit, le militaire, le plus jeune, semblait un vrai gentleman, un homme digne de confiance. Mais elle n'a pas vu Karan, dont tout le monde dit qu'il est le plus sympathique et le plus ouvert, car il était en voyage en Suisse. « S'ils habitaient Kapurthala, pense-t-elle, j'aurais des amis, il y aurait de l'ambiance et la vie serait plus normale et moins solitaire. » Curieusement, elle compte sur ses beaux-fils pour dissiper un peu l'atmosphère hostile qui l'entoure. Ils ont plus ou moins son âge, ont vécu longtemps en Europe et sont les seuls capables d'exercer une influence sur leurs mères, ce qui permettrait de rompre son isolement. Le mariage de Paramjit pourrait être le début d'un changement. Elle cesserait d'être l'intruse, la mal-aimée.

Le rajah a décidé de dépenser la moitié des recettes annuelles de son État pour les noces de son fils. Cette somme colossale servira à organiser le transport, l'entretien et les loisirs des convives. Car il convie tout le monde, comme les monarques médiévaux. Et, comme eux, il veut que son peuple participe à la célébration. « Afin de perpétuer le souvenir de cet heureux événement, j'ai l'honneur d'annoncer à tous mes sujets que, dorénavant, l'éducation primaire sera gratuite dans les limites du territoire de l'État. » Mais la dernière phrase de son discours va susciter une avalanche de commentaires : « Gratuite pour les garçons, et aussi pour les filles. » En 1911, la simple idée que les filles étudient est révolutionnaire. Les représentants de la communauté musulmane élèvent leurs protestations jusqu'aux plus hauts fonctionnaires de l'État, et exigent l'abrogation immédiate de cette mesure. Mais le rajah ne cède pas.

Plus que jamais décidé à faire de son État un phare de la civilisation et du progrès, Jagatjit veut entrer dans l'Histoire comme un monarque éclairé. Bien qu'ils soient remarqués pour leurs excentricités, de nombreux princes ont obtenu pour leurs sujets des conditions de vie et des avantages sociaux encore inconnus dans l'Inde administrée directement par les Anglais. Par exemple, le maharajah de Baroda s'est fait connaître non seulement pour sa troupe de perroquets dressés capables de marcher sur un fil de fer ou de monter une bicyclette miniature en argent, mais aussi parce que, en 1900, il a instauré l'enseignement gratuit et obligatoire. Ganga Singh, lui, le maharajah du Bikaner, a transformé certaines zones du désert du Rajputana en oasis cultivées avec des lacs artificiels et des villes prospères. Celui du Mysore a financé une université des sciences, qui commence à devenir célèbre en Asie. Le rajah du minuscule État du Gondal, un homme simple, a abrogé les impôts des paysans, tout en augmentant les tarifs douaniers pour compenser la perte des recettes de l'État. Le rajah rêve d'aller plus loin ; il veut rivaliser avec les nations occidentales. Le mariage de son héritier est donc l'occasion de faire connaître au monde entier les progrès du Kapurthala. « Le rajah tenait beaucoup à impressionner favorablement ses invités européens. Il voulait qu'ils emportent le souvenir d'un État exotique et moderne en même temps », écrira Anita dans son journal.

Ce furent des mois d'activité fébrile. Tout devait être parfaitement planifié, calculé et même chronométré. Au cours d'une de ses visites à Patiala, Anita demande le conseil judicieux de Frankie Campos, Paco, le chef des cuisines, pour l'aider à composer les menus, à commander les viandes, à embaucher des cuisiniers et à tout planifier. Le rajah se charge du chapitre des boissons : il fait venir de Bombay un train spécial rempli de bouteilles d'eau d'Évian, de whisky, de porto, de xérès et de champagne.

Les décisions les plus délicates concernent le protocole. Planifier où dormiront et que mangeront tous ces rajahs, nababs, aristocrates et fonctionnaires est un vrai casse-tête. Quels programmes faudra-t-il leur proposer, qui doit s'asseoir à côté de qui ? Il faut tenir compte du rang, de la religion, de l'âge, des titres et des affinités.

– Les femmes, surtout les Anglaises, sont très pointilleuses quant au protocole, explique Paco à Anita. S'il y a une erreur, le mari acceptera peut-être de ne pas avoir été placé comme il faut, mais je vous assure que sa femme réagira avec indignation. Elles attachent beaucoup d'importance à ces choses-là… Probablement parce qu'elles n'ont rien d'autre à quoi penser.

Paco sait de quoi il parle. Il donne à Anita un petit livre de dix pages, connu sous le nom de *Livre rouge*, qui indique l'ordre de préséance de tous les postes civils et militaires.

– Si vous avez besoin de savoir si un inspecteur du gaz est plus haut ou plus bas dans la hiérarchie qu'un contrôleur de propriété, vous n'aurez qu'à consulter ce livre.

Les conseils de Paco sont très efficaces et Anita se plie en quatre pour tout organiser. Sa réputation est en jeu, d'autant plus qu'elle se sait le point de mire des épouses du rajah. Elle n'a pas droit à l'erreur.

Paco lui a conseillé de se rendre à Calcutta pour se ravitailler. Ce n'est que là-bas qu'on peut acheter la quantité de tissu nécessaire à la confection de centaines de nappes, serviettes, draps de lit et serviettes de toilette, en plus de la cinquantaine de tentes qui s'élèveront dans le parc du palais. Il faut se procurer aussi des couverts et des verres, et mettre au point toute une série de détails, qui vont des salières aux insecticides, en passant par le papier hygiénique, qu'Anita prévoit d'importer par wagon entier.

Le rajah décide de profiter de la période précédant Noël pour l'accompagner. C'est la saison du polo et des courses de chevaux où se retrouve l'élite de toute l'Asie. Calcutta, qui en 1911 est sur le point de perdre son titre de capitale de l'Empire britannique des Indes en faveur de Delhi, est encore la ville la plus importante du sous-continent, sa capitale commerciale, artistique et intellectuelle. Bien que délavés par tant de moussons, les bâtiments publics, le centre d'affaires, les monuments et les résidences avec balustrades et colonnades conservent encore leur ancienne splendeur.

Anita et le rajah passent des jours inoubliables à Calcutta : promenades matinales en calèche dans le parc immense du Maidan, à l'ombre des banyans, des magnolias et des palmiers ; déjeuners avec des magnats du commerce, comme Mr. Mullick, dont le palais au centre de la ville éblouit le rajah car c'est un véritable musée d'art européen ; soirées de théâtre classique à l'Old Empire Theatre ; récitals d'opéra chez Mrs. Bristow, une grande dame anglaise qui invite les meilleures divas et ténors d'Europe ; l'après-midi, dégustation de glaces au restaurant Firpo's où elles sont « meilleures qu'en Italie », comme l'annonce la publicité ; dîners au Tollygunge Club, suivis de bals au son de grands orchestres… La vie à Calcutta ressemble à celle de Londres. Les femmes sont à la pointe de la mode ; elles utilisent des brocarts merveilleux et des tissus de Bénarès et de Madras et occupent la plupart de leur temps à faire copier par des tailleurs indiens les vêtements des grands couturiers de Paris et de Londres.

Après avoir passé des heures à « piller » les grands magasins, comme Army & Navy Store, Hall & Andersons et Newman's, qui proposent tout ce qui se fabrique en Europe et en Amérique, Anita se rend au salon de coiffure français de MM. Malvaist et Siret, qui sont en extase devant la chevelure luisante de « notre rani espagnole ». L'illustre couple du Kapurthala est débordé d'invitations à des dîners, concerts et réceptions. Parce que Calcutta est une grande ville, il semble qu'il y ait moins de restrictions que dans le reste de l'Inde. Un jour, alors qu'ils sont aux courses – et pour le plus grand plaisir d'Anita et du rajah –, le gouverneur du Bengale, lord Carmichael, présente Anita à son épouse et l'invite à dîner à Government House, le siège du gouvernement. C'est la première fois qu'ils vont ensemble à une réception officielle. Il n'y a que dans une ville cosmopolite comme Calcutta que l'on peut rencontrer des personnages comme ce lord : modeste, aux manières délicates, pensant toujours à faire plaisir, amateur d'art, apiculteur à ses moments de loisir et auteur d'une monographie sur le mille-pattes… « Ce n'est pas un Anglais comme les autres », pense Anita[1]. Décidément, Calcutta est le paradis de la liberté.

Mais une nouvelle vient rompre la joie de ces journées. Gita, la fiancée, n'a pas embarqué sur le navire qui devait la ramener aux Indes. « Faut-il annuler le mariage ? » se demande Anita, affolée.

1. Des années plus tard, le rajah apprendra que lord Carmichael reçut une « réprimande officielle sévère » pour avoir enfreint les restrictions imposées à Anita.

# 29

À six mille kilomètres de Calcutta, la princesse Gita est malade d'amour. Déchirée entre devoir et sentiment, elle fait face au choix le plus douloureux de sa vie. Après avoir appris que la famille catholique de son prétendant, l'officier Guy de P., s'oppose à ce que leur fils épouse une hindoue, Gita a voulu romprc.

– Tu oublies les différences qui existent entre nous, a-t-elle dit à Guy.

– Il n'y a pas de différences entre les gens qui s'aiment, lui a-t-il répondu.

– Dans ta famille ils sont très catholiques et moi je suis hindoue. Une chose est qu'ils m'acceptent socialement, une autre qu'ils permettent que leur fils m'épouse. Il faut quc jc rcntrc cn Indc fairc mon dcvoir.

– Je ne peux pas te laisser partir. C'est trop me demander.

Gita veut apaiser le feu de la passion qui la dévore et qui ne la laisse pas vivre. Elle voudrait retrouver la paix de l'esprit et redevenir elle-même. Mais elle n'y arrive pas : « Comment le quitter, quand je l'aime tant ? se demande-t-elle sans cesse. Comment pourrai-je vivre dans un endroit où je serai à demi voilée, aussi bien physiquement qu'émotionnellement ? »

– Viens, allons à la mairie et marions-nous. Après, ils seront bien obligés de l'accepter, aussi bien ma famille que la tienne.

Les jours suivants, Gita est torturée par le doute. Dans l'impulsion du moment, elle a décidé de gagner du temps, de ne pas s'embarquer à la date prévue, de rester en France quelques semaines de plus, et peut-être même toujours. Mais ce conflit la rend malade. Elle ne peut plus ni dormir ni manger et, chaque fois qu'elle entend sonner chez elle, elle sursaute.

De Calcutta, le rajah prend contact avec Mlle Meillon, la dame de compagnie qu'il avait assignée à sa belle-fille. Bien qu'elle soit au courant de tout, elle ne dit rien par peur du scandale et surtout parce qu'elle craint qu'on ne la rende responsable de la situation. Après tout, Gita n'a que seize ans. Mlle Meillon explique que l'état nerveux de la jeune fille est « délicat », qu'elle traverse un moment de grande anxiété à cause des examens et que, étant malade, elle n'a pas pu embarquer. Mais elle assure qu'elle arrivera à temps pour le mariage, qu'elle la mettra elle-même sur le prochain bateau à destination de Bombay.

– Pour te défendre, dit Mlle Meillon à Gita, j'ai risqué de perdre mon poste et le respect du prince. Mais je ne suis pas disposée à continuer ce mensonge encore longtemps.

Gita est incapable de prendre une décision. « J'ai éclaté en sanglots, racontera-t-elle plus tard, et j'ai vidé mon cœur. Toutes les émotions que j'avais dû retenir ces derniers mois sortirent à flots. »

– Il n'y a pas d'avenir pour les histoires d'amour comme la vôtre, finit par dire Mlle Meillon sur un ton sec mais franc. Laissez-le et oubliez-le une fois pour toutes. Vous ne pourrez pas être heureuse en rendant les gens malheureux autour de vous.

Gita comprend que ce que dit sa dame de compagnie est vrai. Prête à suivre son conseil, dès le lendemain elle essaie de rompre avec Guy, « mais nous étions trop amoureux pour avoir la force de le faire et je n'ai pas pu. Ce soir-là, dans ma souffrance, j'ai prié, mais pas les dieux hindous, non, j'ai prié la Vierge des chrétiens. Je devais prendre une décision dans l'immédiat ; soit j'embarquais sur le prochain bateau pour Bombay, soit je fuyais et épousais Guy en secret[1] ».

Finalement, malgré sa souffrance, se laissant guider par les sages conseils de Mlle Meillon, Gita embarque à Marseille, avec une amie française du rajah, Mme de Paladine, et ses deux filles, invitées au mariage. Deux des fils du rajah, Mahijit et Amarjit, font également partie du voyage.

Mlle Meillon accompagne Gita à sa cabine, peut-être pour s'assurer qu'elle n'aura pas de remords à la dernière minute.

– Une femme rajpute ne manque jamais à ses engagements, la rassure Gita, avec une triste ironie, en lui faisant ses adieux. Je rentre dans mon pays épouser un homme que je ne connais pas. Il y a quelques années, je trouvais cela normal. Aujourd'hui, cela me paraît une aberration.

– C'est mieux ainsi. Si tu avais épousé Guy, tu serais une femme sans pays ni culture, et toute ta famille aurait honte de toi.

– Oui, vous avez raison, répond-elle tristement. Mais je ne peux pas m'empêcher de l'aimer.

Elle trouve bizarre de rentrer aux Indes. À Bombay, elle se sent une étrangère. Les bruits et les odeurs sont tellement différents de ceux de la France… Ses

1. Les dialogues de Gita sont extraits du livre *Maharani*, d'Elaine Williams (Henry Holt, New York, 1954).

compatriotes lui semblent aujour-d'hui les habitants d'une autre planète. Elle trouve que le voyage en train jusqu'à Kapurthala n'en finit plus, parce que, au fond, elle voudrait qu'il ne finisse jamais. Le convoi ne s'arrête plus à Jalandar, comme avant. Le rajah a financé la construction d'une voie étroite jusqu'à la ville de Kapurthala, pour arriver dans son wagon aux alentours du nouveau palais. À la gare, un groupe de domestiques en livrée et plusieurs chauffeurs conduisent Mme de Paladine et ses filles à un pavillon prêt pour les invités ; les fils du rajah vont dans le nouveau palais, et Gita est conduite dans une voiture fermée avec de petits rideaux baissés jusqu'au palais des épouses. C'est la première fois depuis des années qu'elle se retrouve en purdah.

À l'inquiétude provoquée par l'état de santé de la fiancée ont succédé l'irritation puis un grand soulagement à la voir arriver, malgré sa maigreur, son visage sec, son teint gris et ses yeux irrités d'avoir tant pleuré. Elle donne comme excuse une maladie due à la pression des derniers examens et son explication n'est pas un complet mensonge. Elle vient bel et bien de passer l'examen de sa vie. Le problème est qu'elle ne saura jamais si elle l'a réussi ou non. « Quelle importance un examen quand on épouse l'héritier d'un royaume ! » commente la mère de Paramjit.

« J'avais besoin de quelqu'un pour me rassurer et me consoler, pour me promettre que tout irait bien, qu'en tenant mes engagements j'éloignais le désespoir et l'inquiétude. Mais il n'y avait personne pour me le dire », se souviendra Gita.

Anita est absente quand Gita arrive. Les préparatifs l'ont tellement fatiguée qu'elle est partie à Mussoorie, au Château Kapurthala, pour s'y reposer pendant une semaine, en profitant de la fraîcheur de la montagne.

Elle a quitté avec soulagement l’ambiance irrespirable de Kapurthala, où tout le monde avait les nerfs à fleur de peau à cause du retard de la fiancée. À son retour, elle découvre une ville en tissu : une multitude de tentes blanches, rondes et en forme de coupoles orientales occupent le parc immense du palais. Anita fignole les derniers arrangements tandis que les invités commencent à arriver du monde entier. Neuf princes ont annoncé leur visite, parmi lesquels le maharajah du Cachemire, qui les avait reçus à Srinagar pendant leur lune de miel. L’Aga Khan est l’invité musulman de plus haut rang. D’autres envoient leurs fils aînés en représentation. Gita s’occupe à « redevenir indienne », surveillée de près par les femmes de la zenana. « J’ai dû réapprendre ma langue et me souvenir des vieilles coutumes que j’avais oubliées pendant mes années passées à l’étranger. J’étais tellement occupée que je parvenais à un état qui n’était ni heureux ni malheureux. »

Aux Indes, en plus des invités, une telle célébration attire une multitude de curieux. Des mendiants, de vieux sages, des guérisseurs aux recettes infaillibles pour la fertilité et des vendeurs de miracles affluent à Kapurthala, en train, à pied ou en char à bœufs. La tradition veut qu’ils soient considérés comme les égaux des princes invités et qu’on les reçoive cordialement. Le rajah, généreux et grand seigneur, a chargé ses cuisiniers de leur distribuer de la nourriture, la même que celle des travailleurs du palais. Au-delà des tentes blanches, toute cette population sans toit campe sous les étoiles pour participer aux réjouissances qui, en célébrant le mariage d’un prince héritier, marquent aussi l’ordre immuable des choses.

Des feux d’artifice comme on n’en a jamais vus au Penjab signalent le commencement du Grand Durbar, une audience publique où le rajah souhaite la bienvenue à ses invités, annoncés à coups de trompette. Les courtisans et hauts fonctionnaires de l'État présentent leurs cadeaux et leurs félicitations sous le porche d'entrée au palais. Parmi les invités européens se trouvent le prince Antoine d'Orléans et le prince Amédée de Broglie. Le rajah a voulu qu'Anita soit présente à tout moment à ses côtés. L'Espagnole joue le rôle de maîtresse de maison et le gouverneur du Penjab, la plus grande autorité britannique présente au mariage, accompagné de son épouse, se voit obligé de la saluer. C'est la petite vengeance du rajah pour les restrictions imposées par les Anglais. Bien qu'enfermées dans leur palais, les autres épouses sont au courant de tout, et en sont blessées. Gita est avec elles et fait de gros efforts pour s'intégrer à sa nouvelle vie, même si, quand elle entend les échos de la fête à travers les murs du palais, elle est prise d'une irrésistible envie de se révolter.

Un banquet pour huit cents invités est servi dans le parc et, après les desserts, les canons du palais tonnent treize salves d'honneur. Alors les cinquante musiciens de l'orchestre commencent à jouer. Le rajah s'approche de l'autre côté de la table d'honneur, vers l'épouse du gouverneur britannique assise à côté du maharajah du Cachemire. Il lui prend la main et l'emmène au centre de la rotonde transformée en piste de danse. Au son d'une valse de Strauss, le rajah et l'épouse du représentant de l'empire ouvrent le bal. Puis les autres invités et les fils du rajah les suivent sur la piste éclairée par des torches portées par les gardes sikhs, par la lumière de la lune et par le feu des étoiles.

Tout à coup, une nouvelle musique se fait entendre et Anita se dresse sur sa chaise. Elle l'a entendue pour la première fois au cours de son dernier voyage en Europe ; c'est une musique qui lui donne la chair de poule, qui remue ses entrailles et qui la touche au plus profond de son âme. C'est un rythme que l'Amérique du Sud a lancé dans le monde en 1910 et qui éveille des passions : le tango.

– Vous dansez ?

Anita sursaute en entendant cette voix chaude, à l'accent d'aristocrate anglais. Elle relève la tête pour voir son interlocuteur. C'est un Indien grand et jeune, coiffé d'un turban couleur saumon attaché avec une émeraude d'où sort une aigrette élégante. Son sourire montre des dents blanches et parfaites. Les yeux fixés sur le visage d'Anita, il attend sa réaction. Son regard est si envoûtant qu'elle baisse le sien.

– Je ne sais pas danser le tango.

– Moi non plus, mais nous pouvons l'apprendre ensemble.

Elle se retrouve dans ses bras, suivant ses pas sur la piste.

– Mais vous le dansez merveilleusement bien !

– Je l'ai appris à Londres, répond-il en riant. J'ai beaucoup entendu parler de vous.

– Ah oui ?

– Je suis Charamjit, le fils de Rani Kanari. On m'appelle Karan.

Maintenant, elle comprend. Ses dents si blanches, son visage au regard direct, son port hautain… Ce sont les traits du rajah.

– Celui qui me manquait ! Tu es enfin arrivé !

Karan ne ressemble pas à ses frères. Il s'adresse à Anita comme s'il la connaissait depuis toujours, sans préjugés ni tabous, avec un naturel qui surprend l'Espagnole parce qu'elle n'y est plus habituée. Elle est ravie de découvrir ce beau-fils sympathique, affectueux et drôle. Enfin une lumière au fond du tunnel de la famille du rajah ! Avec sa kurta en soie et son triple collier de perles, sa barbe soignée, ses yeux en amande couleur miel et ses manières de prince, Karan semble sorti d'un des tableaux de ses ancêtres qui ornent les murs du Château Kapurthala à Mussoorie.

– Ma mère t'envoie ses meilleurs souvenirs. Elle te fait dire que son cœur est auprès de toi et qu'elle regrette de ne pas pouvoir te fréquenter davantage. Elle sait que tu n'es coupable de rien et veut que tu le saches.

Pauvre Rani Kanari ! Si gentille et cependant si impuissante ! Peut-être parce qu'elle est d'une origine rajpute moins pure, ou peut-être à cause de son goût pour la boisson, elle a perdu le respect des autres. Par conséquent, son opinion a de moins en moins de poids. Dommage. Au lieu de la consoler, ses mots de solidarité inquiètent Anita car ils lui rappellent sa condition de déclassée. Une condition que le rajah lui-même est impuissant à résoudre, car cela ne dépend pas de lui mais des lois sévères de la tradition.

Plus de deux mille invités assistent à la fête orientale, qui se déroule ensuite. Anita n'a pas le plaisir d'y voir Rani Kanari, car les femmes indiennes célèbrent l'événement entre elles, dans une aile éloignée de l'Élysée. Mais elle les rencontre le jour du mariage, car la tradition veut que les dames viennent au palais préparer le fiancé pour la cérémonie. Dans la cour principale, envahie de centaines de femmes, seule la présence de deux hommes est autorisée : le fiancé et un prêtre. L'héritier est vêtu d'un simple *dhoti*, un pagne autour de la taille passé entre les jambes et attaché sur les hanches. Après la cérémonie du feu, pendant laquelle le garçon tourne autour du bûcher tandis que le prêtre déclame des prières, commence le rituel par lequel les femmes préparent le futur mari. La mère, Harbans Kaur, accompagnée de deux tantes, lui frotte le corps avec plusieurs savons et de l'eau parfumée et le recouvre de mousse. C'est un spectacle qui réjouit les femmes indiennes, peut-être parce que c'est le seul moment de leur vie où elles s'imposent. Quand Paramjit les supplie d'arrêter de le frotter, elles éclatent de rire. Reluisant comme un bébé, il entre au palais s'habiller pendant qu'elles attendent la fiancée.

Gita arrive à dos d'éléphant, enfermée dans une petite tourelle pour que personne ne la voie. Son cortège avance lentement parmi les cris, les cantiques et le murmure de milliers de gens. Devant le porche de l'Élysée, quand l'éléphant s'accroupit sur ses pattes et que Gita ouvre les petits rideaux de soie, la lumière du soleil est si aveuglante qu'elle ferme les yeux quelques instants. Quand elle les rouvre, elle reconnaît son père accompagné du prêtre habillé tout en blanc. Ils l'aident à descendre. La confection de sa robe en mousseline brodée de soie rouge et de fils d'or pur a demandé deux ans de travail. Un voile, en soie également, flotte sur sa tête. Elle porte autour du cou un collier de deux rangs de perles entrelacées, de couleur crème, qui fait partie du trésor de l'État du Kapurthala.

Le rajah jubile. Il est vêtu d'un costume broché en or, et les diamants et les perles qu'il porte autour du cou, de la poitrine et des poignets scintillent. Sous son turban couronné d'une tiare d'émeraudes, dont la plus grosse pèse cent soixante-dix carats, ses yeux noirs brillent de satisfaction. Bonheur de père et de souverain qui a fait son devoir en donnant une continuité à sa lignée. Résolu à ce que les noces de son fils entrent dans l'histoire, il a engagé les services du seul cinéaste indien de l'époque, qui filme pour la postérité les fastes du Kapurthala avec une caméra achetée directement aux frères Lumière.

Le rajah a décidé de rompre la coutume qui veut que les jeunes mariés abandonnent la cérémonie séparément, la femme enveloppée dans un voile et assise dans un palanquin, le visage caché par des rideaux. Cette fois, le couple défile dans un carrosse qui porte le blason de l'État, escorté par la garde en uniforme, à cheval. Ils parcourent les rues de Kapurthala, dans une frénésie populaire. Ils arrivent au palais des femmes, où des centaines d'invitées indiennes les reçoivent en applaudissant. Pour Harbans Kaur, cette nouvelle atteinte à la tradition est un outrage. « Pour mon beau-père, ce fut un coup audacieux contre le purdah, un coup qui fit jaser le beau monde de Kapurthala, dira Gita. À partir de là, il ne cessa plus de braver les conventions. Jamais il ne me demanda d'observer le purdah, sauf quand les femmes les plus orthodoxes de la famille étaient présentes. »

Gita est épuisée. Elle rêve de se retirer dans ses appartements, de prendre un bain chaud préparé par une servante. Mais c'est un rêve de jeune fille qui appartient au passé. Elle et son mari sont reconduits au palais où les domestiques les accompagnent à la porte de leur chambre. Puis ils inclinent la tête et disparaissent. C'est le moment où Gita affronte le destin tout tracé qu'elle a fini par accepter. « Pour la première fois je me suis rendu compte que nous serions seuls toute notre vie. Et je me suis sentie accablée à l'idée que mon mari était un véritable inconnu pour moi. »

# 30

Juste quand s'éteignent les fastes des noces de l'héritier du Kapurthala, un autre événement d'une importance capitale surgit à l'horizon : le Grand Durbar de Delhi, la cérémonie de couronnement du roi George V et de la reine Mary en tant qu'empereurs des Indes. Pour commémorer la première visite des souverains britanniques au sous-continent, les Anglais ont fait construire un arc de triomphe en basalte jaune sur un promontoire qui domine la rade de Bombay. Baptisé du nom de Porte des Indes, sa puissante silhouette est la première image qu'auront des Indes les rois empereurs. Le 2 décembre 1911, ils y sont reçus avec tous les honneurs. C'est la première escale d'un voyage qui les mènera à Delhi, où ils seront les acteurs principaux du plus grand événement de l'histoire du Raj, un événement qui marque l'apogée de l'Empire britannique.

On ne parle que de cela dans les palais des Indes, où les familles royales se préparent fébrilement à assister en grande pompe à la cérémonie. Le prince le plus riche, le nizam d'Hyderabad, déclare l'ouverture du faste et du gaspillage lorsqu'il commande à l'orfèvre Fabergé une réplique en or et pierres précieuses de la façade de son palais pour décorer son pavillon au Durbar de Delhi. Bhupinder du Patiala obtient que Jacques Cartier voyage aux Indes pour lui fabriquer, avec les pierres du trésor de la Couronne, parmi lesquelles le célèbre diamant De Beers de quatre cent vingt-huit carats, un grand collier de cérémonie qui entrera dans l'histoire de la joaillerie.

Pour le Kapurthala, le Grand Durbar est important, car Son Altesse recevra un double honneur : il sera décoré grand commandeur de l'Étoile des Indes par l'empereur lui-même qui, en même temps, lui accordera le titre héréditaire de maharajah en reconnaissance de sa loyauté envers le Raj et pour avoir contribué à la stabilité et à la prospérité du Kapurthala. Malgré les différends qui l'opposent aux autorités britanniques, rien ne pourrait le rendre plus heureux.

Mais ses épouses, y compris Anita, s'inquiètent. Comment seront-elles traitées par le protocole ? Harbans Kaur est sûre que les Anglais, organisateurs de cet illustre événement, seront respectueux de sa position de première épouse. Ce sera l'occasion d'imposer la tradition et de se mesurer à l'Espagnole. Anita, elle, craint d'être humiliée. Elle est fatiguée de ces batailles qu'elle ne veut pas livrer. Même si elle en a gagné plusieurs, grâce à l'appui constant de son mari, elle a des raisons de penser qu'elle peut perdre la guerre. Le mariage de l'héritier n'a pas amélioré les relations au sein de la famille, au contraire. À part Karan, rentré en Angleterre pour poursuivre ses études d'ingénieur agronome, les autres fils se sont montrés froids et distants avec elle. Karan et Rani Kanari sont ses seuls alliés, mais ils sont trop faibles pour imposer leur choix.

Anita a été naïve de penser que les fils, jeunes et élevés en Angleterre, exerceraient une influence sur leurs mères. C'est le contraire qui s'est passé : les mères ont influencé leurs fils. Maintenant, eux aussi l'évitent. Et elle en souffre, parce qu'ils vivent tous sous le même toit. Il y a des moments pénibles. Plusieurs fois, à l'heure du déjeuner en famille, il manque une assiette à table : la sienne. Anita est obligée de la réclamer. Au cours des garden-parties, les goûters où sont conviés les Anglais résidents du Kapurthala, comme le médecin ou l'ingénieur civil, en compagnie de leurs épouses, les fils du rajah offrent à boire à tout le monde sauf à elle. Ils ne la présentent jamais et ne s'adressent jamais à elle. Ils font comme si elle n'existait pas. Tout est bon pour mettre l'intruse mal à l'aise.

Et Gita ? Les préjugés de sa caste et de sa race, enfouis dans son esprit pendant les années qu'elle a passées en France, ont resurgi avec encore plus de force, comme un arbre qu'on aurait taillé. Elle ne voit plus le monde comme une femme occidentale. Pour elle, son beau-père est un vieillard libidineux qui a été séduit par une vulgaire « danseuse espagnole ». En l'imposant au reste de la famille, le rajah contribue à les déclasser tous. C'est pourquoi elle ne veut pas de l'amitié d'Anita et, pour la même raison, elle décide de ne pas vivre à l'Élysée : « Nous ne sommes plus des enfants, a-t-elle dit à Paramjit, son mari. Nous avons besoin d'être indépendants. » Elle a eu du mal à le convaincre d'en parler au maharajah. « Mon beau-père le traitait toujours comme un petit garçon, même après le mariage. » Le souverain a accepté sans problème et il leur a même proposé d'habiter son nid d'amour des dernières années : la villa Buona Vista. « J'ai été très étonnée qu'il accepte aussi facilement nos désirs, racontera Gita, car c'était un homme dominateur, habitué à imposer à tous sa volonté. Plus tard, je me suis rendu compte qu'il l'avait fait pour gagner ma sympathie. Il avait besoin de tous les amis et alliés possibles pour pallier le drame que vivait sa famille à cause de sa relation avec l'Espagnole. »

Mais cette tactique ne porte pas ses fruits. Gita, ainsi que les autres épouses, est contrariée par le rôle de maîtresse de maison que joue Anita.

– Elle prétend être traitée comme la maharani officielle, ose-t-elle dire un jour à son beau-père.

– Je t'ai envoyée en France pour que tu deviennes une femme moderne et je me rends compte que j'ai gaspillé mon argent, lui répond le maharajah, déçu. Tes années en Europe ne t'ont pas ouvert l'esprit. Elles n'ont servi à rien.

« Je ne lui ai pas répondu, mais j'aurais voulu lui dire combien j'étais choquée de l'attitude froide et insensible qu'il avait avec ses femmes. J'avais surpris plus d'une fois Harbans Kaur avec des larmes aux yeux pendant les préparatifs du mariage. Si j'avais fait un sacrifice énorme pour accepter les responsabilités de mon union et de ma position, lui, en tant que plus grande autorité de l'État, devait être capable de faire de même, de donner l'exemple. »

Au milieu de toutes ces intrigues de palais, Anita essaie de rester calme. Elle voudrait passer inaperçue, devenir invisible si c'était possible, mais son mari l'en empêche. Il a besoin d'elle. Le fait que la haine des épouses puisse se répercuter sur son fils préoccupe Anita. La nuit, elle a de nouveau des crises d'insomnie et d'anxiété. Elle se réveille en sursaut, trempée de sueur et de larmes. Dans ses cauchemars, elle fuit un danger vague et flou, son fils dans les bras. Seule la présence de Dalima, douce et sereine, lui permet de retrouver le sommeil. Le conte de fées de la danseuse du Kursaal devenue princesse est en train de s'aigrir. Elle ne sait que faire pour arrêter le cours des événements. Les armes dont elle dispose, sa franchise et sa spontanéité, ne servent à rien dans cette guerre.

Pour la première fois dans sa vie, Paramjit, fils docile et complexé par la figure paternelle, décide de tenir tête au rajah.

– Ma mère m'a demandé d'intervenir auprès de toi pour que tu lui restitues sa position et son rôle.

– Personne ne lui a enlevé sa position.

– Tu sais de quoi je parle. L'Espagnole agit comme si elle était la maharani du Kapurthala. Ma mère se sent rejetée. Je te demande de te conduire selon la tradition, comme nous le faisons tous.

– Cette femme que tu appelles avec dédain l'« Espagnole » est mon épouse. Je suis marié avec elle comme toi avec Gita.

– C'est ta cinquième épouse.

– Et alors ? C'est la femme avec laquelle je partage ma vie. Et je lui ai accordé le titre de maharani. Ta mère est fidèle au purdah et je ne le lui reproche pas, mais nous avons évolué de façon différente. Je te l'ai expliqué des quantités de fois, mais tu ne veux pas le comprendre. Crois-tu que ta mère aurait été capable d'organiser ainsi ton mariage ? De s'occuper de nos invités européens ? J'ai besoin d'avoir près de moi une femme libre des contraintes du purdah. J'ai pensé que mon fils serait capable de le comprendre. Mais je vois que non… s'il met son nez dans les affaires privées de son père, ce n'est que pour le critiquer.

« Mon mari et moi avons discuté souvent du problème, relatera Gita. En tant que princesse élevée dans la tradition hindoue, je ne pouvais accepter la conduite de mon beau-père. En tant que femme, j'étais bouleversée par la souffrance de la mère de mon mari, qui avait le cœur brisé. Après toutes nos délibérations, une décision s'est imposée : nous ne pouvions admettre son mariage avec l'Espagnole. Nous fîmes savoir à mon beau-père que nous refusions désormais de fréquenter Anita et que nous n'irions pas aux réceptions où elle assisterait. »

Cette décision est un camouflet pour le maharajah. Son fils a pris le parti de sa mère. C'est logique mais il n'y était pas obligé. Le maharajah n'a rien contre sa première épouse. Le fait de ne pas partager sa vie avec elle ni avec ses autres femmes ne veut pas dire qu'il les abandonne. Il ne ferait jamais une chose pareille, et il est agacé qu'on l'en accuse. Il connaît bien son fils et le sait incapable de lui tenir tête. Son comportement insolent est dû à l'influence de sa belle-fille. Les princesses hindoues de haut rang, imbues de leur supériorité, prennent très au sérieux l'origine divine de leur lignée. De la religion sikh et de ses préceptes d'égalité entre les hommes, elles n'ont rien retenu.

Mais la roue tourne, et de la même façon qu'il s'est acharné à faire de Gita la prochaine maharani du Kapurthala, Jagatjit espère qu'il aura un jour la chance de lui faire payer tant d'ingratitude.

Pendant les deux semaines que durent les festivités du Durbar, la ville de Delhi est envahie de princes, de chefs de clan, de représentants des gouvernements provinciaux, d'aristocrates indiens, de membres de la communauté britannique et d'invités étrangers, plus quatre-vingt mille soldats. La population est passée de deux cent cinquante mille à un million. L'organisation est prodigieuse. Les Anglais ont installé quarante mille tentes, construit soixante-dix kilomètres de nouvelles routes, quarante kilomètres de chemin de fer, quatre-vingts kilomètres de canalisations d'eau et un amphithéâtre capable de contenir cent mille personnes. Le pavillon de l'empereur compte deux cent trente-deux tentes équipées avec des cheminées en marbre, des panneaux en acajou sculpté, de la vaisselle en or et des lustres en cristal. Les autres, tout aussi luxueuses, abritent les différentes maisons royales avec leur cortège de courtisans, d'assistants, d'invités, de domestiques, de palefreniers, etc. Chaque pavillon est différent. La tente du rajah du Jamnagar est recouverte de coquilles d'huîtres, symbole de son État situé au bord de la mer d'Arabie. Deux tigres dressés, splendides, montent la garde à l'entrée du pavillon du rajah de Rewa. La permission qu'il a sollicitée de les offrir à l'empereur au cours de la cérémonie lui a été prudemment refusée.

Autour des tentes s'étendent des jardins plantés de roses aux couleurs de chaque État, des pelouses avec des avenues parfaitement entretenues, des piscines, des parcs, des terrains de polo, des écuries de chevaux et d'éléphants, des parkings de landaus, de carrosses et d'automobiles et les trente-six gares pour les trains privés des princes. Anita est impressionnée : « Je n'avais jamais vu autant de trônes en or, autant d'éléphants harnachés de pierres précieuses, autant de carrosses en argent massif. Et les Rolls ! Jamais on n'en avait vu autant, garées ensemble. Seul le bon Dieu sait combien d'argent a coûté ce déploiement fabuleux, avec tous ces rois, chacun voulant paraître le plus riche et le plus puissant de tous. »

Les fêtes s'enchaînent de façon vertigineuse, avec des garden-parties, des réunions en purdah pour les dames, des matchs de polo et des distractions de toutes sortes. Harbans Kaur assiste à la réception offerte par la reine Mary. Elle est accompagnée de sa belle-fille Gita, qui lui sert d'interprète quand la souveraine lui adresse des paroles courtoises. Anita, bien sûr, n'est pas invitée à ces cérémonies officielles. Ici, ce n'est pas Calcutta, et même si elle voulait saluer le gouverneur du Bengale et sa femme, elle ne pourrait s'en approcher. Une fois de plus, son cas a suscité un échange épistolaire copieux entre fonctionnaires. Finalement, une lettre du vice-roi au secrétaire d'État pour les Indes, à Londres, a tranché le problème de la manière suivante : « À Prem Kaur du Kapurthala on n'enverra pas d'invitation à la garden-party qu'offrira Sa Majesté la Reine aux épouses des princes, mais on pourra l'inviter partout où il ne sera pas possible de rencontrer ou d'être présenté à Ses Majestés. Quant au

Durbar, on lui donnera une place au fond de l'amphithéâtre et elle pourra assister à la cérémonie du couronnement comme n'importe quel spectateur non officiel[1]. »

Le Durbar proprement dit a lieu le 12 décembre 1911. Le spectacle sera inoubliable pour tous ceux qui y assisteront : pour le paysan ayant marché plusieurs jours dans l'espoir de voir son empereur, pour les jeunes gens vêtus de pagnes en coton blanc, agrippés aux branches des arbres, pour les filles de douze ans avec leurs bébés dans les bras et pour les empereurs eux-mêmes, qui se trouvent face à un océan de turbans verts, jaunes, mauves, bleus et orange… « C'est le plus beau spectacle que j'aie vu dans ma vie », déclarera George V, assis à côté de sa femme dans un trône en or massif, sur une estrade bien au-dessus de la foule, les épaules couvertes d'une cape d'hermine et protégé du soleil brûlant par une bâche pourpre et or. C'est la vision de celui qui sait que, sans les Indes, la Grande-Bretagne ne serait pas l'empire le plus colossal que le monde ait connu, ni la première puissance mondiale.

Les places d'honneur sont occupées par les princes, suivis de leurs parents et des membres de la noblesse, habillés de leurs vêtements de gala brochés et tissés d'or. Chaque maharajah porte les bijoux les plus célèbres de son trésor : Jagatjit Singh son épée en émail et pierres précieuses et une émeraude de la taille d'une prune à son turban ; Bhupinder un plastron en diamants ; le maharajah du Gwalior une ceinture en perles, etc. George V arbore la nouvelle couronne impériale des Indes, rayonnante de saphirs, de rubis, d'émeraudes et de diamants, signée par le bijoutier Garrard qui a touché soixante mille livres pour ce cadeau des Indiens à leur roi empereur.

1. *Proceedings of the Foreign Department*, nº 46 (British Library, Londres).

Pour éviter que la cérémonie ne ressemble à un deuxième couronnement, ce qui impliquerait une deuxième consécration religieuse, jugée inopportune à cause de la présence de tant d'hindous et de musulmans, la maison royale a décidé que le roi se montrerait couronné et recevrait l'hommage des princes, assis sur son trône.

L'un après l'autre, les rajahs et les nababs s'approchent de l'estrade, montent les marches, font une révérence à l'empereur et échangent cadeaux et « honneurs ». Les premiers sont les souverains les plus importants : Hyderabad, Cachemire, Mysore, Gwalior et Baroda, dont les États ont droit à l'honneur suprême de vingt et une salves. Puis viennent ceux de dix-neuf, dix-sept, quinze, treize, onze et neuf coups de canon. La seule femme parmi tant de princes est la bégum de Bhopal. Malgré son aspect – elle est recouverte de la tête aux pieds par une burqa en soie blanche –, elle est connue pour son sens de la justice et sa volonté de progrès et elle a fait de Bhopal un des États les plus avancés des Indes.

Le spectacle est lent et magistral, comme la cadence d'un éléphant. Cette fois, Anita n'est pas aux côtés de son mari. Tant mieux, car elle se trouve ainsi loin d'Harbans Kaur et des autres. Et le maharajah du Cachemire l'a invitée à suivre le déroulement de la cérémonie depuis l'endroit réservé à sa famille. Les officiers anglais chargés du protocole sont furieux, mais ils se taisent. Aucun Anglais n'oserait contrarier le maharajah d'un État aussi important pour un problème comme la place de l'Espagnole, son invitée. La situation est paradoxale : Anita est plus près des empereurs et mieux placée que la délégation du Kapurthala.

Pour marquer la première visite d'un roi anglais aux Indes, les Britanniques ne se sont pas contentés de mettre en scène un spectacle grandiose. Il leur fallait saisir l'imagination du peuple, écrire une nouvelle page de l'histoire du pays. Leur idée, jalousement gardée par douze personnes jusqu'au dernier moment (même la reine n'était pas au courant avant son arrivée à Bombay), est dévoilée à la clôture du Durbar par le roi empereur : la capitale de l'empire va déménager de Calcutta à Delhi. Ce sera comme au temps des grands empereurs moghols. Il annonce qu'il a commandé à l'architecte Edwin Lutyens le dessin d'une ville impériale aux environs de la vieille ville. Cette nouvelle capitale s'appellera New Delhi et sera la fierté des Indes, le nouvel astre qui lancera ses éclats jusqu'au dernier recoin du sous-continent.

Après avoir célébré le zénith de l'empire, les artisans de la *Pax britannica* déclarent la guerre aux animaux et se consacrent au plus exclusif et prestigieux des sports, qui est aussi la prérogative des princes : la chasse au tigre. L'empereur, qui passe la fin de l'année au Népal, abat vingt-quatre félins et, comme preuve de son excellent état physique, réussit l'exploit de tirer simultanément sur un tigre, son fusil à l'épaule, et sur un ours, avec un autre fusil à l'autre épaule, tuant les deux animaux.

Le flamboyant maharajah du Kapurthala renvoie à la maison toute sa famille et une grande partie de son cortège et se rend avec Anita à Kotah, au Rajputana, où ils sont les invités du maharajah Umed Singh, célèbre pour ses parties de chasse. Quelle surprise pour l'Espagnole de se retrouver dans un ascenseur qui monte les cinq étages du palais médiéval de la ville où le prince les accueille ! « Le maharajah du Kotah est un homme très intelligent et aux idées assez libérales », dit Anita de cet individu capable d'installer dans son palais un ascenseur électrique moderne. Le connaissant plus intimement, elle ajoutera : « … mais il est encore trop orthodoxe pour s'asseoir et déjeuner en compagnie de gens qui n'appartiennent pas à sa caste. » Kotah est réputé pour un spectacle qu'on ne trouve pas ailleurs, un combat entre un sanglier et une panthère qui attire les nobles parieurs. Anita et son mari assistent au spectacle du haut d'une fosse, mais Anita s'excuse avant la fin, car l'affreuse vision des bêtes qui se déchirent lui donne mal au cœur. Elle aime pourtant chasser la panthère, au lever du jour, depuis le pont d'un bateau à vapeur qui navigue lentement au fil d'une rivière au milieu d'un paysage agreste. Son mari tire sur le félin et l'abat : « L'émotion de Son Altesse était indescriptible et la joie des rabatteurs si grande qu'ils s'approchèrent de lui et se jetèrent à ses pieds. » Pour les princes, tuer un tigre représente toujours un moment de plaisir intense. Cela vient de loin, depuis le temps où les princes pratiquaient cet art pour apprendre à se défendre et être toujours prêts à la guerre. Aujourd'hui, les jeunes aristocrates considèrent que tuer un premier tigre représente un rite de passage à l'âge adulte. Le maharajah du Kotah a tué sa première panthère à l'âge de treize ans, depuis la fenêtre de sa chambre, ce qui donne une idée de la quantité de bêtes sauvages qui peuplent ses forêts. Il est devenu célèbre en démontrant qu'il était capable de conduire un véhicule d'une main et de tirer de l'autre, réussissant à tous les coups.

Pour Anita, le *shikar*[1] – activité qui n'exclut pas les femmes – est une révélation. L'émotion de sentir la proie s'approcher et la crainte de rater et de blesser l'animal sont moins importantes que tout ce qui entoure la partie de chasse. La vie des camps en plein air, les bavardages le soir autour du feu, la tranquillité totale de la campagne et de la jungle sont l'image d'une autre Inde, où les hommes et les femmes ont des rapports simples, comme si la nature était un antidote aux obstacles sociaux.

1. Partir en *shikar* signifie en hindi partir à la chasse.

# 31

Après l'agitation de Delhi, Anita est contente de retrouver la vie tranquille de Kapurthala. Depuis le départ de Paramjit et de Gita à la villa Buona Vista et celui des autres enfants en Angleterre, il ne reste au palais que le petit noyau familial composé de Jagatjit, que tout le monde appelle maharajah depuis le Grand Durbar, d'Anita et du petit Ajit. Les promenades à cheval, les excursions à Lahore et les parties de tennis rythment à nouveau leur vie paisible et luxueuse. Malgré sa grandeur, le palais n'est ni froid ni ennuyeux, car il fourmille d'activité. Les ministres viennent chaque jour présenter leurs rapports et discuter de leurs problèmes avec le maharajah qui les reçoit dans son bureau. Là, les décisions se prennent. Le sous-sol grouille de comptables, de financiers, de trésoriers et d'employés de bureau.

Anita s'occupe soigneusement de son coin de jardin. Elle a planté des fleurs odorantes et des tomates pour le gaspacho. À l'ombre de sa roseraie, elle écrit tous les jours son journal dans des cahiers en cuir, de son écriture pointue. Elle le fait parce que son mari le lui a demandé et elle écrit en français pour qu'il puisse le lire. Elle s'est faite à l'amour paternel du maharajah et même si, quelquefois, elle a été tentée de lui reprocher le monnayage de son mariage, elle comprend que c'est un homme habitué à acheter ce dont il a envie : des palais, des appartements, des voitures, des chevaux, des ministres… et des femmes. Elle l'aime un peu comme on aime un banquier qui vous ouvre sa fortune. Il lui a offert des bijoux splendides pour qu'elle soit encore plus belle et plus resplendissante, et aussi pour justifier son coup de foudre vis-à-vis de sa famille. Il l'a voulue belle, étincelante, pétillante, irrésistible. Ensemble, ils incarnent la nouvelle image du Kapurthala. Mais Anita n'attache pas de valeur sentimentale aux cadeaux : son mari est tellement riche que cela ne doit pas être pour lui un grand sacrifice. Elle a un peu perdu la notion de l'argent. Pour elle, ses pendentifs, boucles d'oreilles, broches et bagues représentent la sécurité et, peut-être un jour, la liberté, bien qu'elle vive dans un monde où ce mot ne veut pas dire grand-chose pour une femme.

En plus d'écrire son journal, où elle ne met aucune pensée intime, Anita est en correspondance avec son ancien professeur de déclamation de Málaga, Narciso Díaz. Elle reçoit de lui de longues lettres truffées de questions sur sa vie aux Indes. À l'une d'elles, à propos des coutumes indiennes, Anita répond : « Il y a des princes qui, après vous avoir serré la main, partent en courant se laver de peur d'avoir été contaminé par le contact avec un membre d'une caste inférieure. » Elle évite les questions sur les autres épouses du maharajah et ne signe plus comme auparavant « Anita Delgado, aujourd'hui princesse du Kapurthala » mais « Prem Kaur du Kapurthala ».

Les nouvelles de sa famille ne sont pas bonnes. Sa sœur Victoria, mère de deux enfants, vit difficilement à Paris avec un don Juan qui la maltraite. C'était prévisible mais, malgré tout, Anita est angoissée. La distance exacerbe l'inquiétude. À peu près à la même époque, elle reçoit des nouvelles de la cape de la Vierge offerte à ses concitoyens. Le merveilleux cadeau gît au fond d'un tiroir de la sacristie d'une église de Málaga : la Vierge de la Victoire ne le portera jamais. L'évêque a même voulu jeter la cape à la mer, prétendant qu'elle aurait pu être utilisée par un infidèle pour un culte païen. Il a lancé une insinuation blessante : « Voyant de qui elle vient… » Heureusement, le curé s'est occupé de mettre le cadeau à l'abri. Anita a été profondément vexée par l'allusion de l'évêque de sa ville qui lui a fait plus de mal que tous les affronts de la famille du maharajah et des Anglais réunis. Cela a été un coup bas, inattendu, avec la circonstance aggravante qu'il vient de chez elle, de chez les siens, de ceux qu'elle porte dans son cœur. Il est clair que la bigoterie, les préjugés et l'intolérance ne sont pas le patrimoine des aristocrates indiens ni des Anglais.

Malgré tout, elle vit une époque heureuse. Du moins c'est le souvenir qu'elle en gardera. Elle est heureuse car, malgré les inconvénients causés par son exclusion, elle peut compter sur l'appui et l'amour de son mari. Elle est heureuse parce qu'elle est appréciée de beaucoup de gens qui l'acceptent dans leur cercle d'amis. Elle peut compter sur le magnétisme de sa personnalité, capable d'abattre les barrières artificielles imposées par les censeurs de la morale victorienne. Bien sûr, elle a la nostalgie des siens. La solitude et l'ennui pèsent lourd, mais ses nombreux voyages servent à compenser le calme de Kapurthala. En fait, la vie au palais est devenue un remue-ménage constant de bagages qui « entrent et sortent de voyage en voyage », comme elle l'écrit dans son journal. Le petit Ajit reste avec Dalima, les nannies et les domestiques, tandis que ses parents parcourent les Indes, invités par différents maharajahs ; au cours de ces sorties, Anita continue de découvrir un pays toujours exotique et quelquefois surréaliste.

Invitée un jour par le maharajah Ganga Singh au plus extraordinaire des banquets dans le palais de Bikaner, Anita demande à son hôte la recette du plat succulent qu'elle est en train de déguster. Il répond très sérieusement : « Préparez un chameau entier, dépouillez-le et nettoyez-le, mettez une chèvre à l'intérieur et dans la chèvre une dinde et dans la dinde, un poulet. Farcissez le poulet avec une grouse, puis mettez une caille et finalement, un moineau. Assaisonnez le tout, posez le chameau dans un trou creusé dans le sol et rôtissez-le. »

À Gwalior, tandis qu'ils dînent dans la salle à manger rendue célèbre par le train en argent massif qui apporte les boissons aux invités, la conversation s'engage sur la tournée de George V et de la reine Mary à l'occasion du Grand Durbar. La pauvre souveraine n'a pas pu étrenner la nouvelle baignoire en marbre construite spécialement pour elle au palais de Gwalior, car elle s'est écroulée dès qu'elle y a posé les pieds. Pendant cette même tournée, dans un autre État du centre de l'Inde, les ouvriers n'eurent pas le temps de faire fonctionner la chasse d'eau d'un W.-C. dernier modèle, importé de Londres exprès pour la visite royale. Le problème fut résolu en plaçant deux sweepers au plafond ; l'un d'eux avec un seau d'eau dans la main et l'autre avec la mission de suivre l'action de la salle de bains à travers une fente. Quand la reine tirait la chaîne, un des sweepers faisait signe à l'autre pour qu'il verse le contenu du seau dans la chasse d'eau. Les Anglais ne découvrirent jamais le subterfuge.

Anita aime ces voyages. Elle est consciente du privilège qu'elle a de connaître un monde si exclusif et si fermé. Les collègues de son mari l'acceptent et elle arrive à se sentir presque comme une femme normale.

Pendant ces voyages, elle ne cesse de prendre des notes. Elle caresse l'idée d'écrire un livre sur sa vie aux Indes, ne serait-ce que pour que ses amis d'Espagne le lisent. Elle aimerait tellement partager ses expériences avec sa famille ! Quand elle rentre au palais, elle est toujours éreintée, mais avec la tête pleine de paysages, d'histoires et de sensations qu'elle s'apprête à mettre sur une feuille de papier pour qu'ils ne disparaissent pas comme la lumière du soir.

# 32

Au retour d'un de ses voyages, elle ne trouve pas Dalima. Il y a tellement de domestiques que l'absence de l'un d'entre eux ne change rien à la vie du palais. Mais même si les nannies et les servantes sont parfaitement capables de s'occuper du petit Ajit quand Anita s'en va, Dalima occupe une place à part dans le cœur de l'Espagnole. On lui dit que la jeune Indienne est rentrée chez elle soigner son mari tombé malade. Depuis, plus de nouvelles.

Tous les matins, en se réveillant, Anita demande si Dalima est revenue. Et elle reçoit toujours la même réponse négative. Elle est inquiète de ce long silence et de cette absence prolongée. Elle connaît Dalima et sa dévotion pour Ajit. Disparaître subitement n'est pas dans sa nature. Surtout pendant si longtemps. Elle ne le ferait jamais volontairement. Il lui est arrivé quelque chose.

Comme toujours lorsqu'il y a un problème, Anita fait appel à sa seule véritable amie au Kapurthala, Bibi Amrit Kaur. Contrairement à Gita qui, en revenant dans son pays, a été fidèle à sa classe, Bibi, elle, est restée elle-même. Bibi est la seule femme libre et sans préjugés qu'elle connaisse ; une femme qui a le malheur de vivre dans un monde trop étroit pour son grand cœur. Bibi est devenue membre du parti du Congrès et assiste à ses réunions. Il s'agit d'une fédération de groupes qui se battent dans tout le pays pour les droits des Indiens au sein du Raj. Bibi a trouvé là des gens comme elle, la plupart élevés dans des institutions anglaises, qui se heurtent aux mêmes questions : comment être Indiens britanniques sans avoir les mêmes droits que les Anglais ? Comment vivre toute sa vie entre le luxe et la misère ? Ils représentent le ferment d'une Inde nouvelle, très différente de celle du Grand Durbar de Delhi. Mais ils sont encore peu nombreux.

Un matin ensoleillé, Anita et Bibi partent à cheval pour le village de Dalima, situé à trois heures de la ville. Dès leur apparition, un groupe d'enfants les entourent, intimidés et curieux de voir arriver des gens dans un endroit où personne ne vient jamais. La maison de Dalima est un petit bâtiment en brique qui se dresse au milieu de cabanes en terre. Il a l'air moins pauvre que ce qu'imaginait Anita.

– Dalima est à la clinique, les informe timidement une jeune paysanne.

– Dans quelle clinique ?

– À Jalandar.

C'est la famille du mari qui les reçoit chez eux. Une femme au bord des larmes, la belle-mère, leur apprend que son fils est mort il y a un mois, terrassé par la fièvre rouge[1] au bout d'une agonie de plusieurs jours.

– Et Dalima ?

– Le cobra mord toujours deux fois, répond la belle-mère, faisant allusion au fait qu'un malheur n'arrive jamais seul. Cela a été un grand chagrin, ajoute-t-elle en regardant le fond de la pièce.

1. Tuberculose.

Le mur est noirci comme s'il y avait eu un incendie. Il y a de la cendre par terre.

– Dalima préparait le dîner et nous l'avons entendue crier. Nous nous sommes précipités pour la sauver, mais elle était en flammes.

– Où est la petite ? demande Anita.

– Avec nous. Nous nous occuperons d'elle, répond la femme avec un soupir.

Anita cherche la petite et la trouve dans un coin, en train de jouer avec des morceaux de bois et un bout de tissu. En voyant Anita, elle lui sourit. L'Espagnole a un pincement au cœur.

Les deux amies rentrent à Kapurthala. Elles vont au pas sur un chemin poussiéreux, au bord d'une rivière. Elles croisent des femmes vêtues de saris multicolores qui portent sur leur tête des cruches en cuivre remplies d'eau. Bibi réfléchit, les sourcils froncés.

– À quoi penses-tu, Bibi ?

– Que l'incendie a été provoqué. Ils ont voulu la tuer.

– Dalima ? Qui voudrait la tuer, c'est un ange !

Anita n'a qu'une vision partielle des Indes, celle du faste, du pouvoir et de l'élite. L'Inde de la campagne, elle n'en connaît que les paysages idylliques.

– La vie d'une femme devient vite un enfer, explique Bibi. Surtout quand le mari décède. As-tu entendu parler du *sati* ?

Tous les étrangers ont entendu parler de cette coutume ancestrale de l'hindouisme qui veut que les veuves s'immolent sur le bûcher funéraire de leur mari, pour continuer à vivre avec eux pendant toute l'éternité. La femme qui commet le sati est persuadée qu'elle unit son âme à celle de la déesse Sati Mata, ce qui apportera bonne chance à sa famille et à son village pendant sept générations.

– Il arrive que des femmes commettent le sati de façon volontaire et elles sont alors vénérées comme des saintes, continue Bibi. Mais la plupart du temps, on les oblige à le faire… Et sais-tu pourquoi on les y oblige ?

Anita hausse les épaules et fait non de la tête.

– Pour la famille du mari, c'est une façon de garder les biens de la veuve, surtout les terres, la maison, les bijoux s'il y en a… Il y a une manière de se débarrasser d'une veuve qui ne veut pas s'immoler, c'est de provoquer un incendie… On fait passer pour un accident ce qui est un assassinat pur et simple.

– Tu es sûre de ce que tu dis ?

– Oui. Les médecins que je rencontre lors de mes visites dans les hôpitaux sont surpris du grand nombre de femmes hindoues qui meurent des suites de brûlures dues à de prétendus accidents domestiques. C'est un phénomène qu'ils observent depuis longtemps. Vingt fois plus que chez les musulmanes. Tu ne trouves pas cela bizarre ? Malheureusement, c'est un crime très difficile à prouver, et les coupables restent impunis.

Le lendemain, elles se rendent dans la voiture de Bibi à l'hôpital public, un petit bâtiment délabré aux environs de Jalandar. Deux charrettes peintes en blanc avec une croix rouge sont appuyées contre le mur. Ce sont les ambulances. Les deux femmes traversent un petit bureau où une infirmière sirote son thé au milieu de montagnes de papiers attachés avec des ficelles. Certains doivent se trouver là depuis plusieurs moussons, ils sont quasi désintégrés. L'infirmière les accompagne à une autre salle, un peu plus grande, de vingt lits. Elles passent devant un vieillard prisonnier de la tête aux pieds d'une carapace de plâtre. Des blessés agrippent le sari de l'infirmière. Ça pue l'éther et le chloroforme. Dalima est allongée sur un lit métallique, au fond de la pièce, sous perfusion. La tête, le visage et une grande partie du corps sont bandés. Elle dort, ou peut-être est-elle inconsciente.

– Son corps est presque entièrement brûlé, dit l'infirmière. Nous pensions qu'elle ne s'en sortirait pas, mais petit à petit son état s'améliore. Elle souffre beaucoup.

– Je veux la faire transporter à l'hôpital de Lahore, déclare Anita.

– On ne l'admettra pas, elle est indienne.

– On se chargera de la faire admettre, répond Bibi.

L'hôpital anglais de Lahore est un bâtiment blanc, comme une grande villa coloniale. C'est l'endroit le plus proche où l'on s'occupe de cas graves. Bibi, avec toute son énergie et sa détermination, a convaincu les sœurs d'admettre Dalima. Bien que la patiente ne soit pas européenne, elle travaille chez le maharajah du Kapurthala : c'est un argument de poids.

Pendant des semaines, Anita et Bibi rendent visite à Dalima presque tous les jours. Jusqu'au matin où, enfin, elle reprend conscience. Le premier mot qu'elle prononce est le nom de sa fille.

– Ne t'inquiète pas. Dès que tu iras mieux nous irons la chercher.

Dalima pleure, maintenant, inconsolable. Ses larmes coulent sur les croûtes de son visage, défiguré à jamais. Ses brûlures couvrent soixante pour cent de son corps. Mais elle est vivante, c'est le plus important.

Petit à petit, par bribes, l'idée de Bibi se confirme : l'incendie n'était pas un accident, il a été bel et bien provoqué. Et l'histoire remonte à loin. Elle trouve son origine dans les négociations qui ont précédé le mariage de Dalima, quand son père, un brave paysan, s'engagea à offrir une dot qu'il ne put finalement honorer. Les beaux-parents et beaux-frères de Dalima la menacèrent plusieurs fois pour que le père finisse de payer la dot. Quand allaient-ils recevoir les deux vaches et les deux chèvres promises ? Et les assiettes en laiton et les cruches en cuivre ? Le mari de Dalima, poussé par sa famille, les lui réclamait souvent ; en fait, chaque fois qu'il voulait imposer sa volonté à sa femme. Au cours de discussions plus violentes, il la menaça de la répudier et de lui voler sa fille. La pauvre Dalima vivait un calvaire chez elle, c'est pourquoi elle aimait tant rester au palais. Et Anita qui ne savait rien !

– Pourquoi ne m'as-tu rien dit ? J'aurais acheté les deux vaches et les deux chèvres et ils t'auraient laissée tranquille…

– Non, madame, mon mari avait suffisamment d'argent. Sa famille aurait inventé autre chose pour se débarrasser de moi. Ils voulaient le marier à la fille d'un marwari, c'est pourquoi ils me rendaient la vie impossible, pour que je disparaisse.

Dalima était un obstacle à l'enrichissement de sa belle-famille. Le salaire qu'elle recevait d'Anita était loin de compenser ce qu'ils auraient gagné en remariant leur fils. Elle avait eu la malchance de tomber dans une famille sans scrupule. Décidée à traîner les coupables en justice, Anita en parle avec son mari pour la première fois.

– Il n'y a pas de preuves, lui répond le maharajah. D'ailleurs, il ne faut pas se mêler des affaires internes d'une communauté. Les hindous s'arrangent entre eux, ainsi que les musulmans. Chaque communauté a ses propres lois.

– Alors, à quoi sert le tribunal de Kapurthala ?

Le maharajah a instauré un système judiciaire semblable à celui de l'Inde britannique, avec deux juges formés à l'Indian Civil Service, là où se forge l'élite des fonctionnaires et des administrateurs. Le tribunal règle les conflits de dettes impayées, de limites de terrains, d'héritages, de vols, etc. Les crimes de sang sont pratiquement inconnus et le maharajah n'a jamais utilisé le droit exclusif qui lui a été conféré par les Anglais, en 1902, d'imposer la peine capitale.

– Les cas comme celui de Dalima sont jugés par les conseils des sages des villages, les *panchayats*. Et cela vaut mieux ainsi.

– Personne ne les jugera là-bas parce que la famille du mari est la plus riche du village et que tout le monde la craint.

– Pour qu'une affaire de ce genre soit admise par un tribunal, il faut que ce soit un cas clair, qu'il existe un procès-verbal de la police, des preuves… et il n'y a rien de tout cela !

– Comme dans l'affaire du juge Falstaff ! Tu parles de preuves !

L'allusion d'Anita blesse le maharajah. Il s'agit du dernier juge de Kapurthala, un Anglais du nom de Falstaff, un homme sévère qui s'est rendu célèbre à cause d'une anecdote qui eut lieu pendant le procès d'un musulman. L'accusé prétextait qu'il s'était marié à une femme sikh avec qui il avait eu plusieurs enfants. L'argument du musulman était qu'elle s'était convertie à l'islam. Pour marquer sa conversion, elle avait épilé tout son corps, ce qui est défendu chez les sikhs. L'avocat du mari apporta une preuve qu'il jugeait irréfutable et qui se trouvait dans une enveloppe qu'il posa sur la table du juge. L'enveloppe contenait les poils pubiens de la femme. « Ôtez-moi ça de là !!! » s'écria le juge, horrifié. L'anecdote servit à faire connaître le tribunal de justice de Kapurthala dans toute l'Inde. Mais elle n'amuse pas le maharajah.

– Il est indigne de ta part de ridiculiser la justice de notre État. En te moquant d'elle, tu te moques de moi.

– Excuse-moi, mon chéri. Mais cette histoire me rend folle.

– Calme-toi et oublie-la. C'est ce que tu peux faire de mieux.

Anita se tait un instant, puis revient à la charge.

– Je peux demander à Dalima de porter plainte.

– Ne le fais pas, lui dit son mari sur un ton qui n'admet pas la discussion. L'État n'a rien à y gagner. Toi non plus d'ailleurs.

– Justice sera faite !

– Anita, nous vivons dans un État où il y a trois communautés. Nous, les sikhs, nous sommes une petite minorité qui gouverne plus de la moitié de la population musulmane, en plus des hindous qui représentent un cinquième de la population totale. Notre intérêt est d'éviter les conflits et de faire régner l'harmonie. Tu comprends ? Sinon, ce serait le chaos, et nous y perdrions tous. Garder l'équilibre est bien plus important que rendre la justice dans un cas aussi confus que celui de Dalima. Donc, suis mon conseil : reprends ta femme de chambre et oublie le reste.

Il est inutile d'insister. La leçon qu'Anita tire de la discussion avec son mari est claire : la justice est un luxe à la portée de peu de gens.

Pour l'instant, l'important est de récupérer Dalima. Plus que les douleurs insupportables des plaies encore purulentes, plus que les cicatrices et les nerfs à fleur de peau, plus que la solitude de l'hôpital ou le désespoir de se savoir mutilée, l'Espagnole sait que ce qui la torture vraiment est le sort que risque sa fille, qui a un an de plus que le petit Ajit. Elle n'a même pas besoin de le lui demander, elle le sait. Immobile, le regard fixé sur les ailes du ventilateur pendu au plafond, Dalima ne pense qu'à sa petite fille. Sera-t-elle suffisamment nourrie ? Sera-t-elle bien traitée ? Et surtout… quand vais-je la revoir ? Quand pourrai-je l'embrasser ? La souffrance morale est plus difficile à supporter que la douleur physique.

Anita en a l'intuition et elle veut l'aider. Elle sait que, sans l'appui de son mari, elle n'arrivera jamais à traîner les agresseurs devant un tribunal, mais elle veut au moins leur enlever l'enfant et le rendre à sa mère. Elle doit réussir cela sans provoquer de scandale, et sans irriter le maharajah.

De nouveau, Bibi offre sa coopération. Mais comment s'y prendre ? Faut-il se présenter au village, discuter avec la famille et finir par emporter l'enfant de force ? C'est impossible.

– J'ai une idée, dit Anita. Je leur donnerai de l'argent contre la petite. N'est-ce pas de l'argent qu'ils veulent ?

– En plus de ce qu'ils ont fait, tu vas les payer ?

Bibi a raison. Ce serait le comble. Finalement, elles s'aperçoivent qu'elles n'y arriveront pas toutes seules. Elles ont besoin de se présenter avec quelqu'un qui en impose.

– Il faut leur faire peur, c'est le seul moyen pour qu'ils rendent l'enfant.

Anita réfléchit. Il y a quelqu'un qui a toujours été serviable et attentionné avec elle, quelqu'un dont les bons offices ont fait d'elle la femme du maharajah. Peut-être Inder Singh, le capitaine de la garde, l'imposant officier sikh qui se présenta un jour dans son petit appartement de Madrid, lui rendrait-il ce service.

Inder Singh travaille au palais mais habite un petit village, dans un bungalow spacieux avec sa femme, ses deux fils et ses parents. Bibi et Anita profitent d'une promenade à cheval pour lui rendre visite un après-midi. Elles le trouvent allongé sur une chaise longue, sous la véranda, sirotant un thé à la cardamome, chaussé de babouches et vêtu d'un longhi et d'une chemisette. Même en tenue décontractée, il dégage un air d'élégance cultivée. Il écoute attentivement les explications minutieuses des deux femmes. Il connaît le problème des dots dans les familles hindoues. Il est au courant des « incendies domestiques », car il est abonné à la *Civil and Military Gazette* qui en parle régulièrement. Il est prêt à intervenir. Les sikhs ne proclament-ils pas qu'il faut se battre contre la discrimination faite aux femmes ? Il est sikh pratiquant, il fait une fois par mois le tour du Temple d'Or avec sa famille. Le livre saint dit bien qu'il ne faut pas laisser échapper une occasion de faire une bonne action. Un seul doute traverse son esprit :

– Le maharajah est-il au courant ?

Anita se mord les lèvres. Elle hésite au moment de répondre, puis articule :

– Bien sûr.

Le lendemain, Anita et Bibi, escortées de quatre gardes en uniforme armés de lances et portant le fanion triangulaire du Kapurthala, et précédées d'Inder Singh qui ouvre la marche avec son air habituel de grand seigneur, arrivent à cheval au village de Dalima. Cette fois, les enfants sont stupéfaits. Que deux femmes étrangères se présentent au village, c'est déjà rare, mais qu'elles viennent avec les soldats de la garde personnelle du maharajah, c'est un événement extraordinaire. Dans la maison de l'ex-mari de Dalima, les nerfs sont à fleur de peau. « Viennent-ils nous arrêter ? » ont-ils l'air de se demander. Leurs regards craintifs confirment que le coup est réussi. C'est sans broncher qu'ils remettent la petite, sans s'opposer et sans livrer bataille, comme s'ils avaient toujours attendu ce moment. Leur tranquillité et leur impassibilité laissent perplexes les deux amies.

– Au lieu de se battre pour garder la fillette, on dirait qu'ils sont contents de s'en débarrasser, commente Anita.

– Une de moins à marier ! répond Bibi. Voilà leur raisonnement.

Deux jours plus tard, Dalima voit entrer sa fille dans la chambre de l'hôpital, suivie d'Anita. Son visage s'illumine avec son premier sourire depuis son agression. C'est le sourire de celle qui va revivre, de celle qui, après avoir touché le fond, va émerger lentement à la vie, car c'cst son devoir de mère. La roue du karma tournc pour tout le monde, inexorablement.

# 33

Anita est loin d'imaginer que Dalima va bientôt lui rendre toute l'affection et les soins qu'elle lui dispense si généreusement.

Au début, quand elle ressent les premières douleurs, Anita pense qu'elle est de nouveau enceinte. C'est une douleur saccadée et violente, qui l'épuise. Il est facile de l'attribuer aux premières chaleurs. Aux Indes, les médecins appellent la saison des moussons les « mois insalubres ». Car alors les infections se multiplient, les maux se déclenchent et les douleurs s'éveillent. Comme si la chaleur était le catalyseur de tous les ennemis du corps humain.

Le Dr Warburton a pris sa retraite et il est rentré en Angleterre ; maintenant, c'est un Français, le Dr Doré, qui est chargé de surveiller la santé de la famille royale du Kapurthala. Le médecin est sûr de son diagnostic : Anita a des kystes aux ovaires. Ce n'est pas grave, mais il préfère ne pas opérer. Avec le temps, ils se résorberont.

Des crampes au ventre, accompagnées de fièvre l'après-midi, la terrassent. Elle n'a plus ni l'envie ni la force de monter à cheval ou de jouer au tennis. Mais le pire, c'est que l'amour a cessé d'être une source de plaisir pour devenir un orgasme de douleur. Elle ne supporte plus d'être caressée à la « maison de Kama ». Au début, elle essaie de dissimuler ses gémissements qui ressemblent à ceux de l'amour, mais qui en fait correspondent à de la souffrance pure. Elle cherche du regard la montre de poche avec une chaîne en argent, qui luit toujours au milieu des vêtements de son mari jetés par terre, comme si avoir conscience du temps et de la rapidité de l'amour pouvait la soulager. Mais elle termine en nage, haletante, les entrailles à vif et retenant ses larmes. La position du lotus ou les phases de la lune, dont le maharajah raffole, deviennent pour elle des supplices. Elle n'ose avouer son mal, de crainte de perdre sa place de privilégiée auprès de son mari. Elle a peur de la chute. Alors elle devient experte dans l'art d'esquiver les rencontres intimes, d'inventer des excuses et de prendre l'initiative pour devancer son plaisir.

Un jour, la pression disparaît et il cesse de la chercher : « Il a dû remarquer quelque chose de bizarre, se dit-elle. Aurais-je cessé de lui plaire ? » C'est une crainte qui lui est familière, la même qu'elle éprouva à Paris quand le maharajah retardait son retour après l'avoir laissée un an seule là-bas. Symptôme d'une sagesse féminine ancestrale, qui craint que l'étoile ne s'éteigne quand le corps se flétrit, peur d'être une femme finie. « Le Dr Doré m'a dit que tu ne devais pas faire l'amour. » Avec cette simple phrase qu'elle aurait pu prononcer elle-même, son mari la libère de l'esclavage de la douleur.

– Seulement pendant un certain temps, le rassure Anita.

Elle compte les jours avant le déménagement annuel à Mussoorie, dans les montagnes où ils ont l'habitude de passer les quatre mois d'été au magnifique Château Kapurthala. Elle espère que le changement d'air lui fera du bien. Le voyage représente une grosse opération logistique, car le gouvernement tout entier se déplace également. C'est un déménagement comparable à celui que fait le gouvernement du Raj, une fois par an, de Delhi à Simla, mais en miniature. Le chef des majordomes veille soigneusement à l'organisation, car d'habitude il faut louer des maisons supplémentaires pour loger tant de gens. Cette année, pour la première fois, Anita doit partager le château avec les autres épouses. Même s'il y a de la place, c'est une épreuve terrifiante. Mais on prévoit une telle vague de chaleur que personne ne veut rester à Kapurthala. Les bagages occupent plusieurs wagons, on emmène aussi les meilleurs chevaux, les chiens et quelques oiseaux délicats, incapables de supporter la chaleur des plaines, tels les faisans japonais du maharajah, qui voyagent dans des cages spéciales, chacun accompagné de son gardien.

Mussoorie est une ville sans automobiles, où ne circulent que chevaux, rickshaws et piétons. Anita et le maharajah s'assoient dans leur *dandi* (chaise à porteurs) transportée par quatre domestiques en uniforme qui suivent le chemin vers la montagne. La vue magnifique des tourelles recouvertes d'ardoises qui brillent sous le soleil annonce le Château Kapurthala, le bâtiment le plus important de Mussoorie. L'air pur et les rhododendrons en fleur évoquent un éternel printemps.

Mais Anita est mélancolique. Ses douleurs constantes l'empêchent de jouir de l'atmosphère désinvolte de la ville. Elle n'est pas d'humeur à assister aux bals masqués, et, si elle accompagne son mari à un dîner ou à une réception, elle le fait pour tenir son rôle d'épouse. Mais elle n'a envie de rien. Lui est patient et compréhensif, comme d'habitude. Il ne lui a même pas reproché d'avoir récupéré la fille de Dalima, et surtout d'avoir impliqué Inder Singh en lui faisant croire qu'elle comptait sur le consentement du maharajah. En l'apprenant, il a voulu la gronder, irrité de son audace, mais, comme le mal était déjà fait, il a préféré se taire. Éviter tant que possible la confrontation directe est un trait de son caractère.

Un autre est sa soif de vie sociale. Mussoorie, en été, c'est la fête, et une atmosphère uniquement comparable à celle de Simla. Le tournoi de tennis d'été est un événement sportif de premier ordre et les promenades à cheval sont magnifiques. Les dîners fastueux permettent de rencontrer des gens nouveaux et les bals déguisés sont le théâtre idéal pour séduire ou se laisser séduire. Un arlequin et une fée, un fantôme et une sorcière à balai, un dandy et une amazone… Derrière les déguisements se cachent des officiers britanniques, des hauts fonctionnaires, des dames anglaises, des Indiens de la haute société, des maharajahs et des maharanis qui s'amusent de cette ambiance galante. Certains finissent la fête cachés dans un coin du jardin, d'autres continuent jusqu'à l'aube. Dans cette ambiance frivole et excitante, un personnage resplendissant et ami de la luxure comme le maharajah se laisse facilement tenter : « Il l'a rencontrée dans un dîner au manoir de Bhupinder Singh. Le maharajah y est venu seul car Prem Kaur, son épouse espagnole, était convalescente, raconte Jarmani Dass qui, à l'époque, était son aide de camp et qui finirait par devenir Premier ministre du Kapurthala. Elle lui plut tout de suite, il la regarda longtemps et se mit à parler avec elle. L'Anglaise était accompagnée de son fiancé ou peut-être de son mari mais, comme elle était passionnée d'équitation, le maharajah sut la distraire toute la soirée. » Il finit par lui prêter deux chevaux, un pour elle et un autre pour son mari, ce qu'elle accepta avec un grand enthousiasme. Mais, quinze jours plus tard, il envoya un domestique chercher ses chevaux et, comme il s'en doutait, l'Anglaise vint le supplier de les lui prêter à nouveau. Le maharajah posa une condition : qu'elle l'accompagne au bal masqué que donnait un de ses amis, le rajah de Pipla. Elle fut d'accord. « Ils dansèrent toute la soirée et puis, à la fin, le maharajah passa une nuit glorieuse avec elle », dit Jarmani Dass. Bien après, on sut que le maharajah lui offrit deux de ses meilleurs chevaux ainsi que des bijoux. Elle devint sa maîtresse pour plusieurs étés.

Anita est trop fatiguée pour soupçonner les idylles de son mari. Par le circuit des domestiques, la nouvelle arrive aux oreilles de Dalima, qui n'ouvre pas la bouche. Elle est dévouée au bien-être de sa patronne, qui languit et jouit à peine de la compagnie de son fils, contrairement aux autres étés. Ajit, à cinq ans, est un enfant heureux, entouré d'amis et de cousins. Il se promène en toute liberté dans les palais, et il est toujours bien reçu à la zenana quand les épouses du maharajah donnent un goûter ou organisent un anniversaire d'enfant. Qu'Harbans Kaur fasse la guerre à Anita ne veut pas dire qu'elle la fasse aussi au petit. Au contraire, elle est toujours affectueuse avec lui car, en fin de compte, c'est le fils de son maître et seigneur.

À partir de cet été 1913, à Mussoorie, Anita remarque un changement dans le comportement du maharajah. Elle s'en veut et pense que c'est dû à son pauvre état physique et émotionnel, au poids de cinq années de mariage et à la pression constante de la famille et des Anglais. Même si elle se vante de n'être pas affectée par leurs rebuffades, elle craint que cela ne se répercute sur son mari. « Il doit en avoir assez de me défendre, se dit-elle. D'avoir à se battre pour moi. » C'est ainsi qu'elle interprète le souhait du maharajah pour son prochain anniversaire. « Je préférerais que cette fois-ci tu n'assistes pas à la puja, lui demande le rajah. Pour éviter des tensions avec la famille. Cette année, en plus de Paramjit et Gita, Mahijit et sa fiancée y assisteront. »

La famille s'est liée en bloc et, cette fois, le maharajah préfère céder pour maintenir la paix.

– Dans peu de temps, tu te débarrasseras de moi comme d'une vulgaire concubine, dit Anita.

– Ne dis pas de bêtises.

Tandis que la famille est réunie avec les prêtres, l'Espagnole passe la journée d'anniversaire assise dans un coin de son jardin, écrivant dans son journal : « … Après ce qui s'est passé hier, je me sens un peu triste. »

Malgré la beauté idyllique du palais, de la biche qui se promène dans le parc, des brebis d'Abyssinie qui paissent un peu plus loin, du rire de son fils en train de jouer dans le jardin et de l'eau qui coule dans les fontaines, Anita est envahie par un sentiment de mélancolie, comme si elle devinait la fragilité et la futilité de tout ce qui l'entoure. C'est un sentiment insidieux, qui surgit alors qu'elle croit deviner des changements chez son mari. Elle le trouve de plus en plus fuyant, plus distant et les nerfs à fleur de peau. Quand ils sont ensemble, ce n'est plus l'homme calme d'autrefois, mais plutôt un lion en cage. Anita devient soupçonneuse ; que fait-il si longtemps hors du palais ? Qui va-t-il voir ? Au fond d'elle-même, elle est convaincue que son mari fréquente à nouveau des concubines.

Dans ces circonstances et sans pouvoir bouger, ni faire du sport, ni se promener, la vie à Kapurthala est assommante. Son fils n'a plus besoin d'une attention constante comme dans sa première enfance, et, bien qu'elle lui apprenne l'espagnol, il a ses propres tuteurs et une nanny anglaise pour les autres matières. Ajit n'est jamais seul, il y a toujours des enfants au palais, des fils d'anciennes concubines ou de fonctionnaires. Ensemble, ils jouent avec les chiens et la biche, s'amusent avec les perroquets de l'oisellerie : le parc est une source inépuisable de distractions. Ils connaissent le palais comme leur poche et, quand ils en ont assez d'être dehors, ils descendent au sous-sol et demandent aux employés des crayons, du papier ou des rubans… Jamais un caprice ne leur est refusé. Ils s'amusent à pénétrer dans les profondeurs du bâtiment, à découvrir les chaudières, toujours mystérieuses, les caves pleines de bouteilles de champagne, de vodka, de gin et des meilleurs vins français ; à entrer dans les lingeries, tièdes et parfumées, où les servantes classent par numéro de chambre les draps qu'elles placent ensuite dans différents placards. Lors des réceptions et des bals, ils s'échappent de leur chambre et, derrière la balustrade du Durbar Hall, espionnent leurs oncles et parents qui dansent au son de l'orchestre. Ils courent le risque de devenir affreusement capricieux, comme l'ont été les quatre fils aînés du maharajah. Un été, quand ils avaient douze ans, leur père les laissa seuls dans un palais du territoire de l'Oudh. Ils partirent à la chasse et tirèrent sur tout ce qui bougeait. Une nuit, ils donnèrent ordre aux domestiques de leur apporter des vivres et des boissons alcoolisées dans une pièce dont le sol était couvert de matelas, comme ils l'avaient vu faire à leur père. Quand une des nannies anglaises l'apprit, elle les obligea à rendre les vivres et les boissons sous la menace de tout raconter au maharajah. Les enfants, furieux, répliquèrent qu'ils la feraient renvoyer.

– Non, *darling*, vous ne pouvez pas la renvoyer, leur dit une autre nanny qui était indienne. Vos parents l'ont engagée et vous ne pouvez pas la renvoyer.

– Alors, je vais lui tirer dessus, trancha un des fils.

– Tu n'arriveras à rien en faisant cela, *darling*…, répondit l'aya pour l'apaiser.

Ainsi se comportaient les enfants des maharajahs.

Anita n'est pas disposée à ce que son fils agisse de la même façon. Mais il est difficile de l'en empêcher à cause de ses nombreux voyages. Chaque fois qu'elle revient, elle le retrouve un peu plus sauvage qu'avant. Les Indiennes, y compris Dalima, sont trop faibles et trop complaisantes avec les enfants de leurs maîtres, peut-être à cause d'un vieil atavisme, une peur héritée de la loi du karma, qui leur fait penser qu'un jour ces enfants deviendront leurs chefs et les commanderont, elles et leurs familles.

Le mariage de Mahijit à une Indienne de haute lignée n'est pas un événement aussi ostentatoire que celui de son frère aîné, mais il y a tout de même deux mille invités. Anita est de nouveau chargée de coordonner les préparatifs. Elle a retrouvé sa santé, comme l'avait prévu le Dr Doré, et elle est prête à s'occuper de tous les détails. Mais elle n'a pas le même enthousiasme que pour les noces précédentes, quand elle croyait que sa place dans la famille changerait. Maintenant, elle ne se fait plus d'illusions. Les Indes sont un monde compartimenté où chacun occupe une place bien définie. Sauf elle, qui vit dans un vide social. Elle n'attend rien de la femme de Mahijit. C'est une rajpute des montagnes, choisie par le maharajah pour son sang noble. Très timide, renfermée, elle ne parle pas anglais et sera ravie de vivre derrière les murs de la zenana et de passer son temps à jaser contre l'Espagnole. Anita ne prédit pas au couple un avenir très heureux.

Les dieux semblent être du même avis, si l'on tient compte du signe envoyé le premier jour de la célébration. Les feux d'artifice, lancés d'un endroit trop proche du camp des éléphants, causent une telle panique que les pachydermes tirent sur leurs chaînes et les brisent. La débandade provoque la mort de trois gardiens. Même si, au palais, on minimise l'accident, la panique règne dans la rue car plusieurs animaux se sont échappés. Le chef des écuries organise une battue en règle et les récupère, un à un. Mais c'est un mauvais présage pour les jeunes mariés.

Anita est responsable d'un autre incident, qui deviendra célèbre dans l'Inde entière. Son mari, toujours attentif au moindre détail, l'a priée de faire l'impossible pour satisfaire les goûts de ses invités les plus importants, en particulier le nouveau gouverneur du Penjab et sa femme lady Connemere. Cette dame a une passion pour la couleur mauve et le maharajah, par courtoisie, portera en son honneur un turban de cette couleur. Anita a refait la décoration de la suite des gouverneurs avec des dessus-de-lit dans les tons lilas, des rideaux assortis et même un papier peint anglais, le dernier cri en décoration, constellé de fleurs bleues et mauves. Elle remplit les vases de bouquets de violettes et puis elle a une idée, comble du raffinement : remplacer le papier hygiénique blanc par un couleur lavande. Comme on ne trouve pas en Inde de papier de cette couleur et qu'il est trop tard pour le commander en Angleterre, elle s'adresse à la compagnie des chemins de fer, dont les installations sophistiquées de Jalandar sont capables de faire des miracles. En effet, ils arrivent à teindre plusieurs rouleaux de papier en mauve. Anita est très contente de satisfaire la petite obsession de l'épouse du gouverneur.

Quand arrive le jour du mariage, le maharajah ouvre le bal avec lady Connemere. L'Anglaise ne tarit pas d'éloges : « Tout est merveilleux dans la suite que vous avez mise à notre disposition, Altesse, lui dit-elle. Mais il y a quelque chose d'étrange avec le papier, car j'ai tout le corps violet. »

Le maharajah rit aux larmes, après la noce, quand il raconte à Anita sa conversation avec la lady. « On ne peut pas être aussi perfectionniste », lui dit-il affectueusement.

# 34

Début 1914, Anita et son mari acceptent enfin l'invitation du nizam d'Hyderabad, le petit homme sec qui règne sur le plus vaste et le plus peuplé État des Indes. Celui-là même qui s'était épris d'Anita en faisant sa connaissance pendant la lune de miel au Cachemire. De tous les princes exotiques et singuliers, celui-ci est le plus surprenant. Musulman, érudit et pieux, descendant de Mahomet et héritier du fabuleux royaume de Golconda, il est considéré comme l'homme le plus riche du monde. Trente-huit de ses onze mille domestiques se consacrent exclusivement à enlever la poussière des candélabres. Il frappe sa propre monnaie, et sa fortune légendaire est comparable à son avarice, non moins légendaire, sa collection de bijoux est connue dans le monde entier. Il conserve des valises remplies de roupies, de dollars et de livres sterling enveloppés dans du papier journal. Une légion de rats, qui apprécie plus que tout autre aliment ces billets, déprécie sa fortune de plusieurs millions chaque année. Lorsqu'il est seul, sans invités, il s'habille avec des pyjamas misérables et des sandales achetées au bazar local et il porte toujours le même fez endurci par la sueur et la crasse. Si ses chaussettes ont un trou, il donne ordre à ses domestiques de les raccommoder.

Il aime fumer de l'opium, écrire des poésies en ourdou et, comme le maharajah du Patiala, assister à des opérations chirurgicales comme à des matchs de cricket. Il cultive également une passion pour une thérapie plus bénigne, inspirée de la Grèce antique et connue sous le nom d'*unani*, qui consiste à prendre des infusions d'herbes mélangées à des pierres précieuses moulues. Selon le nizam, une petite cuillerée de perles moulues mélangées à du miel est un remède infaillible contre l'hypertension. De ce fait, Hyderabad est devenu le seul endroit du monde qui dispose d'un hôpital gratuit spécialisé en unani.

Mais le nizam a aussi fait de son État un fleuron de l'art et de la culture. L'université Osmania a été la première aux Indes à enseigner une langue indigène et, en général, le niveau d'éducation dans l'État est bien plus élevé que dans le reste du pays. L'Hyderabad est le plus grand centre de production de littérature ourdoue et ses habitants ont développé des habitudes sophistiquées dans leur façon de s'habiller, de parler, de manger et d'écouter de la musique.

Quand Anita et le maharajah arrivent au banquet de bienvenue au palais royal à vingt heures précises, le nizam les reçoit en haut de l'escalier, flanqué de chaque côté de ses hauts fonctionnaires, selon le protocole. Le maharajah est heureux d'apercevoir, dans la foule des invités, le résident anglais, Mr. Fraser, et sa femme. Le nizam leur présente Anita comme si elle était la maharani, et l'Anglaise n'hésite pas à faire la révérence à l'Espagnole. Quel moment agréable ! Devant ce souverain, le plus puissant de tous, les Anglais se soumettent. Le nizam est peut-être le seul qui n'aurait pas besoin de la protection britannique pour gouverner. D'ailleurs, il rêve à l'indépendance de son État.

Après les présentations, le secrétaire particulier du nizam s'approche discrètement d'Anita et lui demande de bien vouloir le suivre un instant. « Quelle ne fut pas ma surprise quand il me montra une magnifique boîte à bijoux en velours bleu, qu'il me remettait de la part du nizam, en cadeau, me priant de l'accepter sans douter de ses bonnes intentions ! » raconte Anita dans son journal. Elle découvre à l'intérieur un superbe collier de perles, émeraudes et diamants. Pendant un instant, elle est assaillie par le doute. Ce geste lui rappelle les cinq mille pesetas que lui avait offertes un jour le maharajah. Sa première réaction est donc de le refuser. Mais elle change vite d'opinion : n'est-ce pas un péché de rejeter quelque chose d'aussi beau ? Elle sait pourtant que ce n'est pas dans les mœurs d'un monarque musulman de combler de prévenances l'épouse d'un autre monarque, en public et en présence du mari. Quand Anita lève la tête, elle aperçoit le maharajah qui la regarde, les sourcils froncés, comme s'il lui demandait de ne pas accepter le cadeau. Mais elle revit dans sa mémoire l'angoisse des derniers temps à Kapurthala, ses soupçons sur l'infidélité de son mari, le malaise qu'elle ressent à chacune de ses sautes d'humeur incompréhensibles, et la sensation désagréable de la fragilité de sa position. Alors elle n'y pense plus et accroche le collier autour de son cou. S'attacher aux bijoux est pour elle une manière de lutter contre une permanente sensation d'insécurité.

« Quand je retournai au salon, le nizam me reçut avec un sourire de satisfaction. » À la salle à manger, Anita a le grand honneur d'être placée à la droite du souverain. « Je veux que vous profitiez de cette fête, alors j'ai invité peu d'amis », lui dit-il en s'asseyant. Anita regarde la table où une centaine de personnes prennent place.

Le nizam est aussi fasciné par Anita que la première fois qu'il l'a vue. Il est captivé par son indépendance, par ce qu'elle lui raconte sur l'Espagne, par sa vision de l'Inde et par son charme.

– Je suis sûre que vous aimeriez l'Europe, lui dit l'Espagnole.

– J'aimerais faire le voyage, répond-il simplement. Mais il paraît que c'est très cher.

Anita ouvre de grands yeux. Elle parcourt du regard la salle à manger décorée de candélabres en cristal de Bohême, pleine de gens qui dînent dans des assiettes en or. En voyant sa surprise, le nizam lui explique :

– En tant que souverain d'Hyderabad, je dois me déplacer avec mon propre cortège.

– Mais vous pouvez certainement vous permettre de faire plusieurs fois le tour du monde.

– Oui, je peux me le permettre, dit-il en soupirant. Mais c'est cher. Mes conseillers disent que cela coûterait dix millions de livres.

Devant l'expression affligée d'Anita, le nizam éclate de rire.

– C'est beaucoup d'argent, vous ne trouvez pas ?

En se levant de table, le nizam annonce à ses invités qu'il va montrer le palais à l'Espagnole. Ils quittent la salle à manger sous le regard du maharajah qui, les sourcils froncés, lance des anneaux avec la fumée de son cigare. Anita et le nizam traversent des couloirs interminables, en silence. Ils montent et descendent des escaliers et passent sous des voûtes et des portes sculptées. « Il y avait peu de lumière et l'obscurité commençait à me faire mal aux yeux. Je frissonnais. Où m'emmenait-il ? J'étais presque inquiète. Je savais que mon mari devait être furieux de m'avoir vue partir seule avec le nizam. »

À la fin, ils arrivent à un porche qui donne sur une immense cour où l'armada d'automobiles du nizam est garée. Il y a des rangées de Rolls-Royce et des limousines splendides, en « purdah », avec leurs persiennes baissées. Anita n'a pas le temps de lui demander ce qu'il fait de toutes ces voitures qu'ils se trouvent déjà de l'autre côté de la cour, devant la porte d'une salle immense, de la taille d'une gare de chemin de fer. La vision qu'elle a sous les yeux lui fait oublier sa question. Elle reste debout, dans l'embrasure de la porte, paralysée.

Deux cents femmes la regardent. Toutes belles, avec de grands yeux noirs, des corps splendides, des peaux dorées, habillées de façon exquise de brocarts et de soies. Elles portent des bracelets en or aux bras et aux poignets et des bagues aux doigts de pied. Anita trouve que ce sont les plus jolies femmes qu'elle ait jamais vues. « Quel harem ! » se dit-elle, en faisant un pas en arrière. Elle n'ose pas entrer, comme si elle craignait d'affronter les deux cents femmes d'un même homme. Son premier réflexe est de s'éloigner de cette prison dorée. Mais le nizam lui prend le bras. « Entrez, lui dit-il. Je veux que mes femmes vous connaissent. » Il l'accompagne parmi des groupes de femmes superbes, jusqu'à la bégum Sahiba, Sa Première Altesse, un peu plus âgée que les autres. « Elle m'a reçue en souriant et a répondu très gentiment aux quelques mots que je lui ai adressés en hindoustani. Elle parut ravie de me voir en sari, que je porte quelquefois dans les soirées officielles. »

Elle pousse un soupir de soulagement quand elle quitte la salle. En revenant auprès des autres invités, Anita demande au nizam :

– Combien de femmes avez-vous ?

– Environ deux cent cinquante, je ne suis pas sûr du chiffre exact.

Devant le geste d'étonnement d'Anita, il poursuit : « Mon grand-père avait trois mille femmes. Mon père, huit cents. Vous voyez, je suis un homme modeste en comparaison. »

Ils retournent au salon où les invités assistent à un spectacle de danse. Le nizam et Anita s'approchent du maharajah, qui est nerveux et impatient.

– J'ai voulu faire un cadeau à mes femmes en leur présentant Anita, lui explique le souverain. Elles s'ennuient un peu et elles aiment à voir un visage différent, de temps à autre.

Le maharajah accepte l'explication du nizam, bien qu'il sache que l'absence de sa femme sera l'objet de toutes sortes de spéculations. En s'asseyant, Anita remarque qu'elle est le centre de tous les regards. Mais elle y est habituée et ne s'en préoccupe pas. Elle préfère profiter du spectacle. Un vieux sikh, membre de la suite de Kapurthala, est profondément déçu lorsqu'il s'aperçoit que la danseuse qui lui souriait n'est pas une fille mais un eunuque. Il a l'air étourdi par les éclats de joie des invités. Anita sort un mouchoir pour sécher ses larmes de rire.

L'atmosphère insouciante et gaie de la veillée est comme une métaphore d'une époque qui touche à sa fin. Personne parmi ceux qui sont présents ce soir-là ne peut imaginer qu'une nouvelle qu'ils sont sur le point de recevoir va bientôt changer le monde. Vers dix heures, l'orchestre se tait, les danseurs quittent l'estrade et les regards se dirigent vers la silhouette du résident anglais, Mr. Fraser. Le geste grave, il se lève pour parler à l'assistance. Il demande le silence en faisant tinter un verre en cristal avec son couteau. Les eunuques surpris et irrités regardent le sahib qui a gâché la fête.

– Un messager vient d'arriver de la Résidence avec une nouvelle très grave, annonce Fraser d'un ton inquiet. L'Angleterre, avec ses alliés la France et la

Russie, a déclaré la guerre à l'Allemagne. En cette heure solennelle, je vous conjure de collaborer à l'effort demandé par l'empire, pour défendre la civilisation contre la barbarie. Altesses, mesdames et messieurs, levons notre verre et portons un toast à Sa Majesté. Longue vie au Roi Empereur ! Vive l'Angleterre !

Le nizam demande à l'orchestre de jouer l'hymne britannique. Les nobles d'Hyderabad et les sikhs enturbannés du cortège du Kapurthala chantent à l'unisson *God Save the King*. Pendant les jours qui suivent, une même vague de solidarité va parcourir les autres palais des Indes. Défendre le Raj, c'est se défendre soi-même, pensent les princes. Car si l'empire qui les protège venait à s'écrouler… que deviendraient-ils ?

Le nizam insiste pour que le maharajah reste un jour de plus à Hyderabad. Il a organisé une partie de chasse fabuleuse, typique chez lui, qui consiste à lâcher un guépard à la poursuite d'antilopes, pendant que les invités contemplent la scène derrière des postes bien protégés. C'est la première fois que les gens du Kapurthala assistent à un spectacle pareil, mélange d'émotion, de beauté et de cruauté. Quand les invités reviennent au palais pour déjeuner, une autre spécialité d'Hyderabad les attend : un plat de riz épicé, servi sur des feuilles d'argent et d'or très fines, qui se mangent. Cette fois, Anita trouve à l'intérieur de sa serviette pliée une paire de pendentifs en rubis. « Je n'osais pas les accepter », écrit-elle dans son journal. Mais elle les met dans son sac, sans imaginer que ce n'est qu'un début. Ce qui lui arrivera l'après-midi, au moment de reprendre le train spécial du Kapurthala, elle en gardera le secret pendant des années.

« Le nizam trouva le moyen de m'envoyer une magnifique robe de femme musulmane de la part de Sa

Première Altesse, qui demandait ma présence au harem, une dernière fois. » Des ayas la conduisent au palais des femmes et, à la porte d'entrée, Anita se trouve face à face avec le nizam qui l'attendait.

– Je veux vous demander un grand service, lui dit le souverain. Je voudrais que vous posiez pour le photographe du palais, avec ce costume de musulmane. La bégum Sahiba me l'a demandé ; comme elle a beaucoup aimé vous voir en sari, maintenant elle voudrait vous voir en *sherwani*. C'est une faveur que je récompenserai largement.

« Quelle histoire ! Quel fouillis et quelle mise en scène il fallut faire pour que tout paraisse réel en si peu de temps ! écrira Anita. Et moi qui n'avais que quelques minutes car le maharajah m'attendait à la gare ! » Après la photo, lorsque Anita est sur le point de partir retrouver son mari, une aya vient la chercher :

– Le nizam veut prendre congé…

Cette fois-ci, la femme guide Anita à travers des couloirs sombres jusque dans les entrailles du palais. L'Espagnole est énervée, le jeu lui semble trop long et le nizam trop capricieux. Que veut-il à présent ? Elle sait que son mari doit être furieux de devoir l'attendre.

– Nous y sommes presque, lui dit l'aya qui devine son impatience.

Elles se trouvent dans un petit patio face à des portes blindées. Le nizam regarde Anita et lui sourit.

– Je vous ai dit que je vous récompenserais largement…, sourit-il en lui remettant un coffret de bois, vide.

Ensuite, il donne ordre d'ouvrir les portes blindées et accompagne Anita à l'intérieur d'un entrepôt faiblement éclairé. Quand les yeux d'Anita s'habituent à l'obscurité, elle voit qu'elle se trouve dans une véritable caverne d'Ali Baba. Comme au firmament, les pierres précieuses entassées dans les caisses et les barils scintillent. Il y a des tiroirs remplis de bijoux, de lingots d'or et d'argent, de pierres non taillées et d'autres polies. C'est ce qu'elle a vu de plus incroyable dans sa vie.

– Remplissez le coffre jusqu'en haut. C'est mon cadeau à la plus charmante de mes invitées.

Anita ne pense même pas à refuser. Petit à petit, hypnotisée, elle remplit le coffret de pierres précieuses. Puis le nizam l'accompagne jusqu'à une de ses automobiles aux stores vénitiens.

– Je vous dis au revoir ici, fait-il en lui touchant le front de sa main, comme font les musulmans.

– *Salam Aleikum*, lui répond Anita, faisant le même geste. Et merci !

Pendant ce temps, le maharajah s'impatiente dans son wagon privé. Il n'a pas l'habitude d'attendre et encore moins d'être humilié de cette façon. Quand Anita arrive enfin et lui raconte l'anecdote de la photographie habillée en musulmane, le maharajah se met en colère. Que son épouse reçoive des cadeaux en public, c'est déjà un affront ; mais que le nizam envoie un photographe pour la représenter habillée en musulmane, tandis que lui et son escorte attendent à la gare le départ officiel, c'est absolument intolérable[1]. Heureusement qu'Anita ne lui dit rien du coffret rempli de bijoux.

– Calme-toi. Le nizam a fait cela dans la meilleure intention.

– Tu n'aurais pas dû te prêter à son jeu.

1. Quelques mois plus tard, le nizam envoya un télégramme au maharajah en lui annonçant son intention de lui rendre la visite, mais le maharajah lui répondit qu'il était sur le point de partir pour l'Europe et qu'il ne pourrait pas le recevoir. À partir de ce moment-là, la rupture entre les deux souverains fut totale.

Anita ne veut pas discuter. Le ciel est brumeux et annonce un orage. Elle part le cœur lourd, en se souvenant des heures merveilleuses qu'elle vient de vivre, mais avec sa vanité féminine ravivée. L'homme le plus riche de la terre l'a traitée comme une reine et l'a rendue riche. Elle a éveillé la jalousie de son mari. Elle comprend qu'il soit irrité, mais elle est heureuse que le nizam l'ait mise en valeur au moment où elle en avait besoin. Elle est sûre que, grâce aux membres du cortège, son succès auprès du monarque le plus puissant des Indes sera bientôt connu au palais.

– Ne discutons pas, dit-elle à son mari. Quelle importance cela a-t-il à côté de la tragédie qui menace le monde ?

Le train avance lentement et dépasse les élégants mausolées de Malakhpet où se trouve enterré un général français qui voulut gagner les faveurs d'un ancêtre du nizam ; s'il y avait réussi, son mari serait comblé car les Indes parleraient le français. Puis, au loin, elle aperçoit les quatre minarets du Charminar avec sa fontaine et son horloge ; le bâtiment magnifique de la Résidence dans le plus pur style anglo-moghol, construit par un diplomate anglais appelé Kirkpatrick, qui tomba follement amoureux d'une nièce musulmane du Premier ministre du nizam ; et puis tous les palais fragiles au milieu de jardins silencieux où se promènent des vieillards coiffés de fez qui continuent à pleurer la perte de Grenade. Des palais qui s'égrènent comme les notes d'un ghazal, ces ballades en ourdou qui chantent des amours impossibles.

# 35

Jamais les Indes n'ont été aussi unies que pendant l'été de 1914. Comme si les vieilles tensions et les animosités s'étaient évaporées. Des représentants de chaque ethnie, religion et caste, déclarent publiquement leur loyauté au roi empereur et leur volonté de lutter contre l'Allemagne, la puissance qui menace la *Pax britannica*, donc l'ordre qui sévit aux Indes. Le maharajah est le premier à offrir au vice-roi le régiment impérial du Kapurthala, qui comprend mille six cents hommes. Il ajoute à cela un don de cent mille livres. Riches ou pauvres, bigots ou dépravés, décadents ou progressistes, les princes s'investissent dans l'effort de guerre, sans lésiner sur leur argent ni sur le sang de leur peuple. La toute petite principauté de Sangli fait un don de soixante-quinze mille roupies et investit un demi-million en bons de guerre. Nawanagar verse l'équivalent de six mois de recettes d'impôts et Rewa offre toute sa réserve de bijoux. Bhupinder Singh se met à parcourir les cinq mille kilomètres carrés de son État et arrive à réunir une troupe de seize mille soldats sikhs, très appréciés par les Anglais pour leur réputation d'excellents guerriers. Ganga Singh du Bikaner, nommé général de l'armée britannique, envoie ses chameliers à l'assaut des tranchées allemandes. La contribution du nizam d'Hyderabad est capitale. Le vice-roi le prie, en sa qualité de leader de la communauté musulmane sunnite des Indes, d'essayer de convaincre ses coreligionnaires pour qu'ils ignorent la *fatwa* – l'appel à la guerre sainte – lancée par le calife ottoman de Turquie qui s'est allié aux Allemands. Immédiatement, le nizam exige des siens qu'ils se battent aux côtés des Alliés. Grâce à cette intervention, les lanciers de Jodhpur prendront Haïfa aux Turcs, en septembre 1917. Sa vanité de souverain sera récompensée à la fin de la guerre, quand les Anglais accèdent à une de ses vieilles revendications qui le place au-dessus de tous les autres princes. Ils lui octroient le titre, unique au monde, de Son Altesse Exaltée.

En deux mois, les Indes mettent sur pied une armée d'un million de soldats.

À Kapurthala, les intrigues de palais se nourrissent également de la Grande Guerre. En apprenant qu'Anita a commencé à récolter des fonds, Gita, incitée par les épouses du maharajah, annonce son intention de faire de même. N'est-ce pas le devoir d'une future maharani de servir son État ? Bientôt, il y a deux actions concurrentes organisées dans deux palais différents. Anita, furieuse de ce qu'elle considère comme une ingérence, fait irruption dans le bureau de son mari.

– Je pars pour l'Europe.

– Qu'est-ce qu'il y a ? Tu te sens bien ?

– Non.

– Qu'est-ce qui t'arrive ?

– Gita et tes femmes organisent les mêmes actions de charité que moi… Elles vont jusqu'à choisir les mêmes dates pour des événements semblables, elles font tout ce qu'elles peuvent pour que je renonce. Eh bien, voilà, je renonce. Je rentre en Europe, ma sœur a besoin de moi.

– Halte-là ! Moi aussi j'ai besoin de toi. Kapurthala a besoin de toi.

Il y a un silence. Anita essaie de se calmer.

– Tu n'as pas besoin de moi, mon chéri. Au contraire, je suis comme une souris dans ton pyjama, comme tu dis. Les fonctionnaires anglais m'utilisent pour t'humilier et tu n'auras jamais la paix dans ta famille tant que je serai là.

– Après toutes ces années… tu ne ressens rien pour cet endroit ? Tu partirais comme ça ?

– Une partie de mon cœur est ici. Tu es ici ; mon fils aussi. Mais si je ne peux rien faire à Kapurthala, si je dois vivre pieds et poings liés, je préfère rentrer en Europe. Tu sais que ma sœur Victoria est malheureuse avec son mari et ses trois enfants. Si je ne peux pas être utile ici, laisse-moi au moins l'être là-bas, avec les miens.

– Rassure-toi, ma chérie. Plus personne ne piétinera tes plates-bandes, je te le promets. Nous irons en Europe ensemble, comme nous l'avions prévu, dans quelques mois. Nous irons en Espagne voir ta famille et, à Gibraltar, nous embarquerons pour l'Amérique. Maintenant, je te demande s'il te plaît de continuer à faire ce que tu fais si bien.

La loi ineffable du karma. Tout revient. Voilà que se présente au maharajah la possibilité de remettre Gita à sa place, de lui donner une bonne leçon ! Quand il lui a demandé de l'aide pour faire accepter Anita par la famille, elle a réagi comme une Indienne conventionnelle. Et maintenant elle voudrait se sentir libre comme une Européenne et participer à l'effort de guerre, en assumant le rôle de maharani. Sa belle-fille aime jouer sur les deux tableaux. Selon sa convenance, elle veut être traitée comme une Occidentale ou comme une Indienne. En somme, elle voudrait la meilleure part des deux mondes. D'un trait de plume vengeur, le maharajah donne des ordres stricts pour qu'elle n'exerce plus aucune activité en rapport avec les affaires de l'État. En plus, il lui interdit de s'occuper d'actions de bienfaisance ou d'aide sociale. Gita ne doit s'occuper que de ses deux filles. Elle n'est pas encore reine en ces lieux.

Devant la réaction sévère de son beau-père, Gita décide son mari à s'installer en dehors du Kapurthala. Ce qu'elle voudrait vraiment, c'est retourner en France, mais, tant qu'il y a la guerre, c'est impossible. Ils choisissent donc d'aller au Cachemire, où le climat est doux et les gens hospitaliers. Tout au moins jusqu'au départ du maharajah et d'Anita en Europe. Ils reviendront alors afin que Paramjit, pour la première fois, prenne en charge la régence en l'absence de son père.

Le terrain ainsi dégagé, Anita se lance dans une activité frénétique, organisant des garden-parties, des tombolas et des banquets de bienfaisance. Elle y réussit si bien qu'elle parvient à récolter des fonds importants. En assistant à un défilé de la force expéditionnaire, elle s'aperçoit que l'uniforme des soldats n'est pas du tout adapté à l'Europe. Là-bas, le froid hivernal, n'a rien à voir avec les températures du Penjab.

– Ces soldats ont besoin de vêtements chauds, dit-elle à son mari. Leurs uniformes sont conçus pour les Indes.

– Je suis d'accord, mais nous ne pouvons pas changer l'uniforme maintenant.

– Laisse-moi au moins leur faire faire des manteaux.

– Si tu peux t'en occuper, je paierai les frais.

Il ne l'aurait peut-être pas dit si vite s'il avait su qu'Anita transformerait les porches et les vérandas du palais en ateliers de confection et qu'on trouverait partout des ballots, des coupons de tissu, des paquets et des machines à coudre. Grâce à ses tournées dans l'État pour recruter tailleurs et couturières, l'activité du palais porte bientôt ses fruits : des gants, des chaussettes, des cache-col, des casquettes et des manteaux équipent les hommes qui partent pour le front français.

Au cours de ses expéditions et de ses promenades à cheval, elle a connu beaucoup de ces hommes et elle est malheureuse de penser qu'ils finiront en chair à canon. Elle les voit si naïfs avec leur sens de l'honneur médiéval, leurs bravades d'adolescents et leur armement dépassé. « Si je meurs, j'irai au paradis », lui dit un soldat musulman. « Notre devoir de *kashtris*[1] est de tuer l'ennemi et de devenir des héros », affirme un hindou. En les voyant si maigres, habillés d'uniformes trop grands, Anita se demande comment ils vont s'en sortir face aux canons allemands, avec sur la tête un turban au lieu d'un casque.

Malheureusement, elle voit juste. Les premières lettres qui parviennent du front sont bien différentes des fanfaronnades d'avant leur départ. Elles montrent l'effroi des soldats face à l'intensité des combats et la grande quantité des pertes causées par l'artillerie allemande. Dans les villages, dans les hameaux et dans le centre de Kapurthala, les lettres sont lues en public car, en général, les familles sont analphabètes et ont besoin de scribes ou d'employés aux écritures. C'est aussi une manière de partager les nouvelles. Les parents – en général de pauvres paysans – sont perplexes devant les lettres de leurs fils, petits-enfants ou neveux. « Le monde entier court à sa perte, dit une lettre. Celui qui pourra rentrer aux Indes aura bien de la chance. » « Ce n'est pas la guerre, dit une autre. C'est la fin du monde. » Début 1915, une terrible nouvelle se répand : pendant la bataille d'Ypres, trois cent quatorze soldats

1. Caste de guerriers.

du régiment 571 des gharwalis ont été tués, y compris tous les officiers, ce qui représente plus de la moitié des effectifs qui le composaient. Pour les pauvres Punjabis, qui ont répondu comme un seul homme à l'appel de leur roi empereur, ces nouvelles sèment tristesse et confusion.

Face à la situation, le maharajah décide de visiter le champ de bataille. Il veut être le premier à le faire, le premier prince des Indes qui salira ses bottes dans la boue des tranchées. Il faut vivre avec son peuple, et le cœur du peuple est parmi ses soldats. D'ailleurs, trois de ses fils vivent en Europe et il veut coordonner avec eux les efforts de guerre ; d'un autre côté, son plus jeune fils, Ajit, a l'âge d'entrer au collège en Angleterre. Les aristocrates indiens ont adopté l'habitude anglaise d'envoyer leurs enfants en internat dès l'âge de sept ans. Anita sait que la séparation sera dure, mais elle veut éloigner son fils de l'atmosphère oppressante de Kapurthala. Pendant que l'enfant suivra sa première année scolaire, ses parents voyageront en Amérique et, à leur retour, ils le ramèneront aux Indes pour les vacances. Anita regrettera son absence, mais elle préfère le savoir dans un bon collège anglais, où l'on inculquera un peu d'Europe dans son âme de petit Indien. Il y a aussi une autre raison, qu'Anita ne veut pas avouer à son mari. Elle est convaincue que son fils a été victime d'une tentative d'empoisonnement. Dès leur retour d'Hyderabad, il est tombé très malade et aucun médecin n'a pu établir un diagnostic clair. Il souffrait de coliques et perdait du sang. Il fallut l'emmener à l'hôpital de Lahore, dans un état très grave. Et, là, il s'est remis aussi vite qu'il était tombé malade. Un autre incident l'a complètement affolée. Elle essaie de ne pas y attacher trop d'importance, mais, chaque fois qu'elle y pense, ses cheveux se dressent sur sa tête. Un matin, en s'habillant, elle a trouvé un scorpion dans sa chaussure ; son cri a retenti dans tout le palais. Il est fort possible qu'il ait été là par hasard et, parfois, Anita veut bien le croire. Mais pas toujours. Est-elle en train de devenir folle ? En fait, elle a peur. C'est une peur qui ne l'a jamais complètement abandonnée depuis qu'elle a mis les pieds aux Indes pour la première fois. C'est la peur de l'inconnu, la peur de se savoir « mal aimée » par trop de gens, la peur qu'on ne lui fasse payer l'audace d'être la maharani de facto du Kapurthala. Même si son mari l'a appuyée devant Gita, elle sait qu'il l'a plutôt fait pour donner une leçon à sa belle-fille que pour l'aider. Au fond, elle se rend compte que, même si elle gagne bataille après bataille, les épouses du maharajah sont en train de gagner la guerre.

Malgré le manque de places et les difficultés pour voyager, le maharajah obtient des billets spéciaux pour sa famille et sa nombreuse suite – femmes de chambre, gardes du corps et domestiques – sur le SS *Caledonia* qui quitte le port de Bombay le 2 mars 1915. Bien sûr, Dalima fait partie du voyage, ainsi que le capitaine Inder Singh, ambassadeur officieux du maharajah. En haute mer, la guerre se fait sentir, car les lumières du bateau restent éteintes et on demande aux passagers d'avoir toujours leur bouée de sauvetage à portée de main. « Le temps était mauvais et on aurait dit que la mer ressentait la tragédie de l'Europe », écrira Anita. Alors qu'ils arrivent en Méditerranée, un zeppelin survole leur bateau. Les passagers craignent le pire, mais l'engin disparaît.

Marseille n'est plus comme avant. La ville est grise et terne. C'est une ville occupée par l'armée, avec des soldats qui déambulent dans les rues et des militaires d'autres pays d'Europe qui défilent au son d'airs martiaux. Les magasins sont à court de provisions, les cafés à moitié vides et on ne voit pas d'enfants dans les rues. Le bruit des camions qui transportent des troupes vers le front se mêle à celui des bottes des soldats sur les pavés et des sirènes des bateaux. « Comme elle est différente de la Marseille gaie que je connaissais si bien ! » dira Anita.

Parce qu'il est francophile et qu'il représente l'image même des Indes, le maharajah, avec l'Espagnole, est reçu sur le front de l'Ouest par le grand homme d'État et président du Conseil des ministres Georges Clemenceau, et par le maréchal Pétain. Clemenceau, surnommé le « Tigre » à cause de son talent de stratège, leur explique depuis les tranchées comment il dirige les opérations. L'impression générale, dans les premiers mois du conflit, est qu'il ne va pas durer et que la victoire est proche. Mais cette guerre est différente de toutes celles que les combattants indiens ont connues, avec ses attaques ratées, ses soldats piégés dans des barbelés ou noyés dans la boue rougie de sang, avec son artillerie lourde, ses bombardements aériens, ses gaz asphyxiants, ses rats, ses poux, ses maladies, et ses victimes civiles aussi bien que militaires. C'est comme si tout était permis, comme s'il n'existait pas de code d'honneur. Et, bien que l'armée sikh soit spécialement efficace dans le combat à cheval et au sabre et que ses hommes soient invincibles au corps à corps, ici, à quelques mètres des tranchées ennemies, ils ne voient même pas les soldats allemands, ils les devinent seulement. La campagne est parsemée d'ossements de chevaux éclatés à coups de canon, le froid trempe jusqu'aux os et une bruine constante teinte de misère l'horizon des tranchées. Mais ils le supportent stoïquement, peut-être à cause de leur foi religieuse qui met leur destin entre les mains de la providence.

La rencontre avec les soldats, dans un hôpital de campagne de la Croix-Rouge, est très émouvante. Ils se jettent aux pieds du maharajah et d'Anita et les remercient du fond du cœur d'avoir daigné descendre en enfer pour partager quelques moments avec eux. Certains ne peuvent retenir leurs larmes. Le capitaine anglais Evelyn Howell, responsable du département de la censure, est chargé de les guider pendant leur visite.

– J'ai remarqué que, chaque jour, il y a un peu plus de soldats qui écrivent de la poésie, explique-t-il, sérieusement inquiet. C'est une tendance qu'on observe également dans certains régiments anglais en première ligne de feu ; je crains que ce ne soit un signe inquiétant de trouble mental.

– Trouble mental ? Peut-être chez les Anglais. Chez nous, ce n'est que de la nostalgie, répond le maharajah d'un ton goguenard.

– Écrivent-ils de la poésie en ourdou ? demande Anita.

– En ourdou, en punjabi, en hindoustani… Lisez celle-ci, lui dit-il en lui montrant une feuille de papier en ourdou.

Anita lit : *La mort surgit comme une libellule silencieuse, comme la rosée dans la montagne, comme l'écume sur la rivière, comme la bulle dans la source…*

Ce sont des vers qui évoquent le Penjab, les champs et les rivières d'une terre lointaine qui existe dans leur mémoire. Ce n'est pas tellement la peur de la mort, ni le fait de ne pas être préparés pour livrer une guerre moderne, qui remplit d'angoisse les soldats indiens qui ne trouvent de refuge que dans la poésie, c'est bien autre chose, comme Anita va le découvrir.

– Maharani, si vous me le permettez…

Un vieux guerrier blessé à la jambe, à la barbe blanche et enturbanné, s'approche d'Anita. Pour les soldats, c'est elle leur vraie princesse, celle qui est venue les voir et les écouter, et non celles qui sont restées entre les murs de leur zenana. Pour eux, les liens du cœur sont plus importants que ceux du sang.

– Je ne veux pas mourir ici, lui dit le vieillard. Ne croyez pas que je sois un lâche, non. L'ennemi ne me fait pas peur et je ne crains pas la mort. Mais j'ai peur pour mes réincarnations. Je suis un bon sikh, memsahib, toute ma vie j'ai fait mes devoirs de sikh. Que se passera-t-il avec ma prochaine vie si, quand je meurs, on ne brûle pas mon corps et qu'on ne répand pas mes cendres ? Je ne veux pas être enterré, memsahib. Aucun des sikhs du régiment ne le veut.

– Oui, je sais… Mais ici, il n'y a pas de bûchers funéraires.

– Maharani, lui dit un autre. Je m'appelle Mohamed Khan et je suis de Jalandar. Nous aussi nous voulons mourir selon nos rites, qu'on nous enveloppe dans un linceul et qu'on nous enterre la tête orientée vers La Mecque.

Anita est bouleversée. Ces hommes, qu'elle a peut-être croisés pendant ses promenades à cheval dans la campagne, savent qu'ils vont mourir et ne se rebellent pas. Car ce n'est pas la mort qui les inquiète, mais la vie éternelle.

Alors Anita leur parle en ourdou et les hommes s'approchent. Tous veulent entendre, ne serait-ce qu'un peu, la langue des rois, qui sur les lèvres d'Anita leur rappelle un ghazal et les fait rêver de leurs champs et de leurs villages encadrés par les lointains pics de l'Himalaya.

– D'abord, je tiens à vous dire que Son Altesse a pris les dispositions nécessaires pour augmenter l'aide économique à vos familles au Penjab.

Un soupir de satisfaction se fait entendre dans la troupe.

– Nous vous annonçons également qu'un chargement d'épices est en route. Du curry, des papadums et toutes sortes de condiments punjabis pour que vous n'ayez plus besoin d'utiliser la poudre des cartouches comme assaisonnement…

Un éclat de rire se fait entendre.

– Et je vous promets, au nom de Son Altesse et en mon propre nom, que nous allons prendre les dispositions nécessaires pour vous envoyer un pandit et un mufti qui se chargeront des mourants. Vous n'avez rien à craindre pour votre vie éternelle, vous l'avez déjà gagnée.

Un tonnerre d'applaudissements salue le discours de l'Espagnole. « Cette guerre est pire qu'un massacre, écrira-t-elle dans son journal. Je voudrais que nos hommes rentrent vite chez eux. » Anita s'identifie à « ses » soldats et souffre avec eux parce qu'elle a appris à les connaître. Elle les a vus vivre, cultiver leurs champs, élever leurs enfants, fêter la fin de la mousson et le début du printemps. Elle sait combien ils sont naïfs et connaît l'intensité de leur sentiment religieux et l'importance qu'ils accordent à leur famille. Ils sont devenus les « siens ».

Anita est impatiente d'arriver à Paris pour voir sa sœur Victoria. La capitale n'est plus ce qu'elle était. Elle est toujours superbe, mais triste et solitaire. Les grandes avenues sont à moitié vides, sauf les files de gens qui essaient d'échanger leurs bons de rationnement contre des vivres. Sa sœur Victoria est à l'image de la ville : épuisée, le regard abattu. Elle est enceinte pour la quatrième fois. Son aspect est déplorable ; Anita ne pensait pas la retrouver dans cet état. Malgré leur petite différence d'âge, Victoria a l'air d'avoir dix ans de plus, alors qu'elle n'a que vingt-cinq ans. Anita s'habille en grande dame, Victoria porte une jupe sale.

Ses trois enfants courent dans le petit appartement, tandis que Carmen, la jeune servante espagnole coiffée de tresses et portant un tablier, pose des seaux dans le couloir pour collecter l'eau qui goutte du plafond. Depuis le petit salon qui ressemble à celui de l'appartement de la rue Arco de Santa María, on aperçoit les toits de Paris. Mais ici il fait froid et la maison manque de confort.

– Mon mari ne me rend pas la vie agréable, avoue Victoria, après avoir passé en revue tout ce qui est arrivé depuis la dernière fois qu'elles se sont vues. Il ne rentre jamais à la maison avant minuit et il est toujours saoul.

– Il t'a battue ?

– Une fois… Il avait bu.

– Et comment traite-t-il les enfants ?

– Bien. Je l'ai prévenu que s'il levait la main sur l'un d'eux je quittais la maison. Mais il les aime.

– Pourquoi ne reviens-tu pas à Madrid, avec nos parents ? Vous seriez mieux là-bas. J'y emmènerai les enfants pour un séjour, profites-en pour venir avec nous.

Afin d'aider sa sœur face à son accouchement imminent, Anita lui a proposé d'emmener les aînés de ses enfants en Espagne et de les laisser avec leurs grands-parents.

– Je ne peux pas, Ana. Je ne peux pas abandonner ainsi mon mari. Il faut attendre que cette sale guerre se termine. On dit que ce sera pour bientôt. Après, si les choses ne changent pas, nous verrons…

– Et pourquoi penses-tu qu'elles vont changer ? Tu crois qu'il va y avoir un miracle et que, du jour au lendemain, il deviendra un mari exemplaire ?

Victoria n'ose pas regarder Anita dans les yeux.

– C'est que… je l'aime, que veux-tu ? Malgré tout, malgré cette vie misérable. Je ne sais pas comment te l'expliquer, mais je suis sûre qu'un jour il va changer.

Anita n'insiste pas. Victoria finit par lui demander :

– Et toi ? Tu as l'air d'une vraie princesse, comme celles des contes qu'on lisait, petites. Tu es très heureuse, je suppose ?

– Quelquefois. Mais je me sens très seule. Je suis si loin, Victoria ! Et maintenant qu'Ajit entre en pension je serai encore plus isolée.

– Mais tu es toujours entourée de gens !

– Tu vois… une chose n'empêche pas l'autre.

Anita sort de son sac un petit paquet enveloppé dans du tissu et le remet à sa sœur en faisant attention que la servante ne s'en aperçoive pas.

– Garde ça au cas où il y aurait une urgence et où tu aurais besoin d'argent très vite, lui dit-elle à voix basse. Cache-le et ne dis à personne que je te l'ai donné.

Victoria sort le collier en diamants, émeraudes et perles que le nizam avait offert à sa sœur.

– Quelle merveille ! s'exclame-t-elle en l'admirant. Quand la guerre sera finie, je le mettrai pour sortir avec toi.

– C'est ça, à la fin de la guerre ! Peut-être que tout sera fini quand nous rentrerons d'Amérique.

– Que Dieu t'entende !

Anita fait ses adieux à sa sœur en la couvrant de baisers et en la serrant dans ses bras. Au fond, elle a le cœur brisé de la laisser dans cet état, à la merci de son mari. Elle essaie de se montrer gaie et rassurante mais, en sortant dans la rue, elle éclate en sanglots.

# 36

Tandis que les soldats du Kapurthala tombent comme des mouches sur le front, leur commandant suprême, le maharajah, reçoit à Paris la plus grande décoration de l'État français pour sa contribution à l'effort de guerre. La cérémonie a lieu au palais de l'Élysée, dont le nom a inspiré celui du Kapurthala. Anita et trois des fils du maharajah y assistent, en uniforme de gala : Amarjit, le militaire, capitaine de la troisième division de Lahore, qui combat en Afrique du Nord ; Mahijit, correspondant de guerre de plusieurs journaux indiens, et Karan, qui poursuit ses études à Londres. La cérémonie est sobre. Georges Clemenceau lui-même attache la décoration de chevalier de la Légion d'honneur au revers de la veste de Jagatjit Singh. Anita reçoit un diplôme de collaboratrice de la Croix-Rouge. Ce n'est pas grand-chose, mais elle en est heureuse car c'est la première fois de sa vie qu'on reconnaît son effort. Jamais aux Indes, et encore moins en Angleterre, cela ne serait arrivé.

Pour célébrer l'événement, le maharajah invite les siens au club d'un ami de la famille, un riche magnat argentin appelé Benigno Macías, un bel homme aux cheveux luisants de brillantine et à la réputation de don Juan, propriétaire de plusieurs compagnies. Si Paris est pour les pauvres une ville dure et triste, pour les riches elle continue d'être voluptueuse et amusante. Les cabarets, restaurants et salles de bal sont bondés de gens enrichis par la guerre. Anita passe une soirée inoubliable, car au club de Macías on ne danse que le tango. Dès les premiers accords de bandonéon, Karan l'invite à danser, après en avoir demandé la permission à son père, qui accepte d'un geste fatigué.

– Maintenant je sais où tu as appris à danser le tango !

– Et toi ? Ce n'est pas à Kapurthala, n'est-ce pas ? lui demande Karan en plaisantant.

– Moi ? J'ai ça dans le sang. N'oublie pas que j'ai été danseuse.

– C'est vrai. *The spanish dancer* ! se moque-t-il gentiment. Qu'est-ce qu'on a pu le lui reprocher, à mon père !

– Pour beaucoup de monde, je mourrai *spanish dancer*. Autant m'appeler fille de joie.

– Mais pour d'autres, tu es une maharani.

– Oui, pour les va-nu-pieds et ceux qui tombent au front. Bientôt, il ne restera personne pour m'appeler maharani.

– Pour moi tu l'es aussi, car tu es toujours à pied d'œuvre et tu t'occupes de tout. Ma pauvre mère n'aurait jamais été capable de faire tout ce que tu fais.

Anita lui sourit, reconnaissante de ces mots qui, venant d'un fils du rajah, acquièrent un sens particulier. Elle apprécie le comportement de Karan, d'un naturel affectueux, qui n'a pas changé depuis le jour où ils ont fait connaissance au mariage de Paramjit. Il est le seul des enfants du rajah à se conduire de la même façon, que ce soit là-bas ou ici. Les autres, y compris son mari, sont occidentaux en Occident, et indiens dans leur pays, comme s'il leur était impossible d'unifier leurs deux mondes. Dans leur tête, l'Orient et l'Occident sont comme l'eau et l'huile. Ici, à Paris, sans les préjugés de caste et de religion et sans l'influence de leurs mères et de leur entourage, ils se conduisent comme les amis qu'Anita avait un jour imaginés. Elle danse et s'amuse avec tous. Pendant quelques heures, elle arrive à oublier Victoria, la séparation imminente d'avec Ajit et même la guerre. Mais elle sait que lorsqu'elle les reverra, là-bas, à Kapurthala, ils redeviendront des étrangers, des ennemis qui ourdiront des intrigues pour la faire expulser du palais. Tous, sauf Karan. En lui, elle peut avoir confiance.

À Londres, le maharajah reçoit la grand-croix de l'empire des Indes des mains de l'empereur George V, une récompense pour son apport à l'effort de guerre, après avoir refusé de toucher la somme que la Couronne lui doit et qui représente un million de livres. Anita n'a pas le droit d'assister à la cérémonie. Elle reste dans sa suite du Savoy avec Dalima, mettant la dernière main aux préparatifs avant de laisser Ajit au pensionnat. Au dernier moment, le maharajah la fait prévenir qu'il ne pourra pas l'accompagner à la pension. Ses rendez-vous importants avec des militaires anglais l'en empêchent. Anita sait qu'il ment. Elle le connaît trop pour croire à cette excuse. Depuis trois jours qu'ils sont à Londres, le maharajah est à peine passé au Savoy. Ajit n'a pas l'air de regretter que son père ne l'accompagne pas, mais Anita se sent trompée et blessée à mort. La nuit, elle se réveille en sursaut, se dirige vers la chambre de son mari et s'arrête devant la porte. Elle craint qu'en tournant la poignée elle ne bouleverse définitivement sa vie. À moitié endormie, elle ne sait plus où se termine la réalité et où commencent ses élucubrations. Elle retrouve la même sensation qu'à Kapurthala : l'impression désagréable de ne pas avoir de contrôle sur sa propre vie, de ne pas marcher en terrain ferme et peut-être de devenir folle. Quand, finalement, elle a le courage d'ouvrir la porte, c'est pour trouver la chambre vide. Elle aurait presque préféré surprendre une femme dans le lit de son mari, pour confirmer ses soupçons. Même si la vérité lui fait peur, le doute est encore plus douloureux.

– Dalima, lui dit-elle, après l'avoir réveillée. Toi qui sais toujours tout, que fait mon mari à cette heure-ci ?

– Madame, je ne sais pas.

– Ne fais pas l'ignorante. Vous, les domestiques, vous êtes toujours au courant de tout. Dalima, avoue ce que tu sais.

– Madamc, jc…

Dalima baisse la tête. Ses brûlures ont fait de sa peau veloutée une surface rugueuse. Ses cheveux ont repoussé, mais ce ne sont plus les mêmes qu'avant, soyeux et brillants. Son regard, par contre, est toujours aussi tendre et chaleureux.

– Pense à ce que j'ai fait pour toi, Dalima. Tu crois que je n'ai pas le droit de connaître la vérité ? Je sais que tu sais quelque chose.

Dalima balbutie des mots inintelligibles. Puis elle lève son visage, comme si elle implorait qu'on termine ce supplice. Elle sait qu'elle doit tout à Anita, mais comment trahir lc maharajah ? Cela ne contribue pas à un bon karma. Mais Anita, qui cherche la vérité avec une angoisse égale à sa crainte de la trouver, ne lâche pas prise.

– D'accord, Dalima. Quand nous rentrerons au Kapurthala, je n'aurai plus besoin de tes services. Tu peux retourner dans ta chambre.

Dalima la salue en joignant les mains à hauteur de sa poitrine ; puis, avant de quitter la pièce, elle se tourne vers Anita. Peut-être pendant ces quelques secondes a-t-elle pensé à sa fille, à l'incapacité de gagner sa vie au village, à sa condition de femme défigurée et veuve. Le karma est cruel. Si Dalima a tant souffert, c'est qu'elle a fait quelque chose, dans une de ses vies précédentes, pour le mériter. C'est peut-être pour cela qu'elle s'adresse à Anita, le regard fixé au sol, comme si elle avait honte.

– J'ai entendu les domestiques de Mussoorie dire qu'il avait rencontré là-bas une memsahib anglaise…

Anita n'a pas besoin d'en savoir plus. Elle s'étend sur le lit, avec un soupir.

– Merci, Dalima, tu peux aller te coucher.

Anita n'aurait jamais imaginé que l'on puisse souffrir autant pour ce qui semble être le contraire de l'amour. Mais c'est ainsi. Allongée sur les draps et rongée de jalousie, elle sent que le monde se défait sous ses pieds.

Le lendemain, Anita, Dalima et Ajit se rendent à Harrow, l'établissement prestigieux où les trois fils aînés du rajah ont fait leurs études, dans les environs de Londres. L'enfant ne sera pas dépaysé car le collège est plein de fils de fonctionnaires anglais dont les parents travaillent à Calcutta, Delhi ou Bombay. Beaucoup sont encore traumatisés d'avoir été séparés trop jeunes de leurs familles. Le changement est brutal : ils quittent un monde riche en couleurs et en émotions pour un univers froid et sombre. Aux Indes, ils étaient des enfants gâtés ; dans l'Angleterre impériale, ils sont immergés dans un milieu où on leur inculque l'anglais à hautes doses pour leur faire oublier tout ce qui est indien. Tout à coup, ils se retrouvent dans une société où l'on ne tolère pas que les enfants fassent du bruit. Anita a de la chance car elle peut voyager quand elle en a envie, mais la plupart des mères ne voient leurs enfants qu'une fois tous les quatre ans. Ce n'est pas étonnant que nombre d'entre eux se sentent abandonnés et réagissent en détestant leurs parents et les Indes.

Anita a rencontré des hommes et des femmes qui accusent les Indes de les avoir séparés de leurs familles.

La séparation ne va durer que quelques mois, jusqu'à leur retour des États-Unis, quand ils ramèneront Ajit au Kapurthala pour les vacances, mais le moment est déchirant. Toutes les certitudes du passé tombent les unes après les autres : le bonheur de sa sœur et de ses parents, la compagnie de son fils, l'amour inconditionnel de son mari.

Mais, à les voir ensemble, personne ne pourrait le remarquer. L'arrivée à Madrid est triomphale. Ils voyagent avec une suite de trente personnes et deux cent trente malles qui contiennent, entre autres, des légumes et des épices des Indes pour assaisonner les repas du maharajah. Un essaim de journalistes et de photographes les attendent à la gare du Nord. Parmi eux, Anita reconnaît un vieux compagnon des réunions d'amis, le Chevalier Audacieux, qui les interviewe pour l'hebdomadaire *La Esfera*. « Elle est extraordinairement belle, cette princesse de légende, ainsi commence l'article. Ses dents sont comme les riches colliers de perles qui glissent sur les délicieuses rondeurs de sa poitrine, très décolletée et très blanche. Ses mains, parsemées de pierres précieuses, semblent deux pans d'hermine faits pour caresser. » Quand il demande au prince s'il est toujours très amoureux de sa femme, celui-ci lui répond :

– Oui, très. Elle remplit ma vie de bonheur. Au Kapurthala, elle est très aimée et comprise par mon peuple.

– Et dites-moi, prince… Votre Altesse a plusieurs femmes ?

– Oui, beaucoup de femmes. Mais la princesse est la princesse.

« Anita ne put réprimer un geste d'amertume », relate le Chevalier Audacieux. Dans une explosion de jalousie, elle déplora : « Oui, beaucoup de femmes. Ce sont les coutumes de là-bas. Elles l'attendent depuis huit ans qu'il ne m'a pas quittée d'une semelle. »

« Pourquoi suis-je si jalouse ? » se demande-t-elle la nuit, dans la suite du Ritz d'où l'on aperçoit le paseo du Prado et la statue de Neptune éclairée par la lune. C'est là, un peu plus loin, au fond de toutes ces rues, que tout a commencé. Quelle coïncidence de se retrouver à Madrid dans ces circonstances ! Il n'y a même pas dix ans que le maharajah l'a vue pour la première fois. Maintenant, elle écoute ses ronflements, lents et rythmés. Il dort comme un vieil éléphant indien, sans imaginer que des yeux pleins de ressentiment le regardent dans le noir. Anita, comme toujours quand elle est troublée, n'arrive pas à s'endormir. Comme si le fantôme de l'Anglaise de Mussoorie, dont elle ne connaît même pas le nom, était présent dans la chambre. Elle est déchirée par des sentiments contradictoires. A-t-elle vraiment le droit d'être jalouse ? Pourquoi est-elle jalouse d'une étrangère et ne l'a-t-elle pas été de ses épouses ni de ses concubines ? Elle a épousé un homme qui s'était marié plusieurs fois et, maintenant qu'elle connaît la culture érotique des Indes et la place de la polygamie, pourquoi est-elle si surprise de la révélation de Dalima ? Ne s'y attendait-elle pas ? Est-elle si amoureuse que le fait qu'il ait une maîtresse lui soit intolérable ? Non, ce n'est pas la raison de son trouble. Ce qui chamboule son cœur, c'est qu'elle a perdu sa condition de favorite. Elle n'a jamais pu devenir la maharani officielle du Kapurthala, mais elle était arrivée à régner sur le cœur du maharajah. Du haut de ce trône, elle était protégée des méchancetés des autres, elle était solide comme le Raj britannique et se sentait capable de tout supporter sans perdre le sourire. Mais sans ce trône… À quoi sert sa présence constante aux côtés de son époux ? Pourquoi retourner aux Indes ? Elle craint que ce ne soit qu'une question de temps avant qu'il ne la relègue au rang de ses autres épouses. Alors, que deviendra-t-elle ? Pourra-t-elle s'habituer à une vie de femme « normale », qui donne rendez-vous l'après-midi au café à ses amies ? Elle devra renoncer aux cigarettes de santal qu'on fabrique au Caire spécialement pour elle ; à être toujours entourée d'un nuage de domestiques et à être traitée comme une déesse vivante par le peuple des Indes. Il lui faudra renoncer au luxe et à l'argent. Mais ce à quoi elle ne se pense pas capable de renoncer, c'est à la garde de son fils Ajit. « De la patience, tu dois avoir de la patience », se dit-elle. En Inde, tout est fondé sur la patience et la tolérance. Se révolter ne sert à rien.

Mais une jeune Andalouse au sang chaud n'a pas de patience. C'est comme demander à un taureau de combat d'être docile et doux. Pendant l'interminable voyage en train jusqu'à Málaga, où ils vont voir ses parents pour leur laisser les enfants de Victoria, Anita, ne pouvant plus se retenir, pose ses aiguilles à tricoter et demande à son mari :

– Qui est cette Anglaise que tu as connue à Mussoorie et qui est devenue ta maîtresse ?

Le maharajah, plongé dans la lecture d'un roman qui fait fureur en Europe, *Docteur Jekyll et Mister Hyde*, lève la tête et rencontre le regard furieux d'Anita.

– De qui parles-tu ?

– Tu le sais mieux que moi.

Il se demande comment va réagir une femme aussi impétueuse que la sienne à son infidélité, avec son sens élevé de la dignité et son caractère si fort. Il finit par baisser les yeux pour dissimuler son malaise. Il n'est pas habitué à rendre des comptes ni à la confrontation. Mais il se sent traqué, et il est convaincu que sa tigresse de femme ne va pas lâcher prise avant d'avoir une explication.

– Tu sais bien que j'ai beaucoup d'amies, mais cela ne veut rien dire. Cette Anglaise est la femme d'un acteur qui gagne sa vie en montrant des films. Je les ai connus tous les deux et je leur ai prêté des chevaux, c'est tout.

Anita regarde la campagne. Ils ont quitté la plaine de Castille et traversent les champs d'oliviers d'Andalousie. Son pays à elle. Elle a un pincement au cœur. Le maharajah continue :

– Ce n'est pas parce que je suis marié avec toi que je dois renoncer à avoir des amies.

– Non, je ne prétends pas cela. Mais on raconte que tu continues à voir cette Anglaise.

– Et tu préfères croire les mauvaises langues plutôt que ton mari ?

– Mon mari disparaît et s'absente ; il n'est plus mien comme avant.

– Tu ne dois pas croire tout ce que l'on dit. Les gens qui répandent ces calomnies veulent nous faire du mal. Tu ne dois pas entrer dans ce jeu. Si j'ai été très occupé dernièrement, c'est à cause de la guerre. Mais je t'aime comme au premier jour.

Devant son explication sérieuse et convaincante, Anita pense que son esprit échauffé lui a peut-être joué un mauvais tour. Au fond, il a fait ce qu'elle attendait désespérément de lui : tout nier et rester imperturbable. Il a réagi comme le font les hommes, en récusant tout malgré l'évidence. Il lui a dit ce qu'elle voulait entendre. Cela aurait été pire s'il avait avoué, l'air contrit. La vérité peut être dévastatrice.

Málaga les reçoit avec de grands honneurs. La presse locale a toujours suivi de près l'histoire de la jeune fille de la ville devenue princesse d'un royaume oriental. La municipalité a préparé un programme au goût du maharajah, avec beaucoup de flamenco. La presse immortalisera une de ces soirées, qui a lieu au bar d'une auberge, surmontée d'une tête de taureau et décorée à l'andalouse. Là, le souverain, devant une gigantesque cruche de sangria et entouré de ses gardes sikhs enturbannés, écoute avec plaisir des chansons populaires.

Anita reste le plus longtemps possible avec ses parents. Ils ont l'air heureux de revoir leur fille et de recevoir leurs petits-enfants, tout en étant très inquiets de l'état de Victoria.

– Tu n'as pas pu la convaincre de venir avec vous ? demande doña Candelaria, le visage angoissé.

– Non, elle croit que la guerre est une question de semaines et elle ne veut pas quitter son mari.

– Tu disais toujours qu'il était un crâneur, mais tu n'y es pas. C'est un sale type, et le pire, c'est qu'elle continue à ne pas s'en rendre compte.

– L'amour est aveugle, maman.

– Toi, tu as vraiment eu de la chance. Ton prince est vraiment charmant. Même si nous ne nous voyons pas souvent, nous sommes très heureux de savoir que tu vas bien. Pourquoi partez-vous si tôt en Amérique ? Vous ne pouvez pas rester plus longtemps avec nous ?

– Nous ne pouvons pas, maman. Mais l'année prochaine je viendrai avec Ajit en vacances.

Anita ne fait pas très attention à ce que dit sa mère. Sa tête est ailleurs, et une question lui brûle les lèvres :

– Maman, l'interrompt-elle. Il est très important que tu répondes sincèrement à ma question. Quand tu t'es occupée de mon mariage avec le maharajah, est-ce qu'il t'a dit qu'il était marié, qu'il avait quatre épouses ?

Doña Candelaria est mal à l'aise, elle triture l'anse de son sac.

– Oui, il me l'a dit. Non seulement il me l'a dit, mais il a insisté pour que je t'en informe. Mais je ne l'ai pas fait. Il m'a dit qu'il n'abandonnerait jamais ses femmes parce que c'était la tradition, mais qu'il te traiterait comme une épouse européenne, que tu ne manquerais de rien et qu'il ferait tout son possible pour te rendre heureuse.

– Pourquoi ne me l'as-tu pas dit ?

– Pour ne pas t'affoler, ma fille.

Devant le regard d'Anita, qui trahit sa grande déception, doña Candelaria s'empresse de lui donner des explications :

– Ton père et moi, nous nous trouvions dans une situation désespérée et…

– Laisse, maman. Il vaut mieux que tu ne continues pas.

Anita ne veut rien entendre de plus. Elle regarde sa mère comme si elle ne la connaissait pas, comme si elle la découvrait à cet instant même. Elle ne lui en veut pas ; elle ressent tout d'un coup une énorme fatigue. Le soir, en se couchant, elle sèche ses larmes avec la taie d'oreiller. Il lui reste un arrière-goût amer dans la bouche : le goût de la solitude. Jusqu'à présent, elle croyait qu'elle ne le ressentirait qu'aux Indes et qu'il était dû à son déracinement, mais elle vient de comprendre qu'elle le porte à l'intérieur d'elle-même, comme un mal incurable.

*Cinquième partie*

# Le doux crime de l'amour

# 37

La guerre dure. Il ne s'agit pas de semaines ni de mois, comme le croyaient la sœur d'Anita et même Clemenceau, mais d'années. Ceux qui avaient prédit une victoire éclair des Alliés ont dû modérer leur élan devant l'offensive féroce des Allemands. Aux États-Unis, Anita reçoit des nouvelles très inquiétantes de Paris, avec beaucoup de retard : sa sœur a été abandonnée par son mari. L'Américain l'a laissée tomber au pire moment, quand la France vit dans la crainte de la famine et que Victoria est sur le point d'accoucher de son quatrième enfant. Qui plus est, il parti avec Carmen, la très jeune servante andalouse, qu'il a mise enceinte !

À Hollywood, Anita et le maharajah sont reçus par les grands du cinéma. Charles Chaplin les invite sur le tournage de *Charlot le Vagabond* et Griffith leur montre la reconstruction de l'ancienne Babylone qu'il a conçue pour *Intolérance*, un film où il veut dénoncer la « conduite intolérante de l'humanité ». À New York, Anita a trouvé un éditeur pour publier un livre sur ses voyages aux Indes[1]. Puis ils sont allés à Chicago où le

1. Le livre est écrit en français sous le titre *Impressions de mes voyages aux Indes* (Sturgis & Walton Co., New York, 1915).

maharajah a partagé avec Anita ses souvenirs de l'Exposition universelle de 1893. Ils ont passé plusieurs semaines très agréables, loin de l'ambiance infernale de l'Europe.

Mais, maintenant, Anita est angoissée. Comment aider sa sœur ? Ses parents ne peuvent pas faire grand-chose depuis l'Espagne. Ni Mme Dijon, la seule qui aurait pu lui venir en aide, car elle ne se trouve pas à Paris. La Française, de retour des Indes, s'est remariée à un Anglais, un directeur de collège, comme son premier mari. Anita pense interrompre son voyage et partir pour Paris, afin de retrouver sa sœur. L'idée d'en parler au maharajah l'empêche de dormir, mais, finalement, son angoisse est plus forte que ses appréhensions.

– Mon chéri, je crois que je devrais aller à Paris... Victoria a de grandes difficultés.

– Nous ne pouvons pas interrompre le voyage maintenant. Et tu ne peux pas voyager seule, c'est trop dangereux.

– S'il arrive un malheur à ma sœur, je ne me le pardonnerai jamais.

– Il ne va rien lui arriver. Nous allons essayer de lui venir en aide d'ici.

– Elle a besoin de quelqu'un qui la mette dans un train pour l'Espagne dès qu'elle aura eu son bébé.

– Écris à Karan. Il doit être encore à Paris. Il pourra lui donner un coup de main.

– Quand il recevra la lettre, la guerre sera terminée, répond Anita en haussant les épaules.

– Non, car nous allons nous servir de la valise diplomatique. On lui fera parvenir la lettre par le Foreign Office.

Ils sont à Buenos Aires quand ils reçoivent une réponse de Karan, qui n'a pas tardé à s'acquitter de sa mission. Il s'est mis en rapport avec Benigno Macías, le riche Argentin ami de la famille, qui a bien voulu apporter son aide à Victoria. « Grâce à ses contacts, il essaie de faire sortir la famille du pays. La situation à Paris est très difficile. Demain je pars pour Londres… » La réponse de Karan la soulage. Macías est un brave type, il ne la laissera pas toute seule.

Anita, rassurée, profite de ce qu'elle préfère en Argentine : le tango. En ce moment, tout le monde parle d'un jeune chanteur qui a tant de succès qu'on l'a promené sur les épaules dans les rues du quartier après son premier récital à L'Armenonville, le cabaret le plus luxueux de la ville. Comme s'il s'agissait d'un torero. Il s'appelle Carlos Gardel et sa voix transperce le cœur d'Anita :

*Les hirondelles, la fièvre aux ailes*
*Pèlerines saoules d'émotion…*

Il est de plus en plus dangereux de voyager, que ce soit par voie terrestre ou maritime. Quand le couple revient en Europe, la guerre est devenue mondiale. À Londres, le roi lance un appel aux princes des Indes pour qu'ils augmentent leur participation. L'offensive alliée en Alsace-Lorraine a été un échec. Les armées françaises se replient vers la Seine. Les difficultés d'approvisionnement des grandes villes obligent à un rationnement sévère. La situation est grave. Le maharajah réagit immédiatement en s'engageant à recruter quatre mille soldats supplémentaires pour les envoyer sur le front français, une ligne de sept cent cinquante kilomètres. Le maharajah Ganga Singh de Bikaner profite, lui, de l'occasion pour revendiquer une plus grande autonomie des États indiens, et propose qu'ils puissent désormais se gouverner eux-mêmes. La réponse britannique, contrairement à toutes les prédictions, est positive. La demande du prince est acceptée. Il faut maintenant que les maharajahs se mettent d'accord entre eux sur la façon de gouverner leurs États. Ils n'y parviendront jamais.

Après être allés chercher Ajit, qui est devenu, d'après sa mère, « un petit lord anglais », ils partent en France pour embarquer à Marseille sur le SS *Persia* à destination de Bombay. Mais, auparavant, ils s'arrêtent à Paris. La Ville lumière est devenue la ville des ténèbres. Cette fois, même les riches ne s'y amusent plus. Tout est fermé, y compris le cabaret de Benigno Macías. Avec les Allemands à moins de cent kilomètres, la ville, affaiblie par la faim et la pénurie, se débat contre la misère et la peur. Anita, le cœur serré, se rend chez sa sœur Victoria. L'immeuble a l'air abandonné. Le portail grince. À l'intérieur, on entend voler les oiseaux qui ont trouvé refuge dans la cage d'escalier. Une voix l'arrête alors qu'elle commence à gravir les marches :

– Où allez-vous ?

– Je suis la sœur de Mme Winans…

– Mme Winans n'est pas là, lui répond une femme âgée, avec des cheveux blancs en désordre, légèrement courbée. Je suis madame Dieu, la concierge. Il ne reste personne dans l'immeuble. Toutes les familles sont parties à la campagne, de peur que les boches n'entrent dans Paris. Un monsieur argentin est venu chercher votre sœur et ses enfants et les a emmenés avec lui…

– Savez-vous où ils sont allés ?

– Près d'Orléans, mais ils n'ont pas laissé d'adresse. Je crois qu'eux-mêmes ne savaient pas où ils allaient.

– Merci, dit Anita en poussant la porte de la rue, laissant la concierge qui continue de parler toute seule avant de rentrer dans sa loge : « Bientôt, je serai la seule à Paris pour recevoir les boches !… »

« Benigno Macías a été une bénédiction, se dit Anita. Mais j'aurais dû obliger ma sœur à rentrer en Espagne. » Elle est rongée par un sentiment de culpabilité. Dans les rues, on aperçoit des corbillards, des ambulances et des camions militaires et, tout à coup, Anita a le pressentiment que cette guerre finira par lui faire payer le prix fort. « Pourquoi l'ai-je abandonnée dans un pays envahi, à la merci de son bougre de mari ? » se demande-t-elle une fois encore tandis qu'elle rentre à l'hôtel où le maharajah et sa suite l'attendent pour continuer le voyage.

À Marseille, c'est le chaos. Les dernières incursions de sous-marins allemands en Méditerranée ont bouleversé la circulation maritime. Plusieurs bateaux ont retardé leur départ ; d'autres l'ont annulé. La silhouette du SS *Persia*, qui appartient à la compagnie anglaise Peninsular & Oriental, avec sa coque noire et ses deux grandes cheminées, est une vision familière pour le maharajah. La première classe de cet élégant bateau à vapeur de sept mille cinq cents tonnes est d'un luxe inouï. Pendant sa dernière traversée, en 1910, il y a rencontré les pilotes et les mécaniciens de deux avions biplans qui firent la première exhibition aérienne jamais réalisée aux Indes. Elle se déroula au bord du Gange pendant un festival religieux qui a lieu tous les douze ans. Plus d'un million de fidèles faisant leurs offrandes à la rivière sacrée furent stupéfaits de voir voler pour la première fois un objet plus lourd que l'air et qui n'était pas un oiseau. Ce fut prodigieux. La nouvelle se répandit comme une traînée de poudre jusque dans les coins les plus reculés du sous-continent.

Le jour du départ, tandis qu'il contrôle avec Inder Singh le chargement des deux cent quarante malles dans le ventre du bateau, un homme en civil qui se présente comme un agent britannique s'adresse au maharajah :

– Altesse, permettez-moi de vous informer que les services secrets de Sa Majesté ont intercepté un message codé de l'armée allemande, selon lequel le SS *Persia* serait un objectif militaire. Nous conseillons à tous les passagers ayant des passeports britanniques de ne pas embarquer sur ce bateau.

– Mais il est sur le point de lever l'ancre…

– Oui, il partira en modifiant sa route, par précaution. Il est également possible que ce soit une fausse alerte, mais mon devoir est de vous en informer. Son Altesse est libre de prendre la décision qu'elle estimera la plus convenable.

Cette nouvelle bouleverse tous les plans et sème la consternation dans l'importante suite du souverain. Que faire ? Il est prévu que sur ce bateau voyage aussi un couple ami. Ils sont anglais. Lui, aristocrate et militaire, appelé lord Montagu, va se charger d'une unité de l'armée britannique aux Indes. Connu pour sa passion des automobiles, il est directeur du magazine *The Car* et, bien qu'il soit marié, il voyage avec sa secrétaire Eleanor Velasco Thornton, d'origine espagnole, qui est aussi sa maîtresse. Sauf dans leur cercle d'amis proches, parmi lesquels ils comptent le maharajah et Anita, tous les deux gardent le secret sur leur relation, surtout dans la haute société londonienne. Eleanor est une femme intelligente et extrêmement belle. « Elle a tout pour elle », comme dirait Anita, sauf le statut social approprié pour épouser l'homme dont elle est amoureuse. Ainsi va l'Angleterre victorienne. La même Angleterre qui rejette Anita. Peut-être est-ce la raison de l'amitié des deux femmes.

Mais, sans que personne ne sache qu'il s'agit d'elle, la silhouette d'Eleanor est très populaire : elle orne les grilles des radiateurs de toutes les Rolls-Royce. L'idée vient de son amant, qui a chargé son ami le célèbre sculpteur Charles Sykes de concevoir une mascotte pour sa Silver Ghost. Sykes a utilisé Eleanor comme mannequin pour sa statuette qui montre une femme vêtue d'une robe vaporeuse flottant au vent. Le doigt posé sur ses lèvres est le symbole du secret de son amour. Il l'a appelée *Spirit of Ecstasy* – Esprit de l'Extase – et le succès a été tel que Rolls-Royce a décidé de la poser sur tous ses modèles.

Après deux heures de discussion, Inder Singh, le capitaine de la garde, propose une solution qui préserve la sécurité de Son Altesse tout en évitant de débarquer le chargement. Il se propose d'embarquer, avec la plupart des membres du cortège, sur le bateau menacé, afin de contrôler le chargement pendant que le maharajah et sa famille attendent à Marseille le départ d'un bateau hollandais, *Prinz Due Nederland*, qui lèvera l'ancre dans deux jours pour l'Égypte. De là, le SS *Medina* les mènera jusqu'à Bombay. C'est moins confortable et plus long, mais plus sûr. Lord Montagu, qui préfère ne pas se séparer de ses officiers qui voyagent à bord, embarque avec Eleanor sur le SS *Persia*.

Le maharajah, Anita, leur fils, Dalima, quelques femmes de chambre et les gardes partent deux jours plus tard. « Ce fut un voyage dangereux et fatigant, écrira Anita. Les nuits à bord étaient tristes et inquiétantes, nous étions toujours à l'affût du bruit des avions qui pouvaient nous bombarder. Le moment le plus terrible fut d'apprendre le naufrage du SS *Persia*. »

Le 30 décembre 1916, à treize heures dix, alors qu'il croise à soixante-dix milles des côtes crétoises, une torpille lancée par le sous-marin allemand U-38 le frappe de plein fouet. Le missile perce la proue, à bâbord. Cinq minutes après, la chaudière du moteur explose et le bateau coule, avec ses cinq cent un passagers. La presse mondiale se fait l'écho de cette tragédie et à Aujla, le village d'Inder Singh, au cœur du Penjab, les voisins se désolent. Les derniers bulletins de nouvelles déplorent la perte de vingt et un officiers britanniques, dont lord Montagu, ainsi que celle du consul des États-Unis à Aden, de Mme Ross, épouse du directeur du collège écossais de Bombay, et de quatre religieuses écossaises qui allaient à Karachi. Les autres resteront anonymes, sous l'appellation « des passagers de seconde et troisième classe ».

Enfermée dans la cabine qu'elle n'abandonne que pour prendre ses repas, Anita écrit son journal : « À l'angoisse d'être sans nouvelles de Victoria, s'ajoute maintenant la perte d'Inder Singh, qui a toujours été un grand seigneur, ainsi que de plusieurs de nos domestiques. Nous ne reverrons plus les Montagu, pauvre Eleanor ! Dix-huit personnes de notre connaissance ont disparu, plus nos bagages, des malles et quelques bijoux peu importants. Je pense aux lettres écrites par les premiers soldats indiens qui partirent au front et qui disaient que ce n'est pas une guerre, mais la fin du monde. Je commence à croire qu'ils avaient raison. »

Mais, au fur et à mesure qu'on apprend des détails du naufrage, leur parviennent aussi quelques nouvelles encourageantes. Dix heures après le naufrage, un cargo chinois, le *Nung Ho*, a pu repêcher une centaine de survivants. Parmi eux se trouve lord Montagu, qui refait surface avec le regard affolé de celui qui a frôlé la mort. Sa tristesse est due au fait de n'avoir pu sauver Eleanor, car ils étaient dans des endroits séparés au moment de l'explosion ; il l'attendait dans la salle à manger tandis qu'elle se préparait dans la cabine. Un autre survivant digne d'être mentionné est le capitaine du troisième bataillon des Gurkhas, E. R. Berryman, qui sera décoré pour avoir empêché de couler une passagère française tandis que le cargo s'approchait pour les repêcher. Mais la meilleure nouvelle pour le maharajah et Anita est qu'Inder Singh a survécu. Il a dérivé pendant trois jours accroché à un bout de bois et, après avoir été repêché, il a été transporté dans un hôpital de Crète où il est en train de se remettre. « J'ai prié la Vierge pour la remercier du double miracle, celui de nous avoir sauvés nous, ainsi que le cher Inder Singh », écrivit Anita.

Quelques jours plus tard, la silhouette du grand Inder Singh debout dans la Rolls-Royce décapotable du maharajah provoque une véritable commotion chez les habitants d'Aujla. L'affolement est général, nombre d'entre eux sont convaincus qu'il s'agit d'un fantôme qui revient de l'au-delà. D'autres pensent que les pouvoirs surnaturels du maharajah lui ont rendu la vie. Inder Singh, assis sous le porche de son bungalow, explique à ses voisins stupéfaits les détails de son aventure. Ils l'écoutent, émerveillés. Quand il finit son histoire, ils veulent tous lui serrer la main ou l'embrasser, pour être sûrs qu'ils ne sont pas victimes d'une hallucination. Ensuite, ils fêtent l'heureux événement d'une manière jamais vue jusqu'alors dans le petit village. « On m'a donné mon premier whisky à l'âge de onze ans, racontera le petit-fils d'Inder Singh, le jour où mon grand-père est rentré au village alors que tout le monde le croyait mort. » Pour marquer un souvenir aussi mémorable, le maharajah a pris l'habitude de se déplacer chaque année à Aujla, à la même date, pour la chasse à la perdrix.

# 38

Quand son fils Ajit retourne en Angleterre après ses vacances à Kapurthala, à l'angoisse de le voir partir seul pour la première fois s'ajoute chez Anita le poids d'une solitude plus grande encore. Pour ne pas se laisser aller, elle se dévoue aux troupes, à les habiller et à les encourager. Elle a horreur de cette guerre qui décime les plus jeunes fils des Indes dans un conflit étranger. Après ce qu'elle a vu sur le front français, elle trouve qu'il est cruel de continuer à recruter des paysans qui partent en se croyant les héros d'une épopée mythique comme celles que leurs parents leur chantaient quand ils étaient enfants. Cependant, tous les leaders indiens plaident pour le soutien à l'Angleterre, même un avocat qui vient d'arriver d'Afrique du Sud, un petit homme courageux et tenace qui vit comme un pauvre et qui défend les déshérités devant les riches. Anita a entendu parler de lui pour la première fois par l'intermédiaire de Bibi, qui l'a rencontré à Simla. Il s'appelle Mohandas Gandhi. Bien qu'il soit un fervent militant de la cause de l'indépendance, il a déclaré que les Indes ne seraient rien sans les Anglais et qu'aider l'empire équivalait à aider l'Inde. D'après lui, les Indiens ne pourront aspirer à l'indépendance ou à un gouvernement propre que si les Alliés remportent la victoire.

Cette année, Anita et le maharajah rencontrent Gandhi à l'inauguration de l'université hindoue de Bénarès, la ville sainte au bord du Gange. Mais quel échec ! Invités par le vice-roi avec la crème de l'aristocratie à trois jours des célébrations, ils sont choqués par les mots que prononce Gandhi dans l'auditorium de l'université. Des mots qui n'ont jamais été entendus aux Indes. Devant une foule d'étudiants, de notables, de maharajahs et de maharanis, tous vêtus de costumes fastueux, Gandhi fait son apparition habillé d'un pagne en coton blanc. De petite taille, avec ses bras et ses jambes trop longs, ses oreilles décollées, son nez camus au-dessus de sa moustache grise et ses lunettes à monture métallique, Anita trouve qu'il ressemble à un vieil échassier.

– L'exhibition de bijoux que vous nous offrez aujourd'hui est une fête merveilleuse pour les yeux, commence le champion de la non-violence. Mais quand je la compare au visage des millions de pauvres, j'cn déduis qu'il n'y aura pas dc salut pour l'Indc tant que vous n'ôterez pas ces bijoux et que vous ne les remettrez pas à ces pauvres…

Anita porte la main à sa poitrine pour s'assurer que son collier d'émeraudes – un de ses cadeaux de mariage – est toujours à sa place. Une partie de l'audience s'indigne. Sur fond de murmure général de désapprobation résonne la voix d'un étudiant :

– Écoutez-le ! Écoutez-le !

Mais les princes trouvent qu'ils en ont entendu suffisamment et abandonnent la salle. Anita et le maharajah, assis aux côtés du vice-roi, n'osent pas bouger. À regret, ils se voient obligés d'entendre le reste :

– Quand j'apprends que l'on construit un palais quelque part, je sais que cela se fait avec l'argent des paysans. Il ne peut y avoir d'esprit d'indépendance si on vole aux paysans le fruit de leur travail. Quel pays peut-on construire de cette façon ?

– Taisez-vous ! crie une voix.

– Notre salut viendra des paysans. Il ne viendra ni des avocats, ni des médecins, ni des riches propriétaires terriens.

– Je vous en prie, arrêtez ! supplie l'organisatrice de l'événement, l'Anglaise Annie Besant, connue pour ses idées progressistes et fondatrice de cette première université hindoue.

– Continuez ! crie-t-on ailleurs.

– Assieds-toi et tais-toi, Gandhi ! s'exclament d'autres.

La fièvre est générale. Les princes n'ont aucune raison de rester là à supporter les insultes de ce gringalet. Cette fois, tous, à commencer par le vice-roi, abandonnent la salle sous les sifflets des étudiants. C'est la première fois que quelqu'un ose dire la vérité aux princes des Indes, face à face. Gandhi n'est pas encore une figure nationale. Les centaines de millions d'Indiens ne le connaissent pas encore. Mais sa réputation grandit de jour en jour. L'Inde éternelle, qui s'est toujours inclinée devant le pouvoir et la richesse, adore également les humbles serviteurs des pauvres. Les possessions matérielles, les éléphants, les bijoux, les armées avaient gagné l'obéissance du peuple ; le sacrifice et le renoncement vont conquérir son cœur.

Après l'avoir entendu à Bénarès, Anita décrète que Gandhi est un « cinglé ». Bibi, au contraire, le voit comme le sauveur du pays, un homme qui par de simples gestes est capable de toucher l'âme de l'Inde profonde. Elle est devenue une de ses disciples. « Ceux qui veulent me suivre, dit Gandhi, doivent être prêts à coucher par terre, à porter des habits rudimentaires, à se lever avant l'aube, à vivre frugalement et à nettoyer eux-mêmes leurs toilettes. » Bibi a donc dit adieu à ses boucles sur les joues et s'est fait couper les cheveux. Puis elle a troqué ses merveilleux saris de soie pour d'autres en *khadi*, ce coton tissé à la main et filé sur quenouille. Elle a cessé de jouer au bridge et de recevoir son coiffeur suisse qui, à Simla, venait tous les jours arranger ses cheveux. Finis, les après midi passés à boire du xérès, en caressant son chien, un terrier appelé Tofa, à qui elle donnait des bouts de chocolat, suisse bien sûr. Maintenant elle est devenue végétarienne stricte et elle s'est lancée sur les routes des Indes pour suivre son leader pieds nus. On dit que, lorsqu'elle se repose, elle passe les journées assise devant la quenouille, à filer du coton, symbole d'une Inde nouvelle prête à se débarrasser du joug des Anglais et de l'élite des brahmanes hindous.

Pour sa famille, cela a représenté un grand choc. Mais pour Anita aussi c'est un coup dur. Elle se trouve encore plus isolée, privée de la seule amie sur qui elle pouvait compter. Tous les matins elle pense à Bibi quand elle part à cheval, car c'est elle qui lui a montré les chemins, les villages et les raccourcis. Grâce à elle, elle reconnaît la caste et la religion d'un homme selon la manière qu'il a d'enrouler le turban. Elle ne comprend pas les raisons qui l'ont poussée à prendre une décision si radicale, mais elle avait toujours pensé qu'il fallait s'attendre à tout de la part d'une personne aussi inquiète, sensible et extravagante que son amie. Sauf bien sûr à ce qu'elle reste docilement dans son palais à attendre la venue d'un prétendant. Ses parents, qui l'ont empêchée de retourner étudier en Angleterre parce qu'ils voulaient la marier, sont désespérés, car c'est la cause de l'indépendance que leur fille a finalement épousée.

Et Anita ? Quel avenir lui réserve cet océan de solitude qu'est devenu Kapurthala ? Restera-t-elle les bras croisés dans son palais, quand la guerre sera terminée et qu'elle n'aura plus à s'occuper d'habiller et d'encourager la troupe ? D'où tirera-t-elle des forces pour sortir de son lit tous les matins, maintenant qu'elle n'a plus ni son fils ni Bibi, avec un mari toujours plus absent, avec sa famille et les Anglais contre elle ? Peut-on vivre dans un tel vide ? Vivre dans un endroit avec pour seul espoir de le quitter ? Si elle pouvait au moins avoir un autre enfant… mais l'idée d'accoucher la terrifie et elle ne sent plus son mari aussi amoureux qu'avant. « Comment m'en sortir ? » se demande-t-elle, enfermée dans sa prison dorée, jalousée par certains, dédaignée par un grand nombre, détestée par quelques-uns.

Un matin de la fin 1917, Anita se réveille au son d'une mélodie familière. C'est strident, mal joué, probablement par un musicien de la fanfare d'État, mais cela lui rappelle quelque chose. « Qui peut avoir envie de jouer à cette heure ? » se demande-t-elle en s'étirant. En descendant l'escalier, elle se rend compte que le son ne vient pas de l'extérieur, mais d'un des salons : Karan, assis sur un canapé, essaie de jouer un tango avec son vieux bandonéon.

– Cela ne pouvait être que toi ! sourit Anita.

– Je suis comme le charmeur de serpents… je joue un tango et vous sortez du terrier.

À la demande de son père, Karan est rentré au Kapurthala afin de l'assister dans le gouvernement de l'État et l'administration des terres de l'Oudh. Pour Anita, c'est une grande nouvelle. La présence toujours aimable de Karan est un baume contre la solitude. Enfin quelqu'un à qui parler normalement ! Et ils ont beaucoup à se dire, car Karan a été un des derniers à voir Victoria.

– J'ai été faible, lui avoue Anita. Je suis restée en Argentine à écouter Carlos Gardel…

– Prodigieux, n'est-ce pas ?

– Oui, mais j'aurais dû aller aider ma sœur, même si cela ne plaisait pas à ton père.

– Tu n'es pas coupable de ce qui est arrivé à Victoria. Même si tu avais été à Paris, je ne crois pas que tu aurais pu changer les choses.

– Peut-être, mais il y a toujours un doute.

– Macías ne la laissera pas tomber.

– Que le bon Dieu t'entende !

La vie change avec la présence de Karan. L'homme est un volcan d'activité dont la vitalité se heurte à la négligence et à la lenteur des affaires telles qu'elles sont menées traditionnellement aux Indes. On entend souvent ses cris de protestation monter des bureaux du sous-sol. Comme cela est aussi arrivé au début à Bibi, il a du mal à se réajuster au mode de vie aux Indes, après un très long séjour en Angleterre. Ici, les démarches se font au rythme habituel, qui est d'une lenteur proverbiale, et cela ne sert à rien de s'agiter ; au contraire, on finit par s'exténuer et on se retrouve à la case départ, seulement un peu plus frustré. Les Indes de 1917, celles que retrouve Karan, sont encore plus pauvres qu'avant. La pénurie de denrées alimentaires et l'inflation due à l'effort de guerre contribuent au mécontentement et à l'agitation de la population.

– J'ai l'impression que notre peuple a perdu sa confiance aveugle en l'homme blanc qu'il admirait tellement, dit Karan à son père. La guerre a prouvé que les Européens sont aussi sauvages et irrationnels que les autres. Or, si le peuple a perdu sa confiance dans le

Raj, il l'a perdue dans l'ordre établi. À mon avis, les principautés indiennes sont en danger.

– Tu exagères. Les princes assumeront le pouvoir si un jour les Anglais décident de s'en aller, ce qui n'arrivera jamais.

– Je ne le crois pas, Altesse.

– Quand la guerre finira, tu verras que tout reprendra son cours comme avant, conclut le maharajah.

Dans le fond, Jagatjit Singh pense aussi que quelque chose va changer, mais il ne pense pas au peuple. Non, il pense à ceux de sa propre classe, aux princes. Tous ses efforts sont dirigés vers la préparation d'un sommet de maharajahs prévu à Patiala fin 1917, pour répondre à l'offre que le secrétaire d'État aux Indes a faite à la Chambre des députés : Londres est disposé à prendre des mesures rapides pour préparer la transition vers un gouvernement autonome. Les princes y ont vu la possibilité de rentabiliser leur contribution à la guerre. Ils s'estiment les « leaders naturels » capables de détecter par la grâce de Dieu les « pensées et les sentiments les plus profonds du peuple indien ». Par conséquent, ils demandent à être pris « plus au sérieux » en tant que politiciens et exigent une « participation bien définie dans l'administration du pays ». Mais comment mettre d'accord les membres de cette aristocratie hors du commun sur la forme que devrait prendre un gouvernement autonome ? Comment mettre d'accord plus de cinq cents princes, certains pauvres et d'autres riches, certains progressistes et d'autres féodaux, tous imbus de la croyance que leur pouvoir provient d'un ordre divin ? La tâche est impossible. Karan, qui assiste à la conférence de Patiala, se rend compte qu'ils n'arriveront pas à s'organiser. Il y a trop de rancunes, de jalousies, de tensions et de rivalités. Les plus libéraux – Baroda, Mysore et Gwalior – veulent participer à une assem-

blée de gouvernement avec le vice-roi et que les principautés soient représentées dans une chambre fédérale. Mais une grande partie des délégués trouve cette solution inacceptable et invoque toutes sortes de solutions. Karan, qui connaît bien la mentalité des rajahs, sait que leur refus s'explique par leur répugnance à partager un siège avec des membres de la Chambre, des roturiers. Ces tigres en papier sont riches d'un orgueil incom
mensurable, mais cela ne suffit pas pour gouverner un grand pays qui sera bientôt connu comme l'Inde, et non plus les Indes.

# 39

Novembre 1918. La guerre est finie. Le Kapurthala célèbre la victoire par des feux d'artifice et une magnifique réception à l'Élysée à laquelle assistent des officiers et des fonctionnaires britanniques, ainsi que les fils du maharajah. Ils sont tous revenus à la maison « après avoir rempli une importante mission pour la victoire », selon les mots de leur père.

Pour Anita, la fin de la guerre n'est pas la fin d'un cauchemar, au contraire. Elle sait que Victoria est rentrée dans son appartement de Paris. Rien de plus. Ce qui inquiète Anita, ce n'est pas que son mari, George Winans, ne donne pas signe de vie, ou qu'elle ait besoin d'argent, d'ailleurs, Macías s'est probablement assuré qu'elle ne manque de rien. Ce qui l'affole vraiment, c'est qu'une autre guerre a éclaté en Europe, plus meurtrière encore que celle qui vient de se terminer. C'est une guerre insidieuse, qui a commencé parmi les soldats espagnols qui luttaient en Afrique. L'ennemi est virulent, on le compte par billions et, pourtant, il est infiniment petit. Le virus de la « grippe espagnole », qui porte ce nom car il fut d'abord diagnostiqué en Espagne, est sur le point de provoquer une des plus grandes hécatombes de l'histoire de l'humanité. L'assassin le plus rapide qui ait jamais existé finira par tuer quarante millions de gens, presque trois fois plus que la Grande Guerre. Anita compte les jours avant de repartir en Europe. Elle accompagnera son mari qui a été invité par Clemenceau à la signature de l'armistice au palais de Versailles. Mais l'attente est interminable. Elle n'a plus rien à faire au Kapurthala, si ce n'est consoler les familles des soldats qui ne sont pas rentrés. Sa place est à Paris, auprès de sa sœur. Dont elle n'a aucune nouvelle.

Les journées qui précèdent le voyage sont turbulentes au palais de Kapurthala. Pour la première fois depuis longtemps, les enfants du prince se retrouvent ensemble. Les frictions et les bagarres sont inévitables car chacun d'eux a évolué de manière différente. Peut-être parce qu'il n'est pas l'héritier direct au trône, peut-être parce qu'il est plus ouvert et plus cultivé que ses frères, Karan est convaincu que les princes – et les Anglais – ont leurs jours comptés. Ce sujet provoque de violentes discussions familiales. Paramjit, l'aîné et l'héritier, croit que Karan est contaminé par des idées nationalistes. Il voit son frère comme un futur ennemi, un rival, un danger pour lui quand il accédera au trône. Le maharajah, qui devine le désir de Paramjit d'accaparer de plus en plus de pouvoir, l'éloigne au contraire des affaires de l'État. Il préfère que son héritier ne fasse rien avant son temps et qu'il s'amuse, dépense de l'argent, ait un fils pour assurer l'avenir de la dynastie, mais, surtout, qu'il ne l'empoisonne pas. Aux autres, il donne des tâches selon leur capacité. Il demande à Amarjit de réorganiser l'armée, à Mahijit de contrôler les travaux des égouts et l'approvisionnement d'eau de la ville et à Karan, en tant qu'ingénieur agronome, d'administrer les terres de l'Oudh et d'améliorer la productivité des campagnes du Kapurthala.

Passionné d'équitation, Karan part à cheval tous les matins. Il visite les villages, parle aux vieillards, aux paysans, prend le pouls du peuple et revient avec de nouvelles propositions pour améliorer la production. Il arrive à convaincre son père de créer la première coopérative agricole du Kapurthala et un système de crédits sans intérêts pour les paysans. Malgré la saignée de la guerre, le Kapurthala n'a pas cessé de prospérer. En vingt ans, le revenu par habitant a doublé. La ville est propre et coquette. Elle ressemble de plus en plus à son propriétaire, dont le goût pour les bâtiments inspirés d'autres cultures augmente avec le temps. Il a le projet de faire construire une mosquée ressemblant à celle de Fez, et un cinéma aux colonnes doriques dans le plus pur style grec. Avec le palais français et le parc de Shalimar – appelé ainsi en l'honneur des jardins de Lahore –, Kapurthala se transforme en un échantillonnage de styles différents, une sorte de parc thématique avant l'heure, qui exhibe des bâtiments du monde entier, mettant en évidence le cosmopolitisme de son roi.

Mais la guerre a laissé sa marque sur les routes du Penjab. Un matin, pendant une de ses promenades à cheval, son moment préféré de la journée, après avoir passé à gué une rivière, Anita est surprise par des soldats en haillons qui se jettent sur son cheval et en attrapent les rênes.

– Descendez, memsahib, descendez ! crient-ils.

Anita garde son sang-froid et leur fait face.

– Lâchez mon cheval ! hurle-t-elle en punjabi, en brandissant sa cravache.

Pour rien au monde elle ne permettrait qu'on lui vole Négus. Le fait que cette memsahib qu'ils croyaient anglaise parle si bien leur langue intimide les assaillants. Et quand, en plus, elle les menace de mettre le maharajah au courant, alors ils la laissent partir. Ils se sentaient capables de voler un cheval à une Européenne, mais pas à une des femmes du chef suprême.

Anita ne raconte à personne cet incident car elle sait que son mari lui imposerait alors une escorte et elle ne veut pas de restrictions à sa liberté. Mais elle n'est pas surprise, car la *Gazette* ne cesse d'informer du nombre de plus en plus élevé de vols et d'attaques ; selon ses statistiques, les crimes au Penjab se sont multipliés par dix depuis la fin de la guerre. Le nombre de délits était alors si insignifiant que, même décuplé, il reste dérisoire. Mais la prison est devenue trop petite et le système judiciaire est saturé des cas de ces soldats qui, revenus de la guerre, dépouillent les gens car ils n'ont rien à manger.

Malgré cet épisode, Anita continue à monter à cheval tous les jours. Pas en quête de solitude, comme autrefois, ni par besoin de faire du sport. Elle n'est pas clairement consciente de la raison qui la pousse sur les routes et, si on le lui disait, elle le nierait. Pourtant, elle monte tous les jours car, au cours de ses promenades, elle retrouve quelquefois Karan et la journée prend alors une autre tournure. Avec lui, si plein de vitalité, elle s'oublie elle-même, comme si son seul problème – celui de la solitude – s'évanouissait d'un coup. Le jeune homme lui fait découvrir un pays peuplé de paysans qui souhaitent avec ferveur sortir de la pauvreté.

– On dit toujours que les Indiens sont des fatalistes, mais ce n'est pas vrai, lui dit Karan. Si on nous donne la possibilité de nous en sortir, on ne la laisse pas passer.

Karan est le seul de la famille qui prenne plaisir à fréquenter les villageois. Une de ses extravagances, que ses frères et les membres de la cour méprisent profondément, est de passer la nuit dans la hutte d'un cultivateur. Il dit qu'on le traite comme un roi et que c'est la façon la plus rapide de voyager très loin sans parcourir beaucoup de kilomètres. Il aime parler avec eux des semences et des récoltes, du prix des engrais et des fléaux ; de la terre, qui est ce qui l'intéresse vraiment.

Son amour de la terre le rend plus direct, plus accessible et plus franc que ses frères qui n'aiment que le luxe et la pompe. La seule idée de se mélanger à ceux qui ne sont pas de leur milieu les rebute. Karan est un étranger parmi les siens. Sa sincérité et sa volonté d'introduire des idées modernes, nées de ses conversations avec ses amis anglais à Harrow ou à Cambridge, ne cadrent pas dans la société étroite du Kapurthala. Mais il est sûr de lui, bon enfant, un peu rêveur, et son sourire limpide fait soupirer Anita. Avec lui, elle s'amuse, elle vibre comme une femme qui n'a pas encore trente ans. Aux Indes, elle n'a pratiquement pas eu d'amis. Qu'elle est loin, désormais, cette sensation familière, mélange de solitude et d'ennui ! Qu'il est bon d'avoir un complice, de se comprendre sans avoir à s'expliquer, de se sentir heureuse du simple fait d'être accompagnée… Durant les mois qui précèdent son voyage en Europe, ils se voient tous les jours. Pour la première fois depuis longtemps et parce que Karan le lui a demandé, Anita va au palais des femmes rendre visite à Rani Kanari. Karan semble être le seul à se préoccuper du bien-être des autres et à deviner la solitude à laquelle sont condamnées sa mère et Anita. Comme à chaque fois, l'Espagnole quitte une Kanari titubante, le regard perdu. Il y a très longtemps que Rani Kanari a choisi la boisson comme antidote à la solitude de la zenana.

En mai 1919, le maharajah, Anita et leur suite arrivent à Paris. La ville, qui a toujours un aspect fantasmagorique, doit maintenant se défendre du virus qui attaque ses habitants avec acharnement. De la voiture à cheval qui la conduit chez sa sœur, Anita aperçoit des employés du ministère de la Santé qui passent les portes cochères avec des masques en toile blanche sur le visage. À l'entrée de l'immeuble de Victoria, un écriteau est posé : « contaminé ». Mais Anita n'y prête pas attention et file dans l'escalier. En arrivant au palier de l'appartement de sa sœur, elle découvre des scellés sur la porte d'entrée. Il n'y a personne. Le silence est terrifiant. Les oiseaux ne volent plus dans la cage d'escalier, même eux ont disparu.

Dans l'instant, qui semble durer un siècle, où elle dévale l'escalier, Anita est soudain certaine qu'elle ne reverra jamais sa sœur, qu'elle n'aura plus la consolation de ses lettres, qu'elle n'entendra plus son rire. Le cœur brisé, sans oser demander mais voulant pourtant savoir, elle sonne chez la concierge, Mme Dieu.

– Je suis la sœur de…

– Je vous reconnais, interrompt la concierge. Entrez.

Le logement est petit, modeste, sombre. Mme Dieu, plus voûtée que la dernière fois, l'invite à s'asseoir sur un canapé où somnole un chat. Alors, Anita reçoit la pire des nouvelles.

– D'abord, son troisième enfant est mort, commence tranquillement la femme. Puis ce fut le tour du bébé, peu après sa naissance. Tous les deux de la grippe espagnole. Victoria a tenu quinze jours de plus. On dit qu'elle aussi est morte à cause de la grippe, mais moi je crois que ce fut de tristesse.

Anita est bouche bée, le regard perdu, incapable d'articuler un mot.

– Depuis que son mari l'avait abandonnée, elle s'était laissée aller… Elle ne prenait pas soin d'elle. Quand elle est revenue de la campagne, à la fin de la guerre, c'était un squelette. Et puis… la grippe.

Il y a un long silence, ponctué du tic-tac de la pendule au mur.

– Cette grippe est pire que les boches, continue la femme. Moi j'ai perdu ma fille et une belle-sœur. Et les autorités ne donnent pas l'alarme, pour éviter la panique. C'est un scandale.

– Où sont-ils enterrés ?

– Madame, on enterre les morts très vite pour éviter la propagation de la maladie. On a enterré votre sœur dans les vingt-quatre heures… Elle et ses enfants sont au Père-Lachaise.

– Personne ne les a accompagnés ? demande Anita, les yeux pleins de larmes.

– Ils ne laissent venir personne, madame.

– Il n'y avait même pas un prêtre… personne ?

– Oui, madame, il y avait un prêtre, mais il meurt tellement de gens que les curés se bornent à lancer à la va-vite de l'eau bénite sur les cadavres. Ils ne veulent pas tomber malades eux aussi. Ça se comprend.

– Bien sûr…

Anita fait des efforts pour retenir ses sanglots.

– Pleurez tant que vous voudrez, rien ne soulage autant la peine que les larmes, lui dit la femme en se levant pour chercher un mouchoir.

Anita sanglote en silence.

– Maintenant, laissez-moi vous donner un conseil, madame. Quittez Paris le plus vite possible. Ici, nous sommes tous condamnés.

Anita n'a plus que la maigre consolation de savoir que le « monsieur argentin », comme la femme a désigné Benigno Macías, a rendu visite à Victoria jusqu'à la fin. Il arrivait avec des paquets de linge et de vivres. Dernièrement, il avait annoncé qu'ils partiraient bientôt en voyage, pour emmener Victoria et les petits retrouver les deux aînés en Espagne. Et puis, peu de temps avant que Victoria ne tombe malade, le monsieur argentin a cessé de venir…

Face à l'horreur de la mort, Anita se repose la même question, encore une fois. Pourquoi n'a-t-elle pas eu la force d'affronter le maharajah, d'interrompre leur voyage pour venir sauver sa sœur ? Torturée par la culpabilité, elle se sent bouillir de rage. Rage de ne pas avoir su s'imposer. Rage envers son mari qui n'a pas compris la gravité de la situation. Elle lui en veut de son égoïsme de vieillard capricieux, de sa façon d'exiger, de sa vanité de prince fantoche qui fait passer ses désirs avant tout le reste. Au lieu de reprendre la voiture qui l'attend devant la maison de Victoria, elle renvoie le cocher et se met à marcher dans les rues, en espérant que sa rage passe et qu'il ne reste que la douleur. Seule face à son destin, elle prend conscience pour la première fois du drame qu'elle a elle-même provoqué quand elle avait à peine dix-sept ans, et qui maintenant la hantera toute sa vie. Elle ne peut pas revenir dans cet état à son hôtel. Elle a besoin de se calmer, de redevenir elle-même, mais c'est impossible car il lui manque quelqu'un qui faisait tellement partie de sa vie que, sans elle, elle n'est plus la même. Elle se souvient d'une conversation avec le Dr Warburton, à Kapurthala ; le médecin lui avait raconté que les amputés ont des douleurs dans les membres qu'ils n'ont plus. C'est ainsi pour Anita sans sa sœur – elle la sent, mais elle n'est plus là.

Le bruit des camions du ministère de la Santé lui rappelle l'urgence du moment. Elle sait qu'elle aura du mal à sortir de ce bourbier de souffrance, mais elle est consciente qu'il faut quitter la ville au plus vite. La concierge a raison. Bien qu'elle soit tentée de se laisser bercer par la douleur, elle doit réagir, ne serait-ce que pour les vivants qui lui restent. Elle n'a pas pu aider Victoria, mais elle aidera au moins ses parents à porter le deuil.

Tandis qu'Anita voyage vers l'Espagne, le maharajah et sa suite arrivent à Versailles en juin 1919. Il fait partie de la délégation du gouvernement britannique qui assiste à la signature de l'armistice entre les Allemands et les Alliés. Entrer dans cet endroit qu'il a tellement admiré, et cette fois pas comme un simple visiteur mais comme un acteur de l'Histoire, le remplit de satisfaction et d'orgueil. Il partage cet honneur avec Ganga Singh, maharajah du Bikaner, et un groupe restreint de princes indiens, tous plus importants que lui. C'est à son habileté qu'il doit d'être traité comme un des grands sans en être vraiment. Il a obtenu qu'on parle autant du petit État du Kapurthala que d'autres États indiens, bien plus vastes et puissants.

La mise en scène de la cérémonie est impressionnante. Clemenceau, le héros de la France, est assis entre Wilson, président des États-Unis, et Lloyd George, Premier ministre de l'Angleterre, à une table en forme de fer à cheval située dans la galerie des Glaces, une salle de soixante-treize mètres de long par dix de large, où le Roi-Soleil, tant admiré par le maharajah, avait l'habitude de recevoir les ambassadeurs. Les invités sont assis sur des tabourets.

– Faites entrer les Allemands, prononce solennellement Clemenceau.

Silence absolu. Deux officiers de l'armée allemande, aux grosses lunettes à monture métallique, font leur entrée suivis de quelques huissiers. Personne ne se lève pour les recevoir. À une table, sous l'étendard de Louis XIV qui proclame « Le Roi gouverne par lui-même », les Allemands signent la paix dans de gros registres, suivis par les représentants des puissances alliées. La cérémonie ne dure pas longtemps. À la fin, un tonnerre de coups de canon éclate, suivi par le rugissement des moteurs d'avion qui volent en rase-mottes. Clemenceau, Wilson et Lloyd George marchent ensemble vers la terrasse où ils sont acclamés par une foule joyeuse et déchaînée. Pour la première fois depuis le début de la guerre, en 1914, les fontaines des jardins se remettent à marcher.

# 40

Pendant les fêtes de l'armistice, le maharajah est heureux de rencontrer des présidents et des hommes d'État, d'abord à Paris, puis à Londres. « La grandeur orientale et le confort américain cohabitent au Savoy, dont le maharajah occupe le dixième étage, écrit un journaliste anglais. Quand je lui pose la question sur l'essor du mouvement nationaliste en Inde, le maharajah me répond qu'il n'aime pas parler de politique. » Jagatjit Singh préfère énumérer les décorations obtenues par ses militaires, citer la promotion de son fils Amarjit au grade de capitaine et, surtout, parler de la reconnaissance extraordinaire que suppose la concession, de la part de Sa Majesté l'empereur, de deux salves supplémentaires dans le salut officiel du Kapurthala. Son État monte en grade, il passe de treize à quinze salves. Immense honneur, qui lui donne une plus grande satisfaction que s'il avait récupéré l'argent investi dans la guerre. Ces coups de canon représentent le symbole indélébile de la supériorité de son statut dans la noblesse indienne.

Pendant ce temps, Anita se trouve à Málaga, accompagnant ses parents dans leur douleur. Mais elle n'est plus la même qu'avant, quand la mort était un malheur qui n'arrivait qu'aux autres, aux sœurs des autres, aux parents des autres, aux enfants des autres. La disparition soudaine de cette illusion, unie à la douleur du deuil, à l'absence de la personne capable de soulager sa conscience, la plonge dans une profonde mélancolie. Peut-être est-ce cela la vie, un détachement continu d'avec ceux qu'on aime, jusqu'à sa propre mort. Un déchirement constant. La guerre et son cortège de morts et de destructions lui ont fait prendre conscience, pour la première fois, de la fragilité et de la brièveté de la vie. Elle n'a même pas pu remercier Benigno Macías car il est mort lui aussi, d'une infection aux jambes après avoir été écrasé par un camion militaire. L'accident – stupide comme tous les accidents – a eu lieu à deux pas de la maison de Victoria, probablement après sa dernière visite. Anita a reçu la nouvelle de Londres, par l'intermédiaire du maharajah. Désespérée, elle cherche à se consoler dans la religion. Devant un petit autel improvisé dans sa chambre, décoré d'une image de la Vierge de la Victoire, d'une photo de sa sœur et de ses neveux, d'images de gourous sikhs et d'un bouquet de bâtonnets d'encens, elle s'abandonne, priant tous les dieux en essayant de retrouver un sens à la vie. Immobile, le chapelet entre les doigts et les yeux fermés, elle s'absente en cherchant des mots de consolation parmi tous ceux qu'elle a entendus de tant de prêtres, de pandits, de mullahs et de moines.

Anita reste en Espagne le temps de s'occuper de l'avenir de ses deux neveux survivants. Elle voudrait les emmener en Inde mais comprend qu'elle ne doit pas le faire. Sa situation là-bas est suffisamment difficile sans qu'il soit besoin de la compliquer davantage. Elle les laisse donc à la charge de ses parents, en s'engageant à assumer tous leurs frais. Puis elle fuit, écrasée par la sensation d'impuissance de n'avoir pas fait le maximum pour sauver sa sœur. Elle se sent tellement responsable de la mort de Victoria qu'elle en souffre davantage en présence de ses parents et de ses neveux. Et puis le maharajah la réclame à Londres.

La première chose que fait Anita en arrivant en Angleterre est d'aller rendre visite à son fils à Harrow. Le tout jeune homme préfère jouer du saxophone et écouter du jazz qu'étudier. Il réussit de justesse ses examens et le maharajah l'a menacé de le changer de collège. Ajit s'y oppose, car il sait qu'un autre collège serait encore plus dur. Il regrette la vie facile et douce des Indes, et les hivers anglais lui paraissent interminables. Sa mère passe des heures à le rassurer et à le consoler, mais en le quittant elle a le cœur gros et a du mal à retenir ses larmes. « Quel genre de vie menons-nous, se demande-t-elle. Aucun membre de la famille n'est heureux parce que nous sommes tous séparés et trop seuls. » Comme bien des fois auparavant, elle regrette la vie simple d'une famille normale, celle qu'elle a connue enfant. Elle essaie d'imaginer quelle aurait été sa vie avec quelqu'un comme Anselmo Nieto, par exemple… Peut-être moins intéressante mais au fond plus heureuse. Comme le dit Dalima, chacun porte son karma. « Où me mènera le mien ? » s'interroge Anita qui pressent de gros nuages à l'horizon de sa vie.

À présent, elle veut rentrer au Kapurthala. Cela ne lui était jamais arrivé, et elle ne pensait pas que c'était possible. Elle a toujours eu l'impression de vivre une vie prêtée par son mari, comme si elle était la souveraine d'un vaste empire de bonheur, mais bâti par lui. Elle n'y a jamais vraiment trouvé sa place. Et cependant, maintenant, c'est là qu'elle veut aller.

C'est pendant ce séjour en Angleterre qu'Anita a commencé à s'affoler de la voracité du feu allumé dans son cœur. Elle est obsédée par Karan. Elle désire être avec lui non par goût ni par plaisir, mais par besoin. Il est devenu une drogue pour elle. L'amour qu'elle a eu pour son mari a toujours été limité par des rapports trop paternels qui ont fini par marquer une distance infranchissable. Karan, lui, est direct, et si proche qu'elle le sent même quand il n'est pas là. « Peut-être ne sais-je pas être heureuse, se dit-elle. Je refuse ce que j'ai, et je préfère ce que je n'ai pas. Est-ce du caprice ? »

Ce n'est pas du caprice, c'est de l'amour, finit-elle par s'avouer, effrayée de cette découverte, sans vouloir penser à ses conséquences. Cette force qu'elle a toujours rêvé de connaître la bouleverse maintenant et lui fait perdre la raison. « Insensée ! s'appelle-t-elle dans ses moments de lucidité. Je ne peux pas me laisser aller. Ai-je perdu la tête ? » Et puis elle s'abandonne à la rêverie et se souvient de la princesse Gobind Kaur, qui fut délivrée de l'ennui et du malheur par l'audace et l'amour du capitaine Waryam Singh. Ils avaient l'air si heureux dans leur hutte, libres des liens du monde, seuls l'un pour l'autre ! Elle se laisse bercer par la folie de croire que Karan pourrait faire la même chose pour elle, qu'il existe toujours une issue pour les gens qui s'aiment. Les livres et les chansons ne débordent-ils pas d'histoires d'amour impossibles qui triomphent finalement du malheur ?

Oui, mais dans ce cas c'est différent. Karan n'est pas un étranger, il est le fils du maharajah. Cela devrait être suffisant pour l'éloigner d'une si dangereuse tentation. Quand elle y pense, elle est convaincue que c'est une offense au Seigneur qui lui a donné la vie, et une trahison à l'égard de son époux. Pis encore, à l'égard d'Ajit. Alors, elle efface le souvenir de Karan, cet amour incestueux, impossible et voué à l'échec. Une source de malheur, de honte et d'infamie.

Mais il est difficile de contrôler les battements du cœur qui s'accélèrent au fur et à mesure que le train s'approche de Kapurthala. Elle ne veut pas penser à lui et, malgré tout, elle le reconnaît dans les traits de son père assis en face d'elle. Il n'y a pas d'échappatoire possible. Quand elle aperçoit Karan sur le quai de la gare, en tenue de gala pour recevoir le maharajah, flanqué de la garde royale, des membres du gouvernement et de l'orchestre d'État, Anita veut dissimuler son émotion, mais ses yeux s'accrochent à lui, malgré elle. En la saluant, Karan s'approche si près qu'elle perçoit son odeur. Elle répond à son salut par un sourire.

À Kapurthala, il y a une autre femme frappée par la guerre, qui vit son deuil en silence. L'amant secret de Gita, l'officier Guy de P., est mort au combat. Elle l'a appris en recevant une lettre avec une pièce de monnaie indienne à l'intérieur, un souvenir qu'elle lui avait offert à Paris. « Nous l'avons trouvée dans la poche de la chemise de Guy, tombé au champ de bataille en 1917 », dit la lettre signée par le frère de Guy. Malgré sa tristesse, Gita sait maintenant que sa décision de rentrer aux Indes et d'épouser Paramjit était la bonne. Si elle avait suivi son cœur, elle serait maintenant une veuve étrangère dans un pays dévasté.

Le cheval. Galoper dans la campagne. Se laisser envahir par une sensation enivrante de liberté. Rêver de rencontrer Karan dans un village, sur un chemin, dans une réunion de paysans, dans les écuries du palais. Et le retrouver. Sentir alors dans ses veines une flamme subtile parcourir tout son corps. Le rêve devient réalité et la vie cesse d'être une mosaïque de questions sans réponses. Plus besoin de mots. Se laisser bercer par la douce sensation de sa présence. Les jours s'emplissent ainsi de brèves moments de trésors intimes, plus précieux pour Anita que tous les bijoux du maharajah et du nizam réunis. Mais elle entre dans un tunnel sans fond, et peut-être sans issue.

– J'ai une bonne nouvelle pour toi, regarde ça, lui dit un jour le maharajah en lui remettant une lettre officielle du département des Affaires étrangères du gouvernement des Indes.

Anita l'ouvre et lit : « Reconnaissance de l'épouse espagnole de Son Altesse le Maharajah du Kapurthala. » C'est une note officielle qui dit que « Son Excellence le Vice-Roi a décidé de relâcher les restrictions appliquées à cette *particular lady*… »

– Tu as vu comment ils m'appellent… *particular lady* ?

Anita en rit et continue de lire : « … de façon qu'elle puisse être reçue par tous les fonctionnaires chaque fois qu'ils le souhaitent. »

– Je ne peux pas y croire ! Qu'est-ce qui leur est arrivé ?

– Continue, la presse le maharajah.

– « … Les restrictions sont toujours en vigueur dans le cas du vice-roi, des gouverneurs et des vice-gouverneurs. »

– Ça m'étonnait, aussi ! soupire Anita, franchement déçue. Ils m'ouvrent la porte, mais juste un petit peu.

– C'est un progrès.

– Il y a quelques années, j'aurais sauté de joie. Aujourd'hui, ça m'est égal. Quand arrive le vice-roi ?

– Le 14.

– Ne t'inquiète pas, mon chéri, je me charge de tout préparer.

« Ceux qui vous connaissent honorent chez Votre Altesse non seulement le gouverneur efficace et progressiste, mais aussi le grand sportif, l'homme cultivé, l'hôte généreux et l'ami de cœur. » Ainsi se termine le discours du vice-roi après le banquet de gala au palais de Kapurthala. Un dîner qu'Anita a organisé dans les moindres détails, mais auquel elle n'assiste pas. Son mari le lui a demandé, comme une faveur spéciale, pour ne pas troubler les relations parfaites qui règnent à l'heure actuelle entre lui et les Anglais. Et puis le vice-roi vient seul, sans sa femme, probablement pour ne pas causer de problèmes de protocole. Douze ans après son mariage, Anita dîne seule, dans sa chambre, comme une étrangère en sa propre demeure.

Peu après, la visite de Clemenceau va compenser un peu la contrariété provoquée par la réception du vice-roi. « Nous avons eu le grand plaisir de recevoir cet homme extraordinaire et sa femme dans notre palais, et de profiter de quelques semaines délicieuses avec eux, en chassant des fauves et des oiseaux », relate Anita dans son journal. Au banquet d'accueil, le héros de la France se répand en éloges sur le Kapurthala, « berceau de la civilisation en Orient comme Athènes l'a été en Occident ». Les dignitaires et le maharajah en sont gonflés d'orgueil.

Les visites, les personnages importants, la vie sociale… Petit à petit, Anita perd tout intérêt pour un monde auquel elle n'appartiendra jamais. Elle accomplit toujours son devoir d'épouse européenne qui organise tout, elle continue d'accompagner son mari dans ses voyages, mais le charme est rompu. Le cœur n'y est plus. Les relations avec le maharajah sont cordiales, mais de moins en moins intimes. Il y a longtemps qu'ils ont cessé de s'inspirer du *Kama-sutra* pour les nuits d'amour, car il n'y a plus de nuits d'amour. Anita devine qu'il a des relations avec d'autres femmes, ou d'anciennes concubines, et elle… elle rêve d'être libre comme un oiseau et passe des après-midi entiers à contempler, à travers les fenêtres de style moghol, celles qui donnent au nord, les pics enneigés de l'Himalaya. Elle est condamnée à la solitude car, de sa vie intérieure – de son amour interdit –, elle ne peut parler à personne. Elle pense que sa fidèle servante sait quelque chose, mais cela ne l'inquiète pas car Dalima est la discrétion et la loyauté incarnées. Et puis il y a Ajit. Elle a décidé qu'elle ne quittera pas le Kapurthala avant les dix-huit ans de son fils, sa majorité, au cas où les autres épouses machineraient un complot pour le déshériter ou, pis encore, pour s'en débarrasser. Les intrigues diaboliques ont toujours été à l'ordre du jour dans les cours des principautés indiennes. Anita n'a pas confiance et ne veut pas baisser la garde. Elle se rend compte qu'au fur et à mesure que sa relation avec le maharajah se refroidit Harbans Kaur gagne du terrain. En plus, les disputes chaque fois plus fréquentes entre les fils aînés rendent l'ambiance au palais irrespirable. Les discussions entre Paramjit et Karan sont si violentes qu'ils en viennent souvent aux mains et s'envoient à travers les pièces des vases japonais, des pendules suisses et des chaises Louis XVI, à la colère du maharajah, qui ne sait comment préserver la paix familiale. Ses fils, surtout ces deux-là, sont différents en tout. Ou, plutôt, aussi différents que le sont leurs mères.

Le résultat est que Karan exprime souvent son désir de quitter le palais. Alors Anita devient blême, ses yeux se brouillent et elle a du mal à articuler. Elle aussi voudrait disparaître, mais avec lui.

# 41

Les premières années de la décennie 1920-1930 seront les plus intenses de la vie d'Anita. Pas les plus heureuses, si par bonheur on entend un état durable de plaisir et de tranquillité. Au contraire, ce sont des années où la passion la dévore avec sa cohorte de sentiments troubles, tels la crainte, la honte, l'insécurité et même le désespoir. Mais elle connaît aussi de brefs instants de félicité suprême qui, d'une certaine manière, compensent tout le reste. Elle ne voit pas comment sortir du labyrinthe où elle s'est engagée, et elle se sait incapable de contrôler le flot de ses sentiments. Elle nage en eaux troubles, mais elle ne s'approche pas du bord pour finir son voyage. En est-elle incapable ? Ou bien ne le souhaite-t-elle pas ?

Elle craint de se trahir, car, chaque fois qu'elle croise Karan, elle se trouble. Elle rougit, bafouille et ses mains tremblent un peu.

– Tu te sens bien ? lui demande un jour le maharajah.

– Je suis juste un peu fatiguée. Je descendais vous dire qu'aujourd'hui je ne déjeunerais pas avec vous.

Elle préfère se terrer dans sa chambre, de peur qu'ils ne lisent les sentiments qui affleurent sur son visage. Chaque mot, chaque regard, le geste le plus banal lui semble semé de pièges qui mettront son secret à découvert. Elle vient d'apprendre que le maharajah est en train d'organiser le mariage de Karan avec la fille d'un prince sikh. Un désastre. Karan s'y oppose avec véhémence et dit qu'il se mariera à l'européenne, avec celle qu'il choisira, ou qu'il restera célibataire. Anita craint qu'il ne finisse par perdre son bras de fer contre son père et que cela n'entraîne un éloignement définitif.

Au premier étage, dans sa chambre et devant son petit autel rempli de dieux, l'Espagnole essaie de se calmer et de retrouver la raison. Comment en est-elle arrivée à se sentir tellement dépendante d'un homme qui ignore tout de ses sentiments ? Sa vie entière tourne autour de Karan. Elle calcule méthodiquement ses mouvements, ses entrées et ses sorties et tous ses déplacements pour faire coïncider les siens, ne serait-ce qu'une minute, le temps de se dire bonjour dans un couloir, de s'occuper d'invités à l'heure du thé, ou simplement de le voir passer. C'est une véritable obsession. Elle ne connaît pas de répit ; quand elle est avec le maharajah, elle reconnaît Karan dans les gestes de son mari. Ils ont le même port de tête, la même façon de parler et les mêmes yeux noirs dans lesquels Anita lit sa propre perte. Parfois, elle rêve de s'enfuir, mais elle n'est pas maîtresse de sa volonté.

Elle finit par se révolter, elle tente de déclarer la guerre à cet intrus qu'elle n'a pas le droit d'idolâtrer, elle veut l'effacer de sa mémoire et soigner la plaie secrète de son cœur. Elle est malade d'amour et ne sait comment apaiser la douleur qui déchire ses entrailles. Elle s'en prend à lui, à elle aussi, et puis elle se lasse. Quand Karan est là, elle le fuit ; et, quand il est absent, elle n'arrive pas à oublier son image. Elle rêve qu'elle lui dit : « Je t'aime », mais elle se hait de l'avoir pensé. C'est un amour malsain qui ne peut apporter que le malheur, la honte pour lui, pour son mari et pour son fils !

Dans des moments de profond désespoir, elle pense au suicide comme à la seule façon de se débarrasser de la tyrannie de ses sentiments. « Est-ce un si grand malheur que de cesser de vivre ? Les malheureux ne sont pas terrifiés par la mort. » Puis elle se reprend et repousse la tentation. « Quel terrible héritage je laisserais à Ajit ! Toute sa vie il porterait le poids du péché de sa mère. Rien n'est plus dégradant pour un homme que d'avoir honte de ses parents… »

Le plus dur, c'est de ne pouvoir partager avec personne l'insupportable poids de sa conscience qui la déborde… « Mon Dieu, je ne sais pas où je vais, je ne sais plus qui je suis ! »

Malgré ses tourments, et contre son gré, un brin d'espoir vient de se glisser dans son cœur, car elle se souvient de la façon dont Karan l'a regardée dans les yeux, et du jour où il l'a aidée à descendre de cheval, ou encore de celui où il a frôlé son cou en remettant son châle… Alors elle reprend des forces, elle oublie l'enfer et se laisse aller à rêver, comme si elle avait des ailes pour échapper à une situation impossible.

L'occasion de rompre la glace avec Karan se présente lors d'un voyage familial en Europe pour fuir la chaleur de la mousson. Le maharajah a acheté un manoir baptisé Pavillon Kapurthala, au numéro 11 de la route du Champ-d'Entraînement, près du bois de Boulogne, et il invite sa famille à l'étrenner. Paramjit reste en Inde en tant que responsable des affaires du gouvernement. Il se prépare ainsi à assumer la succession. Gita, sa femme, est enceinte pour la troisième fois. Après deux filles, ils espèrent tous qu'elle aura enfin un garçon pour assurer la continuation de la dynastie du Kapurthala.

Pendant la traversée, Karan et Anita partagent quelques moments d'intimité qui consolident leur amitié. Elle lui confie ses problèmes avec le maharajah : sa sensation d'abandon, la solitude, l'ennui, la tristesse de se sentir moins aimée, moins désirée… Karan la console et lui donne des conseils. Pendant les longs après-midi sur le pont du bateau, ils éprouvent une certaine mélancolie, un besoin de se raconter des choses difficiles à dire. Ils ressentent la même émotion que les enfants qui parlent à voix basse de sujets interdits. Allongés sur des chaises longues, ils jouissent de l'instant, comme des camarades qui se rappellent leurs premières aventures. Anita lui parle du collège de Málaga, d'Anselmo Nieto, son premier et seul prétendant, elle lui raconte comment le maharajah est tombé amoureux d'elle, sa première nuit d'amour après le dîner chez Maxim's… Karan lui raconte les concubines qui venaient au palais l'initier dans l'art du sexe, son manque d'intérêt pour les femmes indiennes et il lui avoue qu'il a eu une histoire d'amour avec une Anglaise quand il étudiait à Londres.

– Je n'aime que les Européennes.

– Tel père, tel fils, répond-elle en riant.

Leurs confidences et leurs bavardages séduisent Karan qui l'observe avec plus d'insistance, comme si on pouvait deviner ses sentiments sur le visage d'Anita. Elle se laisse regarder, le sourire aux lèvres, sans bouger, le regard perdu.

L'inévitable a lieu à Paris, à la première occasion où ils se retrouvent seuls. Comme tous les soirs, le maharajah sort dîner, cette fois chez son amie la princesse de Chimay. Anita n'a pas voulu l'accompagner, prétextant une forte migraine. En fait, elle a besoin d'être seule, car elle est un peu étourdie par tant de vie sociale. Karan a quitté Paris il y a deux jours, invité à une partie de chasse à Fontainebleau.

C'est la nuit. Les domestiques se sont retirés ; on n'entend que le passage d'un omnibus à cheval, l'aboiement d'un chien au loin, et le bruit du vent dans le feuillage des arbres du Bois. Allongée sur un canapé, avec une couverture, Anita est hypnotisée par le feu de cheminée. C'est le mois de juin mais il fait froid, comme si l'automne s'était glissé aux portes de l'été. Les flammes illuminent l'immense salon qu'elle a elle-même décoré avec soin. Elle prend plaisir à admirer son travail : les médaillons dorés luisant sur les murs comme des écussons, les rosaces du plafond encadrées de guirlandes, les fleurs pourpres du tapis d'Aubusson qui recouvre le parquet et qui donne à l'ensemble une touche de confort et de volupté… La commode recouverte de soie rouge de Damas assortie aux rideaux, la grande pendule au mur, les vases chinois posés sur les consoles, les pieds des deux tables en mosaïque de Florence et même les jardinières placées dans les renfoncements des fenêtres évoquent l'opulence et le goût de l'époque. Trois lustres en cristal pendent du plafond et projettent les reflets bleu et rose du feu de la cheminée aux quatre coins du salon. Anita s'assoupit au milieu de ce spectacle de luxe et de magie conçu par elle.

Tout à coup, elle entend du bruit. Elle pense d'abord que son mari est rentré, mais elle s'étonne qu'il soit si tôt. Puis, en entendant des pas, elle s'affole et se lève, décoiffée et le regard inquiet. La silhouette de Karan, éclairée par la lueur des flammes et par la lumière de la lune, se découpe dans l'obscurité.

– J'ai décidé de rentrer un jour plus tôt… Quel sale temps !

– J'étais en train de m'endormir.

– Excuse-moi si je t'ai fait peur.

Il n'y a pas d'autres mots. Quand Anita passe devant Karan pour aller vers l'escalier et monter dans sa chambre, il lui prend la main avec fermeté. Elle essaie de se libérer. Tous les deux se regardent comme s'ils ne se connaissaient pas ; un sourire forcé et un regard qui veut dissimuler la honte se dessinent sur leurs visages. Alors Karan la prend par la taille et l'embrasse. Anita résiste puis s'abandonne.

– Laisse-moi, je t'en prie, murmure-t-elle.

Dans le grand silence de la demeure, elle sent le sol trembler sous ses pieds au passage de l'omnibus qui circule dans l'avenue Foch tandis que sa bouche se joint à celle de Karan, dans le premier baiser d'amour de sa vie.

Quand ils se séparent, ils restent un moment en silence, unis par un profond malaise, tentant de mesurer l'immensité du crime qu'ils viennent de commettre.

– Ce que nous faisons est infâme, dit Anita d'une voix basse et grave.

Son visage semble vieilli.

– Tôt ou tard cela devait arriver, lui répond doucement Karan.

C'est alors qu'Anita découvre que lui aussi a vécu son calvaire d'amour. Lui aussi a combattu cette attraction fatale qui l'a poussé, toujours un peu plus loin, vers la trahison finale. Lui aussi s'est trouvé sur un volcan qui a fini par le consumer. L'amour qu'ils ressentent est un poison qui s'est répandu petit à petit. À partir de ce soir, Anita sait qu'il n'y aura pas de marche arrière et que le destin, qui la poursuit, continuera à l'acculer sur ce chemin qu'elle ne quittera plus. Ne l'a-t-elle pas cherché ? Ne l'a-t-elle pas voulu ? Ne l'a-t-elle pas souhaité plus que tout au monde ? Maintenant que le pas est franchi, il est irréversible. L'amour triomphe de la faiblesse humaine. Anita pressent que ce n'est qu'une question de temps avant que tout n'éclate comme un formidable feu d'artifice. Ou plutôt comme une bombe.

# 42

Au Kapurthala, Karan continue d'habiter le palais pour être près d'Anita. Autrement, il irait loin, très loin. Il fait face à son père, refuse de se marier, ce qui, dans une famille indienne, est un affront inacceptable de la part d'un fils. « Vous ne pouvez pas nous élever en Angleterre comme des Occidentaux et puis nous soumettre aux coutumes archaïques de notre race », tonne Karan dans une des discussions. Pour le maharajah, la force de la tradition a plus de poids qu'un raisonnement d'Occidental. Peut-être en raison de son âge, Jagatjit Singh se replie de plus en plus sur sa culture. Il ne manque jamais la lecture quotidienne du Granth Sahib, entouré de ses fonctionnaires et de ses ministres ; il a même déclaré publiquement qu'il regrettait d'avoir rasé sa barbe, il y a des années de cela. Ou peut-être est-ce à cause de l'avenir incertain que l'activité de Gandhi et du parti du Congrès semble prédire pour les maharajahs. Gandhi ne cesse de s'élever contre la pauvreté du pays ; il a lancé un slogan qui peut marquer la fin d'une époque : « Pas de coopération ». Ses appels au boycott de tout ce qui est britannique – collèges, tribunaux, honneurs – trouvent un écho toujours plus grand parmi la population. Le danger, c'est qu'il exige l'abrogation de l'ordre imposé par les Britanniques, y compris les maharajahs. Mais ni l'essor des nationalistes ni le mariage de Karan ne sont les préoccupations les plus immédiates du maharajah. Il sait que le temps finit par user les esprits les plus rebelles et que son fils finira par céder. Ce qui l'inquiète par-dessus tout, c'est que la dynastie du Kapurthala n'a toujours pas d'héritier. Aux Indes, les femmes n'héritent pas du trône, sauf dans l'État musulman de Bhopal. Le maharajah espère ardemment que cette fois Gita lui donnera un petit-fils, mais c'est encore une fille, la troisième, qui naît. Les larmes aux yeux, la nouvelle gynécologue, miss Pereira, originaire de Goa, vient le lui annoncer. Ce qui devrait être un heureux événement est un cauchemar. Même Gita, quand la sage-femme lui apporte le bébé, s'écrie : « Emmenez-la loin de moi. » Puis elle passe toute la journée à pleurer. Pour elle, le drame est encore plus grand car miss Pereira l'a informée que les séquelles de cet accouchement difficile l'empêcheront d'avoir d'autres enfants. Paramjit, toujours mélancolique, s'enfonce dans la dépression. Quand le maharajah apprend que l'astrologue d'État a empoché les sommes qu'il lui avait versées pour dire des prières demandant un héritier mâle, il l'envoie en prison sans procès et avec une condamnation de trois ans minimum.

– Gita, dit un jour le maharajah, après l'avoir convoquée dans son bureau avec son mari, sans doute te rends-tu compte de la déception que tu nous causes, à mon fils et à moi, de ne pas avoir été capable de nous donner un héritier.

Gita hoche la tête sans répondre. L'inconsolable maharajah a du mal à cacher le mépris qu'il ressent envers sa belle-fille.

– Il faut que tu aies un fils.

– Je le voudrais bien, mais il semble que ce soit impossible.

Le maharajah se racle la gorge en préparant sa prochaine phrase. Il n'a pas oublié la déloyauté de sa belle-fille quand il lui avait demandé son appui pour faire accepter Anita par la famille. Aussi ne va-t-il pas faire de manières. D'ailleurs, le sujet n'admet ni délais ni détours. Qu'y a-t-il de plus sérieux que la survie de sa lignée et de la maison du Kapurthala ?

– Écoute-moi bien, Gita. Si tu ne peux pas nous donner un héritier dans un délai raisonnable, il faudra que Paramjit prenne une autre femme.

Gita est pétrifiée. Elle ferme les yeux un instant. « Comment peut-il m'humilier ainsi ? » se demande-t-elle.

– Je n'accepterai pas, répond-elle.

– Tu n'as pas le choix, insiste le maharajah d'un ton glacial. Tu es une femme indienne, et tu sais qu'ici il est parfaitement normal qu'un homme ait une autre femme s'il le souhaite.

– Il ne me fera jamais ça, affirme Gita, les larmes aux yeux.

Mais, à la façon dont son mari évite son regard, Gita comprend que Paramjit fera tout ce que lui demande son père. « À ce moment précis, j'ai perdu tout le respect que j'avais pour lui. J'ai eu pitié de sa faiblesse et de son manque de courage », écrira-t-elle. Quand elle quitte le bureau, elle s'agrippe fortement à la rampe de l'escalier car elle a l'impression que le monde s'écroule sous ses pieds.

Gita encaisse le coup. « Ces roitelets indiens, habitués à imposer leur volonté depuis des milliers d'années, surtout aux femmes, continuent d'être des despotes médiévaux. Ils n'ont des Européens que le vernis », pense-t-elle. Maintenant, elle se rend compte de son erreur d'avoir contrarié son beau-père. C'était un adversaire trop puissant pour elle.

Quelques jours plus tard, quand elle arrive à se calmer et à mettre de l'ordre dans ses pensées, Gita ne voit qu'une façon de s'en sortir. Elle va tout tenter, son dernier atout pour sauver son ménage, sa famille et sa position. Elle se rendra en France et se soumettra à des opérations qui devraient lui permettre de concevoir à nouveau. Ce sont des interventions délicates, elle risquera sa vie. Mais elle n'a pas le choix. Et, malgré cette faible lueur d'espoir à l'horizon, elle sait dans son for intérieur que le mal commis par l'intrusion de son beau-père dans son ménage est irréparable.

Anita s'aperçoit aussi que son ménage agonise, mais pour d'autres raisons. Il y a longtemps que le maharajah n'utilise plus ses prérogatives d'époux. Son éloignement a été progressif, il a commencé avant même que Karan ne prenne le cœur de l'Espagnole. Anita vit dans ses appartements, séparés de ceux du maharajah par plusieurs salons. Elle n'entre jamais dans ceux de son époux sans prévenir de son arrivée. Elle le fait par respect, mais aussi par crainte de le trouver avec une autre. Et lui ne la surprend plus dans sa chambre à elle, comme les premières années, quand il apparaissait la nuit dans l'embrasure de la porte, avant qu'elle ne soit endormie, prélude à une nuit d'amour torride.

Maintenant, Anita guette d'autres pas, d'autres mouvements et d'autres bruits. À Paris, après leur premier baiser, Karan et elle ont eu peu d'occasions de se revoir seuls, sauf à de brefs moments. Leur relation est faite de regards croisés, de frôlements, de mots chuchotés à l'oreille et de baisers volés. Parfois, Karan recommence à l'éviter, comme s'il se rappelait tout à coup qu'il s'agissait de la femme de son père.

Mais quand ils reviennent dans l'univers étroit du Kapurthala, le contact quotidien les rend esclaves de la tyrannie du désir. Cette promiscuité dangereuse finit par les unir d'une manière spéciale, comme deux délinquants partageant le secret d'un péché qui les entraîne en chute libre. Une chute qu'Anita contemple comme une nécessité provoquée par l'ennui, comme un plaisir rare et extrême capable d'éveiller ses sens endormis, son cœur blessé et sa jeunesse oubliée. Anita aime Karan de toute son âme, mais, en même temps, elle se noie dans son propre mépris car elle sait que ce qu'ils font est sale, indigne. Elle se débat entre le dégoût qu'elle ressent vis-à-vis d'elle-même et le plaisir sans nom d'un amour qui lui semble un crime.

Un doux crime qu'ils ont commis à Paris et qu'ils continuent de commettre au palais de Kapurthala, dans les jardins, les serres, dans les forts et cénotaphes abandonnés de la campagne du Penjab. Leur première nuit d'amour aura lieu dans la chambre de Karan, après une réception où ils ont bu et dansé jusqu'au départ du dernier invité. « Viens, je t'attends », chuchote-t-il à son oreille. Et Anita court le retrouver, comme si elle voulait le mal, le mal qui va remplir son existence vide et la pousser dans cet enfer qu'elle a toujours craint. Et elle le fait sans honte, presque sans se cacher, en oubliant les précautions les plus élémentaires de l'adultère. La première fois, c'est Karan qui la déshabille. Il sait s'y prendre, ses doigts agiles courent autour de sa taille avec un savoir inné et ancien. Il défait ses cheveux, enlève ses bijoux, déchire la soie de son corsage et lui ôte ses jupons, l'un après l'autre. En la voyant nue, il la prend dans ses bras et la dépose sur son lit, comme si elle était une œuvre d'art, elle si blanche, si ardente, si abandonnée et si interdite…

Les amants finissent par trouver un endroit plus sûr, dans les ruines d'un temple hindou dédié à Kali, la déesse de la destruction. C'est un temple abandonné par les hommes et envahi de végétation, en pleine campagne et à quelques kilomètres de Kapurthala. Comme d'énormes serpents, les racines des arbres gigantesques emprisonnent les murs délabrés en pierre taillée. Cachés à l'intérieur, enfouis dans cet étrange monde végétal, il leur semble que les lianes s'entrelacent tendrement, que les branches des arbustes sont des bras interminables d'amoureux qui se cherchent et se fondent dans des spasmes de plaisir. Comme si l'univers entier était en chaleur. Anita et Karan, ivres de volupté, sentent qu'ils font partie du monde. Ils s'aiment d'une tendresse animale et sauvage poussés vers l'amour maudit. Parmi les pierres millénaires du sanctuaire oublié, ils goûtent à l'amour plusieurs fois, comme à un fruit criminel, avec la peur sourde des conséquences de leur acte terrible.

Malgré la tension, Anita se voit plus jeune, dans la plénitude de sa beauté. Cette relation interdite allume chez elle une flamme qui brille dans ses yeux et réchauffe son rire. Cela n'échappe pas au maharajah.

– Tu es plus belle que jamais ! lui dit-il un jour en l'embrassant dans le cou.

Elle pousse un petit cri et s'écarte. Tremblante, elle essaie de rire, mais elle pense aux baisers du fils, à leur rencontre la veille parmi les *apsaras* au sourire ambigu.

Combien de temps peut durer cette tromperie ? Dalima, la fidèle servante, témoin de toutes les ruses de sa maîtresse pour voir son amant en cachette, est particulièrement angoissée. Elle essaie d'effrayer Anita pour qu'elle en finisse avec ce jeu dangereux.

– Madame, j'ai entendu dire qu'on vous avait vue à cheval avec M. Karan, près du temple de Kali.

– Qui te l'a dit ?

– Les palefreniers. Mais ceux de la cuisine aussi. Madame, faites attention.

– Merci, Dalima.

Le cœur d'Anita part au galop quand elle se sent traquée. Elle retrouve un instant la lucidité et se dit que tout doit s'arrêter, que c'est une infamie sans issue. Elle arrive à communiquer la même terreur à Karan, et ils cessent de se voir pendant quelques jours. Alors son âme plonge dans une mélancolie profonde, et elle a l'impression que la vie fuit son corps et l'abandonne. Les persiennes baissées projettent leur ombre sur les murs et les meubles du palais, et son regard part à la dérive, comme une barque sur l'océan, vide et langoureux. « Comme il est difficile de se battre contre l'amour ! » se dit-elle. Incapable de mettre un terme à la voracité d'un sentiment qui la domine, elle se rend compte qu'il n'y a rien à faire, sauf se laisser porter par le courant. Que la vie décide d'elle-même, que le cours des événements montre, comme un dieu surgi des tempêtes, le chemin à suivre.

Elle en vient à espérer secrètement que Karan rompe d'un seul coup, qu'il soit le dieu capable de soigner les maux de son âme. Car, si elle est coupable, que dire du fils ? Sa trahison est pire que celle d'Anita. Quel genre d'homme est ce Karan, qui vit des biens de son père tout en le critiquant, qui méprise la position privilégiée dont il profite, qui renie son sang princier ? Qui est cet homme coincé entre deux mondes ? Un Anglais à la peau sombre d'Indien ? Un Indien à la mentalité d'Anglais, qui ne tombe amoureux que de femmes européennes ? Pris dans ses propres contradictions, Karan saute d'un univers à l'autre. Il fait comme tous les autres, il veut le meilleur des deux mondes mais finit par s'enfoncer dans un no man's land sans loi ni ordre, où règne la trahison.

Un jour, Anita lui raconte la visite qu'elle a faite au village de Kalyan avec Bibi ; elle lui parle de son émotion quand elle a connu l'histoire de la princesse

Gobind Kaur et du capitaine Waryan Singh, et lui avoue que l'image paisible de ce couple sera toujours pour elle le symbole du véritable amour.

– Serais-tu capable de faire pareil, de m'enlever et de m'emmener loin, pour toujours ?

– Mon père nous chercherait partout sans répit, jusqu'à ce qu'il nous trouve. Il a les moyens de le faire.

– Alors… Il n'y a donc pas d'espoir pour nous, n'est-ce pas ?

– Si, il y en a. Mais pas aux Indes. En Europe, oui. Donne-moi un peu de temps.

Mais le cercle se rétrécit. Peu avant de repartir pour Londres, le maharajah s'adresse à Anita :

– Inder Singh m'a dit qu'on t'a vue galoper en bonne compagnie, près du temple de Kali…

Anita a froid dans le dos. Sur le moment, elle pense que ça y est, qu'il sait tout, qu'il lui tend un piège pour lui faire avouer la vérité. Mais elle garde son sang-froid.

– Quelquefois, je rencontre Karan qui revient de ses inspections dans la campagne et nous nous amusons à faire la course avec les chevaux… Ce ne peut être que lui.

Elle parvient à mentir en disant la vérité. Voyant l'expression du maharajah, elle sait qu'elle a bien répondu. Cette fois-ci, il n'y avait pas de piège.

– Je n'aime pas que tu ailles si loin toute seule, aussi longtemps. Je veux que tu te promènes avec une escorte. Tu peux avoir un accident, tomber de cheval… Et alors, qui te viendrait en aide ?

– Tu as raison, mon chéri.

# 43

Les folles années vingt. Londres est plus gai, le Savoy plus animé et les rues plus bondées que jamais. On voit des femmes aux cheveux courts, à la garçonne, d'autres qui fument en public et toutes portent des jupes courtes. On respire un air de liberté et d'insouciance. Londres a enfin oublié la guerre.

En arrivant en Angleterre, Anita va tout de suite voir son fils. Elle préfère y aller seule pour mieux profiter du moment.

– Ajit, mon enfant, comme j'avais hâte de te voir…

– Tu es pâle, maman…, lui dit-il. J'espère que tu n'es pas malade ?

– Non, mon amour, je vais bien…

L'idée que sa tension se reflète sur son visage et que son fils la devine la remplit d'inquiétude. Qu'arrivera-t-il à Ajit si le scandale éclate, reniera-t-il sa mère ? La détestera-t-il ? Un garçon de quinze ans est-il capable de comprendre ce qui lui est arrivé ? Ces questions de mauvais aloi la mettent mal à l'aise. À nouveau, elle est envahie par une sensation de mépris envers elle-même, si familière déjà.

– Oncle Karan est venu me voir, continue Ajit, et il m'a dit qu'il va rester vivre en Angleterre.

Une lueur éclaire le regard d'Anita. « Alors c'est vrai,

il ne m'a pas fait de fausse promesse, il est en train de chercher la façon de rester en Angleterre... », se dit-elle, le cœur gonflé d'une folle espérance. Le message de Karan, qui lui arrive par Ajit, lui remonte le moral. Elle se voit vivant à Londres, proche de son fils, et avec Karan.

« Suis-je devenue folle ? » se demande-t-elle plus tard quand elle retrouve le maharajah pour l'accompagner à la cascade habituelle d'événements mondains : les courses d'Ascot, le championnat de tennis de Wimbledon, les promenades dans les jardins de Kew, le thé chez les amis aristocrates... À l'exception des réceptions de la royauté où Anita n'est pas invitée, elle l'accompagne partout. Le maharajah se rend au palais de Buckingham avec un de ses fils pour admirer les cadeaux de mariage du roi George VI et de sa fiancée Élisabeth. Le duc de Kent les leur montre avec tant d'enthousiasme qu'on dirait que c'est lui qui va se marier. Quand il est en Europe, le maharajah est radieux. Son intense vie sociale prouve l'estime qu'ont pour lui les Anglais. Rien ne peut lui faire plus plaisir en ces temps agités. Aujourd'hui plus que jamais, les maharajahs ont besoin de la protection des Britanniques.

Karan fait partie de la suite du maharajah qui comprend trente personnes, comme d'habitude. Ils occupent le dixième étage du Savoy. Anita et le maharajah couchent dans des chambres séparées par un salon et un couloir, connues comme la *Royal Suite*. Karan a sa propre chambre, au fond du couloir. Comme si les habitudes de Kapurthala s'étaient déplacées à Londres. Mais la vie nocturne est différente. La ville est pleine de boîtes de nuit où l'on écoute du jazz, du tango et d'autres rythmes latins. Il n'y a jamais eu autant de choix. Anita supplie le maharajah de la laisser sortir avec Karan et ses amis anglais, pour écouter de la musique, comme une adolescente qui demande la permission à son père. Bien sûr, le maharajah le lui permet. Lui préfère rester à l'hôtel et se coucher tôt.

Anita passe des nuits inoubliables, qui lui rappellent sa jeunesse, quand elle sortait avec des amis de son âge. Dans un club appelé L'Ange déchu, où cinq musiciens de couleur jouent comme s'ils étaient possédés, Anita écoute le meilleur jazz de sa vie. C'est une musique qui la touche maintenant plus que le tango. Elle a le blues, la Camélia, elle est triste et langoureuse, peut-être à cause d'une vague prémonition.

Ni elle ni Karan ne se doutent encore qu'ils sont surveillés par un assistant fidèle du maharajah, un sikh appelé Khushal Singh, qui passe ses nuits à surveiller les mouvements du couloir du dixième étage du Savoy. Le dernier soir, après qu'ils sont rentrés de L'Ange déchu, l'assistant réveille le maharajah. Il est une heure et demie du matin.

– Altesse, c'est le moment, chuchote-t-il.

Le maharajah se lève, rongé de curiosité et en même temps effrayé par ce qu'il est sur le point de découvrir. Il passe une robe de chambre en satin bordeaux, chausse des pantoufles en peau de daim et suit l'assistant dans le couloir faiblement éclairé, à pas de loup sur la moquette épaisse. Devant la porte de la chambre d'Anita, Khushal Singh lui fait un signe de la tête pour lui demander la permission d'ouvrir. Le maharajah acquiesce. À l'intérieur, tout a l'air normal. Les volets sont à demi fermés, comme d'habitude, car Anita n'a jamais voulu dormir dans le noir. Elle a toujours prétendu que cela lui faisait peur. Il semble qu'il y ait quelqu'un dans le lit à moitié défait. Khushal Singh, d'un geste décidé, soulève le drap. Le maharajah ouvre grands les yeux, pour essayer de comprendre. Le lit est vide. Il ne contient qu'un oreiller, placé là pour faire croire que quelqu'un dort.

« Alors c'est vrai, se dit le maharajah. Tous mes soupçons sont sur le point de se confirmer. » Il s'explique enfin le comportement distant et froid de sa femme, sa tiédeur et ses réticences quand il l'embrasse ou lui prend la main, son regard absent… Mais le pire est à venir.

Les battements de son cœur sont si forts que Jagatjit craint qu'ils ne révèlent sa présence alors qu'il s'approche d'un pas hésitant du fond du couloir, où se trouvent les chambres de ses fils. Khushal Singh lui montre du doigt celle de Karan. Le maharajah colle son oreille sur la porte. Il entend quelque chose et fait immédiatement signe à son assistant, qui frappe discrètement. Après un instant qui semble éternel, Karan l'entrouvre et se trouve face à son père, trop furieux pour parler, trop blessé pour réagir. Sans un mot, le maharajah pousse la porte et l'ouvre en grand. Le lit est défait. Anita est assise dans un fauteuil devant la console, habillée comme la dernière fois qu'il l'a vue, il y a quelques heures, quand elle lui a demandé la permission d'aller à L'Ange déchu.

Le silence est terrifiant. Anita ne détourne pas le regard et continue d'observer son mari, les yeux grands ouverts, raide comme une statue, dans un défi muet. Par contre, Karan, la tête basse et les épaules avachies, a l'air écrasé sous le poids de sa propre infamie. Le maharajah, ébranlé par ce coup qui le blesse à la fois en tant que père et en tant qu'époux, reste debout, livide. Son regard est ardent, comme s'il pouvait les brûler du feu de ses yeux.

Après un interminable silence, le maharajah s'adresse à son fils, sans élever la voix :

– Va-t'en. Je ne veux pas te revoir. Je ne sais pas comment j'ai pu engendrer un fils aussi perfide.

– Nous étions en train de bavarder, balbutie Karan. Nous venons de rentrer… Ne crois pas que…

– Sors d'ici avant que je ne te fasse expulser de force.

Anita ferme les yeux, comme si elle attendait son tour. Mais elle n'entend rien : ni insultes ni bruit de lutte. Elle n'entend que les pas de Karan, qui s'éloigne dans le couloir, comme si c'étaient les battements de son cœur qui l'abandonnaient. Quand elle rouvre les yeux, elle est seule. Les trois hommes sont partis. Ils n'ont pas sorti leur poignard comme ils l'auraient fait en Andalousie, pense-t-elle. Il n'y a pas eu d'insultes, de cris, ni de violence. Dans les ténèbres, elle ne perçoit que le bruit lointain de la sirène d'une péniche sur la Tamise, mêlée à un fil de musique qui monte du bar de l'hôtel, ou peut-être de la rue. Le drame est-il fini ? Sa faute, les baisers furtifs, les nuits au temple de Kali, l'amour maudit qui l'a tourmentée pendant des mois, tout cela s'achèverait de cette manière si fade ? Son mari ne lui a même pas adressé la parole, au comble du mépris. Et le silence qui règne autour d'elle, un silence de fausse paix, l'effraie encore plus que le bruit d'un crime.

En tournant la tête, elle aperçoit son reflet dans la glace. La femme étrange qu'elle y découvre lui fait si peur qu'elle en oublie Karan et son mari. « Je deviens folle », se dit-elle. Sa coupe de cheveux lui semble obscène, les rides sur son visage sont plus profondes que d'habitude, elle est surprise de la pâleur de ses lèvres et de son regard terne. Elle se voit si vieille ! Elle ressent une telle honte, un tel mépris de sa personne ! Elle n'a plus envie de mentir, elle aimerait tout avouer et être libre comme un oiseau, mais elle sait qu'elle sera obligée de se défendre comme une lionne et d'appuyer le mensonge de Karan, ne serait-ce que pour le défendre lui.

Quand on lui posera la question, elle répondra qu'ils voulaient prendre un dernier verre au bar de l'hôtel, mais que, comme il était fermé, ils étaient montés bavarder un moment dans la chambre. Et que ce fut tout.

# 44

Selon Jarmani Dass, ministre du Kapurthala et homme de confiance du maharajah, présent cette nuit-là au Savoy : « Le maharajah ne ferma pas l'œil de la nuit et, à l'aube, il se retira dans sa chambre à coucher et demanda au colonel Enriquez, un militaire britannique qui avait été le tuteur de ses fils et qu'il gardait dans sa suite, de préparer immédiatement les documents pour se séparer de l'Espagnole. » Sans l'intervention d'Ali Jinnah, un avocat musulman qui fonderait un jour le Pakistan et qui habitait pour le moment le même hôtel avec sa femme, Rita, il était fort possible que le maharajah renvoie Anita en Espagne, ce jour-là, sans argent et sans pension. Mais Jinnah et Rita étaient de vieux amis du couple.

– Ne te précipite pas, lui dit l'avocat. Le scandale te ferait du tort à toi, ainsi qu'aux autres princes. Tu es sur le point de commettre une folie.

À cette époque, un procès contre Hari Singh, maharajah du Cachemire, vient d'avoir lieu. Cet homme timide et calme, marié à une Indienne, et propriétaire d'un avion aux ailes plaquées en argent et de perles grosses comme des œufs de caille, s'est conduit comme un ingénu en tombant follement amoureux d'une Anglaise qui tentait lui soutirer la moitié de sa fortune. Pendant le procès et afin d'éviter que n'éclate un scandale, le maharajah a voulu se cacher sous un faux nom, mais les limiers de la presse britannique ont révélé sa véritable identité. Son cas a défrayé la chronique de Londres à Calcutta. Il a été ridiculisé et méprisé avec acharnement, et les ennemis des princes se servent de cette affaire pour disqualifier tous les maharajahs. En plus, dit Jinnah, on vient de découvrir que le rajah de Limdi, que les plus hautes autorités félicitaient d'avoir consacré cent cinquante mille roupies du budget de son État à l'éducation, a en réalité utilisé tout cet argent uniquement pour l'éducation du prince héritier ! Le budget de l'État du Bikaner vient également d'être publié. Il met en évidence les priorités du gouvernement : « mariage du prince : 825 000 roupies ; travaux publics : 30 000 ; réparations des palais : 426 614 roupies… ». Jinnah avertit son ami qu'un nouveau scandale chez un maharajah aura des conséquences désastreuses. Il met également en doute le rapport de Khushal Singh et ne croit pas que le fait de les avoir surpris dans la même chambre soit la preuve d'une infidélité.

– Tu n'as pas le droit de répudier une femme avec laquelle tu es marié légitimement sans une preuve concrète et définitive de son infidélité, dit-il au maharajah devant Jarmani Dass. Elle et Karan ont le même âge, ils sont amis, ils sont sortis plusieurs soirs écouter de la musique avec d'anciens camarades de Harrow, mais cela ne veut pas dire qu'ils aient une liaison. D'ailleurs, ils nient catégoriquement.

– Et l'oreiller dans le lit, pour faire croire qu'elle dormait ?

– Un enfantillage, pour tromper le service. Elle voulait bavarder ou prendre un dernier verre avec Karan, c'est tout ce que ça veut dire.

Jinnah est habile et il parvient à calmer le maharajah, qui dans le fond préfère nier que croire l'évidence. Le choc est si grand qu'il voudrait que ce ne soit pas vrai. Le doute que Karan a semé dans son esprit, en niant sa relation avec Anita, est une fissure où il se réfugie. « Ils étaient habillés et elle portait la même toilette que plusieurs heures auparavant, quand elle était venue me dire au revoir. Et s'ils disaient la vérité, qu'ils avaient bavardé un moment avant d'aller se coucher ? » Le maharajah en vient à croire à l'impossible parce qu'il a peur du scandale. Il est vrai que l'influence apaisante de son ami Jinnah, unie au doute semé dans son cœur lui font voir les choses avec d'autres yeux le lendemain. Il ne prend donc pas de décision draconienne, sauf celle de renvoyer son fils en Inde.

– Jusqu'à nouvel ordre, je ne veux pas que tu mettes les pieds à Kapurthala, lui dit-il. Tu iras vivre à Oudh et tu t'occuperas là-bas des affaires de la famille.

Karan ne se révolte pas, il ne quitte pas la chambre en claquant la porte. Il ne discute pas, au contraire, il se tient comme un bon fils indien, docile et soumis. Peut-être, devant la possibilité de perdre ses avantages, a-t-il pris peur ? Que ferait-il sans l'argent de son père, sans son titre de prince, sans le pedigree qui le distingue des autres mortels et qui lui permet de faire partie d'un monde qu'il ressent comme le sien ? Il serait un simple ingénieur agronome aux idées progressistes et révolutionnaires, un membre de plus de la nouvelle classe moyenne indienne qui milite au parti du Congrès. Il serait un homme conséquent, en accord avec ses idées. Mais cela lui donne le vertige. Rien n'est plus difficile que d'abandonner ses privilèges. Karan n'est pas fait de la même étoffe que sa cousine Bibi Amrit Kaur, devenue l'ombre de Gandhi.

Le maharajah ajoute, avant que le jeune homme ne quitte la chambre :

– Et tu te marieras en septembre. Nous nous occuperons de tes noces à ton retour.

Karan lève la tête et croise le regard hautain et froid de son père. Il est sur le point de dire quelque chose mais préfère se taire.

Quelques jours plus tard, le maharajah rentre aux Indes avec Anita. L'Espagnole est mélancolique et quitte à peine sa cabine pendant la traversée. Sans Karan et sans Ajit, elle revient dans un grand palais vide, pour y voir passer la vie sans la vivre. Elle a sauvé sa position et son ménage, mais à quoi bon ? Pour protéger Karan et aussi pour son fils, son corps revient mais son esprit est au loin, dans un endroit qu'elle seule connaît, où personne ne peut pénétrer.

Dès son retour, Anita tombe malade. Convaincue qu'il s'agit d'une infection provoquée par la formation de nouveaux kystes aux ovaires, elle se couche, prête à suivre le même traitement que la dernière fois. Le Dr Doré l'avait prévenue que c'était une maladie qui pouvait récidiver, mais elle avait préféré l'oublier. Malgré les soins attentifs de Dalima, son état ne s'améliore pas. Elle a des douleurs, des vomissements et des nausées constantes. La grosse miss Pereira, nouvelle gynécologue à l'hôpital de Kapurthala, vient la voir sur ordre du maharajah. Elle porte une mallette à la croix rouge et arrive accompagnée d'une infirmière. Les mots qu'elle prononce après l'avoir examinée vont faire l'effet d'une bombe.

– Vous êtes enceinte, annonce-t-elle dans son portugais à l'accent de Goa. Bravo ! Je vais féliciter Son Altesse.

Anita est blême : « Enceinte ! Mon Dieu, non ! »

– Non, je vous en prie, ne lui dites rien, supplie-t-elle.

– Je dois le lui annoncer, madame. Ne vous inquiétez pas et restez calme.

Anita n'insiste pas, elle est consciente qu'elle ne peut interrompre le cours des événements. Maintenant, le scandale est inévitable. Elle ne peut plus protéger personne, ni Karan, ni son fils, ni elle-même. Son corps l'a trahie. La seule échappatoire est de continuer à mentir, dire qu'elle est enceinte d'un autre pour protéger Karan... Mais ça ne servira à rien. Elle sait qu'elle est sur le point de devenir la cible d'un des plus grands scandales de l'Inde anglaise. Quelle joie pour ses ennemis ! Elle donne raison à ceux qui l'ont toujours traitée de *spanish dancer*, de fille sans moralité, de profiteuse. Le caprice raté d'un roi en carton-pâte : « Bien sûr, je le disais bien... », jaseront les dames anglaises qui la regardent de travers.

Mais quand a-t-elle été gênée par le qu'en-dira-t-on ? Au fond, jamais, et c'est pourquoi elle a survécu dans cette société presque irréelle. Ce qui la tourmente vraiment, c'est le tort qu'elle cause au maharajah, si jaloux de sa réputation. Ce sera irréparable, son mari deviendra la risée de ses rivaux. Il la détestera à jamais. Maintenant, à travers le prisme de son malheur, elle se rend compte que dix-sept années de mariage laissent des traces. Car ils ont su, durant tout ce temps, éviter ensemble les incompréhensions quotidiennes et les conflits futiles. Ils ont aussi partagé des moments de complicité conjugale. Ils étaient liés par l'amour. C'est pourquoi aujourd'hui elle ressent une tristesse infinie pour son mari.

Elle attend donc la visite du maharajah et l'imagine faisant son entrée hors de lui, l'insultant et la menaçant comme elle le mérite. Mais il ne vient pas. Les jours passent et il ne vient pas la voir. Elle ne reçoit que la visite d'Inder Singh, l'élégant gentleman sikh, son vieil allié.

– Son Altesse m'envoie vous dire qu'à partir de maintenant vous habiterez villa Buona Vista, jusqu'à ce que les papiers du divorce soient prêts. J'ai ordre de déménager là-bas vos meubles et vos effets.

– Je veux parler à Son Altesse.

– Je crains qu'il ne le souhaite pas, madame...

« Le maharajah n'a jamais aimé la confrontation, il est pareil en cela à tous les Indiens », pense Anita. Mais elle n'est pas disposée à ce que tout se termine ainsi, sans un mot. Elle attend d'être seule et, à la tombée de la nuit, quand elle sait que le maharajah a habituellement fini de dîner et regagne ses appartements, elle le surprend en haut de l'escalier, près de sa chambre.

– Altesse…

Jagatjit Singh se retourne. Il lui semble plus grand qu'auparavant, plus digne et plus aristocratique encore, coiffé de son turban bleu marine et vêtu d'une chemise boutonnée jusqu'au cou. Ses yeux noirs brillent dans l'obscurité comme des perles de jais.

– Je voulais simplement vous dire que… Anita montre son ventre en balbutiant : Il n'est pas de Karan. Il est d'un militaire anglais.

Le maharajah la regarde avec un mélange de mépris et de rage contenue.

– Tes paroles n'ont plus aucune valeur pour moi. Je ne croirai plus jamais rien de ce que tu diras.

– Altesse, je vous jure…

– Ne jure pas en vain. J'ai pris certaines dispositions avant notre séparation définitive. Tout d'abord, je ne veux pas que tu vives sous le même toit que moi. Tu déménageras demain à la villa.

– Vous me punissez par une solitude encore plus grande.

– Tu te punis toi-même par ton comportement irresponsable et scandaleux, indigne de tout ce que j'ai fait pour toi.

Il y a un silence, long et dense comme l'air chaud qui entre par les fenêtres du palais.

– Vous avez raison, Altesse. Et, bien que je sache que c'est inutile, je vous demande pardon de tout mon cœur.

Comme s'il ne l'entendait pas, le maharajah continue, d'un ton posé mais ferme, qui n'admet aucune discussion :

– La deuxième disposition, c'est que tu dois avorter.

Anita sent un poignard pénétrer dans son cœur. Incapable d'articuler un mot, elle regarde son mari, suppliante, mais se heurte à une masse glaciale. Se défaire de l'enfant qui est en elle, fruit du seul amour de sa vie, un amour absolu qui l'a rendue folle : voilà la véritable punition. Il ne restera rien de sa passion pour Karan, sauf le souvenir. Anita est obligée de se résigner, le cœur brisé, l'âme blessée et le corps mortifié. La vie vous fait toujours payer, et c'est son tour de payer pour tant de folie et tant d'infamie. « C'est juste », pense-t-elle.

– Je vous comprends, Altesse, et je respecte vos dispositions.

– La troisième disposition est que tu abandonneras les Indes pour ne jamais y revenir. Je n'ai rien de plus à ajouter.

– Altesse…

Le maharajah fait demi-tour.

– Je voulais vous dire que… que je n'aurais jamais manqué à mon devoir d'épouse si auparavant Votre Altesse n'avait pas manqué à son devoir de mari. Je me suis sentie très abandonnée. Rien de plus.

– Il n'y a pas de justification pour ce que tu as fait. Cela ne sert à rien de jouer la victime.

Le maharajah se retire dans ses appartements. Anita, tremblante, s'appuie à la rampe en teck de l'escalier. En bas, dans le hall d'entrée, les portraits des fils du maharajah sont accrochés. Vêtu d'une tenue de gala, Karan la regarde dans la pénombre.

Comme tout semble loin dans sa mémoire ! Anita se retrouve dans son ancienne chambre de la villa Buona

Vista, là où au début de son mariage elle a vécu des moments si heureux, là où elle a découvert la douceur de la vie en Inde et où elle a accouché d'Ajit. La voici de retour, vaincue et humiliée, pour se faire enlever l'enfant qu'elle attend. Elle imagine toutes sortes de solutions pour éviter de se soumettre à l'avortement. Elle pense à fuir, à solliciter la protection des autorités britanniques, à dénoncer la pression du maharajah. Elle est si désespérée qu'elle pense au suicide comme la solution la plus douce, la meilleure façon d'expier ses péchés. Ce n'est pas la première fois qu'elle revient à cette idée. Mais l'image d'Ajit lui donne la force de continuer à vivre.

Elle manque d'énergie pour se battre. Si la raison morale avait été de son côté, peut-être. Mais elle ne l'est pas, malgré tous ses efforts pour justifier ses actes. La conscience de sa culpabilité la paralyse. Il est facile de détester son prochain et cela peut même être un soulagement. Se détester soi-même, c'est pire : c'est une souffrance insupportable. Elle a l'impression de ne pas mériter l'air qu'elle respire. Si elle ne mérite pas la vie… pourquoi s'obstiner à la défendre ? Elle a aimé de toutes ses forces, mais on ne peut pas vaincre le destin. Aujourd'hui encore, elle ne peut que se laisser porter par le courant et s'abandonner aux bras de la providence. « Que la volonté de Dieu se fasse. Cela m'est égal, de vivre ou de mourir ! »

Au bout de quelques jours passés dans une solitude absolue, dans la véranda, la redoutable visite de miss Pereira a enfin lieu. Il fait une chaleur accablante, avec beaucoup d'humidité, une chaleur qui fatigue les hommes et écrase les animaux. Il n'y a plus de punkas à la maison ; ses amis les ventilateurs humains ont été remplacés par des ventilateurs électriques suspendus au plafond. On n'arrête pas le progrès au Kapurthala…

Le mouvement lent des ailes qui brassent l'air a un effet hypnotique, comme un baume pour Anita.

La femme médecin n'a plus la voix chantante qu'elle avait lors de sa visite précédente. Miss Pereira continue d'être aimable, mais son visage est grave. Elle déteste s'acquitter de la sinistre demande du maharajah, mais qui est-elle pour discuter les ordres ? Dans la tradition indienne, héritière des Moghols, il est permis d'avorter jusqu'au quatrième mois de gestation, mais seulement dans des cas exceptionnels. À partir de ce moment, les juristes islamiques de l'Empire moghol – les premiers qui dictèrent des lois sur l'avortement – estimèrent que l'âme commence à envelopper le fœtus, qui devient alors un être humain. Anita sait qu'elle est enceinte de trois mois, car elle ne pourra jamais oublier cette nuit torride d'amour dans les ruines du temple de Kali. Quand elle se souvient de la joie de son esprit et de son corps, de cet éclair de bonheur pur, elle se console en se disant que cela valait la peine. Mais quand elle pense que le fruit de cette passion va être sacrifié sur l'autel des conventions sociales, elle ne trouve pas de mots pour exprimer son désespoir. Elle a joué avec le feu, en toute connaissance de cause, et maintenant il lui faut se laisser brûler. On ne peut pas défier impunément la déesse de la destruction.

Miss Pereira et une infirmière, aidées de Dalima qui, terrifiée, a l'impression d'assister à l'exécution de sa maîtresse, préparent les cuvettes, les seaux d'eau, les gazes, les onguents, les médicaments et les instruments. Elles s'exécutent avec lenteur, comme si elles étaient en train de préparer un cérémonial païen et violent.

Le cri qui sort de la gorge d'Anita quand elle sent l'acier glacé fouiller ses entrailles est si déchirant qu'à l'étage au-dessous les domestiques se figent, les jardiniers et les paons lèvent la tête, les paysans des alentours abandonnent leur tâche, stupéfaits. Même les oiseaux qui voltigent autour des ormes au bord de la rivière se taisent. L'écho de son cri envahit les campagnes et les villages et, selon la légende populaire, arrive jusqu'au palais où Jagatjit Singh, seul dans l'immensité de son bureau, pleure en silence son amour perdu.

Malgré les efforts de miss Pereira pour la contenir, l'hémorragie provoquée chez Anita la vide de son sang et la laisse exsangue. Ses lèvres sont bleues et ses yeux presque blancs. Elle est si faible que la doctoresse s'en inquiète et l'envoie à l'hôpital de Lahore. Mais les heures passent et personne ne vient chercher la patiente, dont l'état empire. Il paraît que le maharajah s'y oppose. Il ne veut pas avoir à donner d'explication aux médecins de l'hôpital, pour ne pas laisser filtrer le scandale. Il ne veut pas être la cible de tous les commérages et médisances. De Lahore à Delhi, de Londres à Calcutta, le monde entier finirait par savoir que sa femme est tombée amoureuse de son fils. Quelle honte ! Anita s'est toujours moquée de sa réputation, mais pas le maharajah, dont elle est probablement le bien le plus précieux.

Seul dans la pénombre de son bureau, il soupèse sa décision. Il est conscient que sa vanité est en train de coûter la vie à celle qui est encore sa femme. « Mais ne le mérite-t-elle pas ? » se demande-t-il dans un accès de colère. Le scandale mourrait avec elle. N'est-ce pas la meilleure solution ? En marquant le passage des heures, les pendules semblent sonner le glas. Et la colère qui assombrit son jugement se transforme en doute : « Ne l'ai-je pas suffisamment punie ? » se demande-t-il. Puis le souvenir de tant d'années d'amour, et les enseignements imprégnés d'humanité des grands maîtres sikhs reprennent le dessus. Alors, Jagatjit Singh reconsidère sa décision.

– Qu'on l'emmène immédiatement à Lahore ! ordonne-t-il. En Rolls, ça ira plus vite !

Anita arrive à l'hôpital entre la vie et la mort. Elle reste sous la surveillance constante des médecins qui, peu à peu, réussissent à lui rendre des forces. Au bout de quelques jours, quand elle se sent remise, on la renvoie à la villa Buona Vista, toujours sous le contrôle de miss Pereira. Mais la blessure qui ne cicatrisera pas est celle de son âme.

– Baisse les stores, dit-elle à Dalima. Je ne supporte pas tant de lumière.

– Mais ils sont déjà baissés. On n'y voit plus !

– Je t'en prie, baisse-les complètement.

Petit à petit, Anita s'enfonce dans la dépression. D'abord, elle prend la lumière en aversion ; puis le bruit. N'importe quel son est pour elle une agression insupportable. Elle se réveille dans un état de tristesse qui la paralyse. Elle ne se lève pas et, quand elle le fait, elle ne s'habille pas. Elle ne se reconnaît pas dans la glace. Des cernes profonds accentuent sa pâleur. Elle est maigre comme un clou, car elle se nourrit à peine. Le maharajah ne lui rend pas visite et elle sait par Dalima que Karan est sur le point de se marier. « Il a cédé », pense Anita, sans haine ni rancœur. Ainsi va la vie en Inde. Karan a fait son choix. Entre elle et son clan, il a choisi son clan. On ne peut pas lui en vouloir, entre la folie et le bon sens, Karan a choisi le bon sens. Et elle qui pensait qu'il viendrait l'enlever, comme l'avait fait le capitaine Waryam Singh ! « J'ai cru moi-même à mon propre conte de fées, se dit-elle. Quelle naïveté ! »

Il ne lui reste que la tendresse de Dalima. Avec les années, la complicité a créé un lien affectif très solide entre elles. D'ailleurs, Dalima est tout ce qui lui reste de l'amour de Karan et sa seule présence lui rappelle des moments de bonheur et de joie morts à jamais. Dans ces heures de faiblesse, Anita est bouleversée par la fidélité de sa femme de chambre, dont le bon cœur semble tout comprendre et tout pardonner. Du fond de son repentir, elle lui est reconnaissante d'être toujours restée auprès d'elle, d'avoir été témoin de sa honte et d'avoir supporté la répugnance qu'elle a dû éprouver. Une nouvelle fois, les soins respectueux et calmes de Dalima sont sa planche de salut.

Les semaines passent, puis les mois. Anita a du mal à s'en sortir. Ses lèvres sont violettes, sa peau, diaphane comme si elle était en porcelaine, laisse voir des veines bleues, les cernes autour de ses yeux éteignent son regard et font ressortir sa pâleur. Ce sont les signes d'un mal que miss Pereira est incapable de soigner. Elle réclame alors la présence d'autres médecins. Leur diagnostic évoque une sorte d'anémie : « complications qui appauvrissent le sang », concluent-ils. Comme traitement, ils proposent que la patiente s'éloigne de la chaleur de Kapurthala, prenne l'air vivifiant des montagnes, et qu'elle se soumette à un régime de *dal*[1], de viande et de produits laitiers.

Mais Anita n'a ni l'envie ni la force d'organiser un voyage dans les montagnes. Où aller ? À Mussoorie, si plein de souvenirs et où elle retrouverait probablement les autres épouses de son mari ? À Simla, chez des amis à qui elle devrait donner des explications ? La seule idée de déménager lui est plus difficile que celle de franchir l'Himalaya. Elle préfère l'obscurité de sa chambre et le silence de la villa.

Mais elle ne choisit pas son sort. Les médecins sont venus la voir sur ordre du maharajah et c'est lui qui prend les mesures qu'il estime nécessaires. Il décide d'attendre la visite annuelle de son fils Ajit à Kapurthala pour organiser la convalescence d'Anita. « Hari Singh, maharajah du Cachemire, a mis à la disposition de ta mère un palais

1. *Dal* : lentilles, plat quotidien des Indiens.

à Srinagar, au bord du lac, dit-il à Ajit. Je veux que tu t'occupes de l'installer dans les meilleures conditions. »

Rien ne semble unir autant les maharajahs que l'humiliation d'être victimes d'un scandale. Hari Singh, dont la réputation a souffert un coup dur avec sa maîtresse anglaise, se plie en quatre pour aider son ami. Car Jagatjit Singh n'a pas pu étouffer le scandale. Même en France, un article a été publié, sous le titre « Une Phèdre indo-espagnole », évoquant la célèbre tragédie grecque où la reine tombe amoureuse d'un des fils du roi. Mais, contrairement à ce qu'on aurait pu imaginer, cela ne l'a pas tant affecté. Ç'aurait été bien pire s'il avait perdu Anita pour toujours, il ne se le serait jamais pardonné. Au moins, il a la conscience tranquille.

Quand elle voit Ajit entrer dans sa chambre, Anita se sent revivre. À dix-sept ans, Ajit est un beau garçon, affectueux et serviable. Il ne lui pose pas de questions ; il aime trop sa mère pour la juger ou la critiquer. Quand elle essaie de lui expliquer ce qui est arrivé, il lui pose un doigt sur ses lèvres. Il ne veut rien entendre, il ne veut rien savoir de plus, il ne veut pas l'humilier davantage. Ce qui est arrivé ne le regarde pas, et la seule chose qu'il veuille faire est l'aider à organiser le déménagement. « Tu es mon meilleur médicament », avoue Anita.

Elle passera trois mois au palais du Cachemire, accompagnée de Dalima et d'une vingtaine de servantes. La pureté de l'air, la beauté du lac, l'abondance des fleurs, les montagnes enneigées et surtout le fait d'être loin de Kapurthala la ramènent doucement à la vie.

– La première fois que tu es venue nous voir, c'était pendant ta lune de miel, lui rappelle Hari Singh au cours d'une de ses visites. Tu m'avais dit que le Cachemire était tellement beau qu'il était impossible que « quelqu'un puisse s'y sentir malheureux ».

– J'ai dit ça, moi ?

– Oui, toi. Cela m'a amusé et je m'en suis souvenu. C'est pourquoi je t'ai invitée, quand Jagatjit m'a dit que tu te trouvais mal et que tu avais besoin de l'air des montagnes.

– Ça me revient, en effet, dit Anita. Vous m'aviez répondu que je pouvais considérer ce palais comme chez moi. Je n'ai jamais pensé que vous le disiez sérieusement.

L'homme qui a le pouvoir de la détruire, celui qui pourrait la rendre à l'état de misère dans lequel elle vivait avant de le connaître, le prince au pouvoir de vie et de mort sur ses sujets, le mari trompé qui pourrait nourrir des souhaits de vengeance est, cependant, un homme généreux, qui la traite sans rancune ni méchanceté. Quand il est sûr que sa femme espagnole a recouvré la santé, il la convoque à Kapurthala pour signer l'accord de séparation. C'est la dernière fois qu'Anita met les pieds à l'Élysée et elle s'y rend le cœur serré. Chaque coin, chaque meuble, chaque pièce est un souvenir, comme une boîte à bijoux pleine des trésors de sa vie. En traversant le porche, elle croit entendre les cris du petit Ajit courant dans le jardin. Sur le palier du grand escalier, elle se souvient des jours de fête, du mariage de Paramjit, ou des visites des gouverneurs qu'elle organisait avec tant de soin. Et l'odeur, l'odeur des tubéreuses et des violettes qui entre par les fenêtres du jardin, mélangée à celle des bois nobles du parquet et des bâtons d'encens que les employés du gouvernement allument au sous-sol ; une odeur qui renferme plus que tout le reste les sensations et les souvenirs de sa vie en Inde.

Au bureau du premier étage, le maharajah l'attend. Son ex-mari. Il ne reste rien de la tension de leur dernière rencontre, en haut de l'escalier, quand les blessures étaient encore à fleur de peau.

– Ajit m'a informé sur ta convalescence et je suis content de voir que tu vas bien.

– Merci, Altesse.

Il y a un long silence qu'Anita trouble en se raclant la gorge. Le maharajah reprend :

– J'ai été très inquiet pour ta santé. J'aurais voulu ne pas aller aussi loin, mais je n'avais pas le choix.

– Je le comprends, Altesse. Moi aussi je regrette beaucoup ce qui est arrivé et je vous demande encore pardon…

– J'ai préparé cela…, lui dit le maharajah, en montrant une enveloppe à en-tête de la maison royale du Kapurthala.

Anita sursaute. Elle sait que son avenir est dans ces papiers.

– Je préfère le lire à haute voix, devant témoins, poursuit-il.

Le maharajah fait entrer le capitaine Inder Singh et Jarmani Dass, ses hommes de confiance ; tous les deux demandent gentiment à Anita des nouvelles de sa santé avant de s'asseoir. Le texte de la séparation est une déclaration de trois pages, rédigée en français. Le maharajah s'engage à payer à sa femme la pension, considérable, de mille cinq cents livres sterling par an « pour son bien-être et comme soutien de famille, pour l'alimentation, le logement, les vêtements, les dépenses et les voyages », tant qu'elle ne se remariera pas. Il l'autorise à utiliser les titres de princesse et de maharani du Kapurthala, « bien qu'elle les ait reçus par mariage morganatique, qu'ils ne lui appartiennent donc pas en propriété et ne soient pas héréditaires ». La sixième clause est tout à fait révélatrice du caractère magnanime du maharajah : « Dans le monde entier, les ambassades et les consulats britanniques prendront soin qu'Ana Delgado Briones ne manque de rien. À sa mort, que nous souhaitons tardive et douce, il en adviendra de même pour son fils unique Ajit Singh du Kapurthala, cinquième héritier mâle dans la ligne de succession au trône. »

Elle peut partir tranquille. Mais, avant d'entreprendre son voyage de retour, le maharajah l'invite au déjeuner donné en l'honneur du nouvel ingénieur civil anglais et de sa femme. Dans la salle à manger du palais, Anita ne peut s'empêcher de jeter un coup d'œil à la table en acajou, où plusieurs fois elle a fait s'asseoir plus de soixante-dix convives. La table est parfaitement mise : les assiettes en porcelaine de Limoges, les verres en cristal de Bohême, les couverts en argent avec la lettre K gravée sur le manche, les serviettes en lin, les porte-couteaux, les fleurs… il ne manque aucun détail. Elle en retire de la fierté car c'est elle qui a organisé cet ordre parfait. Ce sera son héritage.

Les invités commencent à arriver et bavardent debout, en attendant le maharajah. En plus du nouvel ingénieur, il y a aussi le médecin-chef de l'hôpital accompagné de sa femme, ainsi que le ministre Jarmani Dass et le capitaine Inder Singh. Au bout de quelques minutes, le maharajah arrive, plus élégant que jamais, l'air serein, avec son mélange de cordialité et de distance. Mais il n'est pas seul. Il est accompagné d'une beauté sculpturale, son nouvel amour, une Française qui s'appelle Arlette Serry et qui salue les invités d'une main languide. Le maharajah s'assied en premier, puis les autres. Arlette se trouve à sa droite, à la place où Anita s'est toujours assise, et l'épouse de l'ingénieur, à sa gauche. L'Espagnole est à la dernière place. Une ultime humiliation pour Anita, qui maintenant ne rêve plus que de liberté.

Dix-huit ans et cinq mois après son arrivée aux Indes, Anita s'embarque à Bombay pour rentrer en Europe. Elle a trente-cinq ans. Dans ses bagages, elle emporte ses bijoux, ses papiers, quelques meubles et son linge, mais elle préfère garder dans son sac à main l'objet qui a le plus de valeur à ses yeux : une photo de Karan, avec sa signature, qui l'accompagnera toujours.

L'idée de revoir son fils à Londres et sa famille en Espagne lui procure un immense plaisir, mais le fait d'abandonner définitivement les Indes provoque en elle un sentiment curieux, fait de peine et de crainte : à l'avenir, elle devra se passer de la façon de vivre à laquelle elle s'est habituée. Sur le quai où le SS *Cumbria* est sur le point de lever l'ancre, elle doit faire ses adieux à Dalima qui a insisté pour l'accompagner jusqu'au moment de la séparation définitive.

– C'est pour toi, Dalima de mon cœur, lui dit Anita en lui remettant une grosse enveloppe. Ton salaire de ces derniers mois et une gratification. C'est peu pour tout ce que tu mérites. Très peu.

Dalima refuse de prendre l'enveloppe, mais Anita insiste et finit par la glisser dans le corsage de son sari. Muette d'émotion, Dalima se fige tandis qu'Anita la serre fortement dans ses bras.

– Adieu, Dalima. Si tu as besoin de quoi que ce soit, tu peux prendre contact avec moi par l'intermédiaire du palais. Ils ont mon adresse et peuvent m'écrire de ta part. J'aimerais beaucoup recevoir de tes nouvelles.

Dalima est toujours immobile, comme un mort-vivant au milieu de l'activité frénétique du port. Le croassement des corbeaux se mélange aux cris des porteurs et des arrimeurs tandis qu'Anita monte à bord. Avant d'entrer à l'intérieur du bateau, elle se tourne pour saluer une dernière fois Dalima. Ce qu'elle voit restera gravé pour toujours dans sa mémoire. Sa fidèle femme de chambre sort de son corsage l'enveloppe, l'ouvre, jette les billets à la mer et éclate en sanglots. Puis, pour qu'on ne la voie pas pleurer, elle se couvre le visage avec un pan de son sari.

## *Épilogue*

# « Qui séchera nos larmes ? »

Jusqu'à sa mort, Anita aura sur sa table de nuit la photo de Karan, aux traits fins, son turban agrafé avec une aigrette en plume et sur sa veste les décorations du Kapurthala. C'est la première et la dernière image qu'elle verra tous les jours de sa vie, au réveil et au coucher. Bien qu'on l'ait marié en 1925, année où Anita quitta l'Inde, Karan continua de lui rendre visite en cachette, profitant de ses voyages en Europe. Ils se retrouvèrent à Biarritz, à Deauville, à Londres et à Paris. C'étaient des visites brèves comme les larmes de saint Laurent, les restes d'une passion qui les avait dévorés. Peu à peu, ces rencontres s'espacèrent, jusqu'au moment où Karan cessa de la voir car il était tombé amoureux d'une actrice de cinéma française qui avait à peine vingt ans. Dans le souvenir d'Anita, Karan fut le seul amour de sa vie.

Grâce à la pension généreuse du maharajah, Anita n'eut pas de mal à s'habituer à sa nouvelle liberté, partageant son temps entre Paris, Madrid et Málaga. Sa forte personnalité et son passé exotique en firent un personnage prisé de ce qu'on appellerait aujourd'hui la jet set. L'aura de son histoire d'amour avec le fils de son mari ajoutait du mystère et un parfum de scandale au personnage, bien qu'elle n'en parlât jamais. C'était un secret qu'elle ne partageait pas et qu'elle garda jalousement dans son cœur jusqu'à la fin, niant que cela fût jamais arrivé. Mais ses amis intimes ne s'y trompaient pas, et la photo sur la table de nuit la trahissait. Devenue un personnage incontournable des magazines à partir des années vingt, elle vivait au rythme de la migration annuelle des oiseaux de luxe : étés sur la Côte d'Azur, hivers en Suisse, quelques jours à Deauville de temps en temps… Elle fréquentait des banquiers et des grandes fortunes, mais elle préférait la compagnie d'écrivains, de peintres, d'artistes et de chanteuses, comme sa grande amie Joséphine Baker. Elle aimait la bohème. Les aristocrates la snobèrent – non seulement les Anglais, mais les Espagnols aussi – car ils la considéraient comme une arriviste.

Fidèle à son héritage espagnol et andalou, elle ne manquait pas les corridas de San Isidro et la feria de Séville ainsi que, quelquefois, le pèlerinage au Rocío, qu'elle aimait beaucoup car il était au cœur de la tradition : chevaux, dévotion, musique et danse…, que pouvait-elle demander d'autre ?

Quand elle s'installa définitivement en Espagne, elle commença à fréquenter le milieu de la tauromachie et, d'après des rumeurs qu'elle ne confirma jamais, elle serait tombée amoureuse de Juan Belmonte, le grand torero de Séville, le mythe de l'Espagne de l'époque. Mais elle ne faisait aucune publicité sur sa vie sentimentale, de crainte que le maharajah ne réduise ou ne supprime sa pension.

Une fois adaptée à sa nouvelle vie, Anita se rendit compte qu'elle ne pourrait jamais oublier l'Inde. Les conversations habituelles dans les réunions mondaines en Europe, qui étaient surtout des potins de salon, lui semblaient insipides en comparaison des histoires de chasse au tigre ou des récits de voyage à cheval dans les montagnes du Cachemire qui égayaient les soirées aux Indes. Pendant les journées froides et brumeuses si fréquentes à Paris et à Londres, Anita se souvenait de l'air piquant et lumineux de l'hiver au Penjab ; des rizières déclinées en une gamme infinie de verts ; de son jardin où les roses, les tubéreuses et les bougainvillées poussaient si vite et où le parfum des violettes embaumait l'air. Elle se souvenait de ses promenades dans la campagne à l'« heure de la poussière de vache », quand la fumée des réchauds des villageoises s'élevait dans la brume du soir, des grandes plaines poussiéreuses, des cris des oiseaux et des animaux, du tintement des clochettes des chars à bœufs, du son de la pluie sur les toits pendant la mousson, et elle se souvenait surtout de Dalima, de la grâce des femmes indiennes, des mendiants et des sages, du luxe et des spectacles grandioses à dos d'éléphant. Petit à petit, elle oublia la dureté de l'Inde : la misère, la cruauté des castes et l'immense pauvreté. Elle oublia ses nuits d'angoisse auprès d'Ajit quand il avait de la fièvre, sa solitude au palais, la chaleur épouvantable, la peur des morsures de serpent ou des empoisonnements, des maladies. En somme, la peur de l'Inde.

Sa nostalgie était telle que plusieurs années après, devenue une femme âgée, ses deux domestiques, à Madrid, lui servaient à dîner habillées dans la même tenue que les servantes de Kapurthala et qu'elle les obligeait à porter des gants blancs, même en plein été. Elle apparaissait à l'heure pile, mais en robe de chambre et avec des bigoudis sur la tête. Elle dînait seule, absorbée dans les souvenirs d'une vie fabuleuse qui ne reviendrait pas.

Anita voulut revenir en Inde plusieurs fois, mais elle n'obtint jamais de visa de la part des autorités britanniques. Elle ignorait que le maharajah était derrière ce refus persistant. « Son Altesse a un intérêt tout à fait particulier à ce que Prem Kaur ne revienne pas en Inde, car cela perturbe son milieu domestique, nous avons donc demandé au Foreign Office de ne pas délivrer de facilités de voyage à l'Espagnole », dit une lettre signée par un certain M. Baxter, chef du bureau politique de l'Indian Office, en 1937.

Mais le maharajah continua à la fréquenter quand il se déplaçait en Europe. Ils finirent par devenir bons amis, ils gardaient le contact et s'envoyaient des nouvelles régulièrement par l'intermédiaire d'Ajit, qui voyageait fréquemment entre l'Europe et l'Inde. Malgré la distance, le maharajah resta présent dans sa vie jusqu'au bout. Les premiers télégrammes de condoléances qu'elle reçut à la mort de son père, en 1931, et à la mort de doña Candelaria, en 1935, furent ceux du maharajah. Fidèle à la tradition de protéger les femmes de sa vie, Jagatjit Singh se soucia toujours du bien-être et de la sécurité de sa rani espagnole. Quand la guerre civile éclata, il l'installa avec sa nièce dans un hôtel en Bretagne et plus tard, au moment de la Seconde Guerre mondiale, il organisa à travers l'ambassade britannique le transfert des deux femmes au Portugal, où elles restèrent jusqu'à la fin du conflit. Comme l'avait toujours dit doña Candelaria : « Cet homme est vraiment un seigneur. »

Le maharajah ne perdit jamais l'espoir de remplacer Anita par une nouvelle maharani européenne. Sensible, tombant facilement amoureux, il était la cible parfaite pour des femmes sans scrupule qui aimaient plus son argent que sa personne. Arlette Serry fut l'une d'entre elles. Pendant deux ans, elle partagea sa vie entre l'Inde et Paris, sans jamais s'engager, mais sans éclaircir non plus sa situation. Le maharajah la suivait comme un toutou. Il faisait de longs séjours au Château

Kapurthala et s'acharnait à la convaincre d'accepter le mariage. Son ministre Jarmani Dass le surprit un vendredi soir absorbé dans ses prières, tandis qu'Inder Singh lisait à voix haute des paragraphes du Granth Sahib. Lorsqu'il lui demanda pourquoi il lisait si tard, Inder Singh lui avoua qu'ils imploraient le Tout-Puissant de donner de la force et de la vigueur sexuelle au maharajah qui devait passer la nuit avec Arlette. Le lendemain, Dass n'osa pas demander si les suppliques avaient porté leurs fruits, mais, quand il reçut du maharajah un chèque de dix mille francs sans aucune explication, il comprit que Dieu avait écouté ses prières. En effet, quand il était satisfait de son rendement sexuel, le maharajah distribuait de l'argent à ses ministres, ses secrétaires, ses assistants et ses domestiques. La part du lion revenait à Arlette, à qui il offrit des bijoux merveilleux de chez Cartier.

Mais quand la Française en eut assez de le saigner, elle s'enfuit avec un fiancé qu'elle avait eu en secret jusqu'alors, le correspondant d'un journal argentin à Paris. Le maharajah se retrouva seul.

Peu après, il rencontra à Cannes une autre Française, Germaine Pellegrino, une femme qui avait tout pour elle : beauté, intelligence et culture. Mais elle était fiancée à Reginald Ford, l'héritier de la firme d'automobiles américaine, et ne s'en cacha jamais. Pourtant, le maharajah l'invita au Kapurthala et la reçut avec tous les honneurs. Ils passèrent des heures à bavarder de politique et d'histoire et devinrent de grands amis. Ils continuèrent à se voir à Paris, et le maharajah tomba follement amoureux. « Je veux que tu sois ma maharani », osa-t-il lui dire un jour. Elle eut l'air surpris, et blessé : « Comment serait-ce possible, mon seigneur, puisque Regi est mon fiancé ? » répondit-elle. « Le maharajah fut déchiré par le refus de Germaine, il vécut une véritable agonie d'amour, racontera Jarmani Dass. Il me demanda de faire l'impossible pour la convaincre de l'épouser, sinon il se tuerait. » Dass n'eut pas de succès et le maharajah ne se tua pas. Il apprit le mariage de son adorée avec Reginald Ford quand il lui envoya de Kapurthala un collier de perles ancien de très grande valeur, en cadeau d'anniversaire. La note de remerciement qu'il reçut de Paris, signée par Germaine, disait : « Merci de ce merveilleux collier que j'ai le plaisir d'accepter comme cadeau de mariage. »

Le maharajah finit par épouser, en 1942, une actrice de théâtre tchécoslovaque qu'il avait connue à Vienne six ans auparavant. Eugénie Grossup était une grande blonde aux yeux bleus. Comme Anita, elle était issue d'une famille pauvre qui avait terriblement besoin d'argent. Mais son caractère était différent : fragile, timide et mal à l'aise dans la vie sociale. Son histoire fut semblable à celle d'Anita : elle fut marginalisée et méprisée autant par la famille du maharajah que par les Anglais. À la mort de sa mère, qui vivait avec elle dans une aile du palais, elle fut prise d'une crise de paranoïa, convaincue que sa mère était morte empoisonnée et qu'elle serait la prochaine victime. La solitude, l'ennui et une tendance névrotique la rendirent folle. Elle décida de partir pour les États-Unis où elle prétendait avoir là-bas son seul parent encore en vie. Elle s'installa à l'hôtel Maidens de Delhi pour organiser son voyage, mais les Anglais lui mirent des bâtons dans les roues. La Seconde Guerre mondiale compliquait tout, de l'obtention d'un visa à celle de devises. En pleine crise d'angoisse, le 10 décembre 1946, elle prit un taxi pour se rendre au célèbre monument moghol, la tour du Qtab Minar, qui domine la ville d'une hauteur de cent mètres. Elle y monta avec ses deux caniches, les prit dans ses bras et se jeta dans le vide.

La mort de Tara Devi – le nom que Jagatjit Singh lui avait donné en l'épousant dans la religion sikh – était le genre de nouvelle qui excitait les limiers de la presse à scandale. Elle fit la couverture de tous les journaux. Pour le maharajah, ce fut un nouvel éclat, qui suscita des commérages en tout genre et qui le poussa dans la dépression. Selon Jarmani Dass, il vieillit de dix ans. « Quel mélange difficile, celui de l'Orient et de l'Occident. C'est comme l'eau et l'huile… », dirait le ministre.

La mort de sa femme déclencha un échange de lettres entre le maharajah et les autorités britanniques. Le ton était d'une aigreur inconnue jusqu'alors. Jagatjit Singh accusa directement le département politique d'avoir provoqué le désespoir de sa femme et le rendit responsable de sa mort. La réponse de ce département, dans une lettre confidentielle du 19 décembre 1946, signée par J. H. Thompson, le secrétaire, ne se fit pas attendre : « S'il existe un responsable à la mort de Tara Devi, c'est vous. Je manquerais à mon devoir si je ne rappelais pas à Votre Altesse que, lorsqu'un homme de votre âge épouse une femme étrangère et quand cette femme a quarante ans de moins que son mari, il court un risque grave. Ce risque que Votre Altesse a couru s'est terminé d'une manière malheureuse et tragique. Et vous ne pouvez pas en rendre responsable le département politique. »

À cette époque, le maharajah du Kapurthala était témoin de la fin du monde qu'il avait connu, alors que lui-même approchait de la fin de sa propre vie. Juste après la Seconde Guerre mondiale, les Anglais annoncèrent leur décision d'accorder l'indépendance aux Indes. Beaucoup de princes indiens crurent que les Anglais respecteraient les accords historiques qui les liaient, mais Jagatjit Singh eut tout de suite l'intuition que les maharajahs seraient abandonnés à leur sort. Gandhi et Nehru avaient réussi à galvaniser le peuple autour du parti du Congrès, qui était devenu une organisation puissante et aspirait à mettre en place le gouvernement démocratique d'une Inde nouvelle. Comme toutes leurs tentatives d'accord avaient échoué, les princes affrontaient des temps difficiles. L'idée d'abandonner leurs prérogatives ou de faire partie d'une fédération démocratique restait inacceptable pour la majorité. Il leur était impossible de sauter du Moyen Âge au XX^e siècle.

Se tourner vers le passé était plus réconfortant qu'imaginer l'avenir. Jagatjit Singh était satisfait de ce qu'il avait obtenu. Il avait réussi à faire du Kapurthala un État exemplaire en miniature, bien administré et sans corruption. Il avait disposé de capitaux suffisants pour monter trois usines qui marquèrent la naissance d'une prospère industrie sucrière. Le niveau élevé de scolarisation des enfants lui valait les félicitations des Européens. Le taux de criminalité était très bas. Il n'avait jamais eu à exercer la peine de mort. Il était très satisfait de son habileté à régler les conflits entre les différentes communautés religieuses. Véritable jongleur, il retirait un ministre musulman ici, nommait un administrateur hindou-là ; il était passé maître dans l'art de déplacer les pions de son gouvernement afin que toutes les communautés soient représentées. Alors que, dans d'autres parties du Penjab, les troubles étaient fréquents, Kapurthala était un exemple de quiétude. La ville, tranquille et propre, possédait de nombreux jardins et des immeubles impeccables, et elle était une source d'inspiration pour les architectes et les urbanistes qui venaient de partout la visiter. Quand un fonctionnaire était nommé ailleurs, il partait désespéré.

Mais ce dont le maharajah était le plus fier, c'était de l'affection de son peuple. Tous les ans, en mars, au cours des festivités qui annonçaient l'arrivée du printemps, il se présentait à dos d'éléphant dans les jardins de Shalimar et y retrouvait son peuple, répondait aux questions, s'intéressait aux gens, heureux de sentir l'attachement de ses sujets. Il aimait se souvenir des fêtes de Noël où il invitait au palais un millier d'enfants et leur offrait des livres. Et les visites régulières au tribunal de justice, à la caserne de police ou aux hôpitaux, des visites qui lui permettaient de prendre le pouls de son administration. C'est vrai qu'il voyageait beaucoup, mais il refusa toujours l'accusation britannique qui prétendait que ses voyages faisaient du tort à l'administration de son État. Avec l'âge, le maharajah s'acharna à faire du Kapurthala un fleuron de civisme et de culture. Il voulait gagner les bonnes grâces des hommes, et de Dieu. Il voulait qu'on se souvienne de lui tel qu'il était, un gouvernant bienveillant, ouvert aux idées nouvelles et juste.

Obtenir un héritier pour la dynastie du Kapurthala fut plus difficile et compliqué que n'importe quelle autre tâche. Sa belle-fille Gita ne réussit pas à lui donner un petit-fils, les interventions auxquelles elle se soumit à Paris furent un échec et elle en revint stérile. Le maharajah mit sa menace à exécution et maria son fils à une deuxième épouse. Il la choisit parmi les filles d'un rajah de noble lignée de la vallée du Kangra, comme le voulait la tradition. Gita essaya désespérément d'empêcher ce mariage. Elle implora l'aide d'Harbans Kaur, qu'elle avait appuyée des années plus tôt contre Anita. Mais sa belle-mère lui tourna le dos. Si elle avait dû accepter que le rajah se marie plusieurs fois, pourquoi Gita ne ferait-elle pas de même ? N'était-elle pas indienne, comme elle ? Humiliée et lasse de se battre, Gita demanda le divorce, abandonna le Kapurthala et partit vivre en Europe avec ses filles.

De toute façon, il y avait longtemps qu'elle ne vivait plus avec son mari. Paramjit était tombé amoureux d'une danseuse anglaise qui s'appelait Stella Mudge et il vivait en ménage avec elle. L'histoire recommençait. Mais Stella n'était pas Anita. Froide et calculatrice, son ambition était de devenir maharani du Kapurthala et elle s'opposa farouchement au dessein du maharajah. Mais, en tant qu'Européenne, elle n'était pas qualifiée pour engendrer le prochain héritier de la dynastie. Finalement, Jagatjit Singh résolut le problème comme il savait le faire : avec de l'argent. Il promit à Stella un million de dollars pour convaincre son fils d'épouser la jeune fille de la vallée du Kangra, *this jungly girl*[1], comme l'appelait l'Anglaise avec mépris. Ils se marièrent finalement au cours d'une cérémonie rapide et presque en cachette.

Paramjit refusa pourtant de consommer cette nouvelle union. Sa jeune épouse, qu'une douzaine de servantes parfumaient et massaient, l'attendait toutes les nuits, mais toujours en vain. Ce fut Stella qui obligea littéralement Paramjit à faire son devoir d'époux, car c'était la condition pour toucher le million de dollars. Un beau jour, à sept heures du soir, un Paramjit triste et honteux se présenta au palais où vivait sa nouvelle femme et où l'attendaient les ministres, les membres du gouvernement et plusieurs prêtres qui entonnaient des cantiques. Il entra dans une pièce avec la *jungly girl*, il en ressortit au bout de trente-cinq minutes « l'air pensif et fatigué », selon les témoins. Ayant accompli son devoir, il retourna dans les bras de Stella et ils partirent en vacances en Europe. Neuf mois plus tard,

1. On pourrait traduire par « cette sauvageonne ».

sa nouvelle épouse accouchait d'un garçon[1]. La joie du maharajah fut immense. En remerciement aux grands maîtres du sikhisme, il promit de l'élever dans la plus pure tradition sikh.

En février 1947, le Parti travailliste anglais, qui sympathisait avec le parti du Congrès, nomma lord Louis Mountbatten, cousin de la reine, au poste de vice-roi avec la mission d'organiser le départ des Anglais et la passation de pouvoir. Dès son arrivée à New Delhi, Mountbatten convoqua les maharajahs à une conférence au siège de la Chambre des princes. Jagatjit Singh, le plastron couvert de décorations, la moustache grisonnante, maigre et s'appuyant sur une canne, assista au discours qui marquait la fin de son époque. « Le sort en est jeté », déclara Mountbatten. Il n'y avait plus de temps pour régler tous les problèmes issus des traités historiques entre les princes et la Couronne. S'ils voulaient garder leur souveraineté et le droit de continuer à gouverner, ils devaient signer un document appelé « Acte d'accession », qui les lierait à un des États qui prendrait la relève du Raj britannique, soit l'Inde, soit le Pakistan. L'empire livrait les princes sur un plateau au parti du Congrès de Nehru ou à la Ligue musulmane d'Ali Jinnah, l'avocat ami du maharajah. Ni les gouverneurs ni les hauts fonctionnaires anglais ni les maharajahs présents à cette réunion ne pouvaient croire ce qu'ils entendaient. D'un coup de plume, le vice-roi annulait tous les accords et engagements du passé qui avaient protégé les princes et contribué à

1. Le fils de cette brève union est Sukhjit Singh, le maharajah actuel du Kapurthala et général de l'armée indienne, décoré plusieurs fois pour sa conduite héroïque pendant la guerre de 1972 entre l'Inde et le Pakistan. Il fut interviewé pour ce livre en mai 2003 à Chandigarh (Penjab).

perpétuer le Raj. C'était une énorme trahison, si grande que les maharajahs en restèrent muets de stupeur. C'est ainsi que l'Angleterre les remerciait de leurs efforts pendant la dernière guerre mondiale ? Le nabab de Bhopal avait vendu ses actions à la Bourse américaine pour payer les avions qu'il avait offerts à l'armée de Sa Majesté. Le nizam d'Hyderabad avait payé de sa poche trois escadrons d'avions militaires. Trois cent mille soldats avaient été recrutés dans différents États et les princes avaient acheté l'équivalent de cent quatre-vingts millions de roupies en bons de guerre. Et, maintenant, le Raj, qu'ils avaient si généreusement soutenu, les livrait à leurs propres ennemis, aux républicains du parti du Congrès ou de la Ligue musulmane, qui tôt ou tard les dépouilleraient de leurs pouvoirs.

« Y avait-il un autre choix ? » se demandait Jagatjit Singh. Oui, de se proclamer indépendant. Mais combien de temps tiendrait un minuscule État comme le Kapurthala entre deux géants comme l'Inde et le Pakistan ? Les cinq mille soldats de son armée pourraient-ils repousser une invasion ? Survivre à un boycott ? Séparément, les États étaient trop faibles pour faire face aux deux nouvelles nations. Ensemble, ils n'avaient jamais pu adopter une position commune. Oui, Mountbatten avait raison, le sort en était jeté.

Les uns après les autres, les princes finirent par capituler devant les exigences du vice-roi, certains avec le désir de participer le plus vite possible à la nouvelle vie nationale, d'autres avec appréhension, entraînés par le vent de l'Histoire. Le premier à signer fut Ganga Singh, le maharajah du Bikaner, celui qui détenait cette fabuleuse recette de chameau farci. Il croyait en Mountbatten et aux leaders de l'Inde nouvelle. Et puis, comme des fruits mûrs, les autres tombèrent : Jodhpur, Jaipur, Bhopal, Bénarès, Patiala,

Dholpur, etc. Le maharajah du Kapurthala ne tarda pas à prendre une décision. Bien que la majorité de son peuple fût musulmane, il pencha vers l'Union indienne, dont la Constitution offrait de meilleures garanties pour protéger l'ensemble de ses citoyens que celle du Pakistan islamique. Le maharajah convoqua une réunion avec les représentants du peuple, les chefs de village, des pandits indiens, des muftis musulmans et des prêtres sikhs, pour rendre publique sa décision, qui fut reçue dans un profond silence. Seul un ancien chef de village osa faire un commentaire : « Cela est très bien, Altesse, mais qui séchera nos larmes à l'avenir ? » Bouleversé, le maharajah comprit que cette phrase était un hommage non seulement à son règne, mais aussi à sa lignée, qui tout au long de l'histoire avait su rester auprès de son peuple dans les moments les plus difficiles.

Seuls trois princes refusèrent de signer l'Acte d'accession. Défiant toute logique, le nabab du Junagadh, celui qui organisait des mariages de chiens, voulut intégrer son État au Pakistan, bien qu'il fût situé en plein cœur du territoire indien. Quand son peuple, à majorité hindoue, vota massivement lors d'un référendum en faveur de l'Inde, le nabab dut s'enfuir dans le pays voisin avant que l'armée indienne ne mette à exécution sa menace d'invasion. Il partit avec ses trois femmes, ses chiens préférés et ses bijoux.

Hari Singh, le maharajah du Cachemire, était dans le cas contraire : un hindou en terre à majorité musulmane. Il n'arrivait pas à se décider, tiraillé entre ceux qui plaidaient l'intégration au Pakistan, ceux qui voulaient s'unir à l'Inde et ceux qui insistaient pour que le Cachemire devienne un pays indépendant. Hari Singh se laissa tenter un instant par l'idée de l'indépendance, car son armée était capable de protéger les frontières de son royaume. Mais il se réveilla quand des combattants musulmans venus du Pakistan envahirent son territoire. Ils pillèrent, incendièrent et terrorisèrent le peuple. Obligé alors de prendre une décision, il choisit d'intégrer le Cachemire à l'Union indienne en échange d'une protection contre les envahisseurs. New Delhi envoya des unités de l'armée et tous ses avions de chasse disponibles à Srinagar, la Venise de l'Orient, qui avait tellement ébloui Anita. Le Cachemire cessa d'être une terre de paix et devint un champ de bataille entre l'Inde et le Pakistan. Hari Singh s'éloigna des hostilités et abandonna pour toujours son palais de Srinagar. Il vécut un exil doré à Jammu, sa capitale d'hiver. Curieusement, son fils Karan fut nommé régent du Cachemire par le grand ennemi des princes, Nehru en personne. Quelques années plus tard, il gagna les élections et devint le Premier ministre du nouvel État.

Le troisième prince à afficher son désaccord fut le nizam d'Hyderabad, l'homme qui était tombé amoureux d'Anita en 1914 et qui l'avait comblée de cadeaux. C'était à présent un vieillard qui pesait quarante kilos. Son Altesse Exaltée continuait d'être le prince le plus excentrique. Avec les années, sa richesse avait augmenté en même temps que son avarice, si sordide qu'il récupérait les mégots que ses invités abandonnaient dans les cendriers. Un médecin venu de Bombay pour examiner son cœur ne fut pas autorisé à lui faire un électrocardiogramme. Afin d'éviter les dépenses superflues, il avait donné ordre à la centrale électrique d'Hyderabad de réduire le voltage. Comme son ami Hari Singh du Cachemire, le nizam pouvait compter sur une grande armée équipée en artillerie et en aviation. Quand un haut fonctionnaire vint l'avertir de la décision britannique d'abandonner les Indes, il poussa un cri de joie : « Enfin libre ! » s'exclama-t-il.

Dès le départ des Anglais, il déclara l'indépendance d'Hyderabad. Ce qui, bien qu'il en ait eu le droit, était une folie car il ne disposait pas de l'atout principal : l'appui de son peuple. Le nizam avait perdu tout contact avec la réalité. Le 13 septembre 1948, le gouvernement de l'Inde signala le début de l'« opération Polo », le nom de code de l'invasion. Ce fut une attaque plus violente que ne le souhaitait Nehru. En quarante-huit heures, l'État indépendant d'Hyderabad cessa d'exister et avec lui une forme de vie bien particulière, fondée sur l'amour des arts, l'hospitalité, la courtoisie et une administration efficace qui ne faisait aucune distinction entre les castes ou les religions. Pendant quelques années le nizam occupa un poste officiel dans son ancien État, conservant le privilège d'être salué de vingt et un coups de canon, mais aucun pouvoir réel. Une partie de sa richesse lui fut confisquée et il fut obligé d'accepter une pension viagère de plus de deux millions de dollars par an. Il passait la journée à boire du café – une cinquantaine de tasses par jour –, à écrire des poèmes en ourdou et à veiller à la bonne marche de l'université qu'il avait fondée. Pour économiser de l'argent, on dit qu'à la fin de sa vie il raccommodait lui-même ses vieilles chaussettes.

Les astrologues choisirent le 15 août 1947 pour que l'Inde commence son existence indépendante. Tout le pays attendait le discours de Nehru devant l'Assemblée législative, mais Jagatjit Singh du Kapurthala préféra ne pas bouleverser sa routine. Après un dîner frugal et une promenade dans le jardin de son palais, il alla se coucher à vingt-deux heures trente. Le lendemain, assis dans le salon japonais où il prenait son petit déjeuner, il lut dans le journal le discours qui marquait l'ère nouvelle. « À minuit, l'Inde s'éveillera à la vie et à la liberté. L'instant approche, rarement offert par l'Histoire, où un peuple quitte le passé pour entrer dans l'avenir, où une époque se termine, où l'âme d'une nation, étouffée pendant longtemps, retrouve son expression… »

« Il ne fait pas un trop mauvais discours, ce camarade de classe de Paramjit », pensa le maharajah en buvant une tasse de thé fumant. Décidément, Harrow était un bon collège et il comptait bien y envoyer son petit-fils, le temps venu.

Mais il ne pouvait partager l'enthousiasme de la presse qui décrivait la façon dont les multitudes délirantes avaient fêté l'événement dans les deux pays. Il n'avait aucune raison de se réjouir, car il avait eu l'intuition que l'indépendance entraînerait une tragédie. En divisant l'Inde pour satisfaire les exigences de son vieil ami Ali Jinnah, les Anglais traçaient une frontière et attribuaient aux Indiens les zones à majorité hindoue et aux Pakistanais celles à majorité musulmane. Sur le papier, le résultat avait l'air viable, mais dans la pratique ce fut un désastre. Au Penjab, la frontière attribuait la ville de Lahore au Pakistan et celle d'Amritsar, avec le Temple d'Or, à l'Inde, coupant les terres en deux et séparant une des communautés les plus actives et les plus unies : les sikhs. Lahore, le Paris de l'Orient, la ville la plus cosmopolite et la plus belle de l'Inde, la capitale du Nord, allait devenir une petite ville de province vivant au son des muezzins. Le monde de Jagatjit Singh était mutilé à jamais.

Quelques jours plus tard, il fut très impressionné par une autre nouvelle parue dans la presse. Dans la composition du premier gouvernement de l'Inde indépendante, le maharajah remarqua le nom de sa nièce, Amrit Kaur, Bibi pour la famille. Nehru l'avait nommée ministre de la Santé. C'était la première femme mi-nistre en Inde. Le couronnement de toute une vie consacrée à la cause de l'indépendance : Bibi avait été emprisonnée deux fois et avait été battue par la police à plusieurs reprises. En 1930, pendant la fameuse marche du sel organisée par Gandhi pour protester contre l'interdiction de fabriquer du sel sans permission du gouvernement, Bibi fit trois cents kilomètres en sandales à la tête d'une énorme foule. Peu à peu, elle dépassa son rôle de leader de la campagne *Quit India* (Abandonnez l'Inde) contre les Anglais. Elle lutta contre les lois sociales, dénonça les mariages entre enfants, le système du purdah et l'analphabétisme. La jeune fille de bonne famille qui fumait et qui rentrait d'Europe avec de magnifiques cadeaux pour ses cousines, la rebelle amoureuse des chevaux, devint une héroïne pour des millions de compatriotes. Pour la première fois dans l'Histoire, les Indiens pouvaient se rendre compte de ce qu'une femme était capable d'obtenir dans un État démocratique et moderne.

Le 10 mars 1949, Jagatjit Singh arriva à Bombay pour s'embarquer vers l'Europe. Les événements qui avaient eu lieu pendant l'indépendance l'avaient obligé à rester à Kapurthala. Juste après le discours de Nehru, les gens étaient devenus fous, comme il l'avait prédit. La plus grande migration de l'histoire de l'humanité commença aussitôt. Les hindous qui, du jour au lendemain, se retrouvaient au Pakistan partirent chercher refuge en Inde et les musulmans de l'Inde fuirent vers le Pakistan. La division du pays, à laquelle Gandhi s'était toujours opposé, provoqua un véritable cataclysme. Il mourut à cette époque autant d'Indiens que de Français pendant la Seconde Guerre mondiale.

Le Penjab, ce pays magnifique aux cinq rivières, ce creuset des civilisations, devint le théâtre d'un gigantesque bain de sang. Le maharajah du Kapurthala assista impuissant à cette brève et monstrueuse tuerie. Il ne ménagea pas ses efforts pour prendre soin des réfugiés et calmer les esprits. « Ce furent les pires années dont je me souvienne », dirait Sukhjit Singh, le petit-fils du maharajah. Le Kapurthala échappa au pire, mais ce ne fut pas le cas du Patiala, dont les rivières étaient rougies au matin par le sang des cadavres de la veille.

Quand le calme revint, plus rien n'était comme avant. L'esprit ouvert, cosmopolite, multiculturel et multireligieux que Jagatjit Singh avait réussi à faire régner dans son État s'était envolé à jamais. Petit à petit, le gouvernement indien rompit les promesses qu'il avait faites aux princes. Quarante et un États de l'est de l'Inde furent dépossédés de leur souveraineté et agglutinés dans une province appelée Orissa. Deux mois plus tard, les États du Kathiawar jusqu'à la mer d'Arabie suivaient le même chemin et devenaient le nouvel État du Gujerat. Après, ce fut le tour du centre du pays où les États du Rajputana se fondirent dans une nouvelle union du Rajasthan. Maintenant, il était question de faire la même chose avec le Penjab… « Pendant cinquante-cinq ans j'ai dirigé le destin du Kapurthala, et tout le travail de ma vie est sur le point d'être rasé », pensait le maharajah, blessé et offusqué que les pères de la nation, les grands leaders, ne fussent pas capables de tenir parole.

De l'ancienne suite impériale – rebaptisée suite présidentielle – au cinquième étage de l'hôtel Taj Mahal de Bombay –, la chambre même qu'avait occupée Anita à son arrivée, la chambre où elle avait appris sa première grossesse –, le maharajah apercevait la Porte de l'Inde, l'imposant arc de triomphe que les Anglais avaient construit en commémoration de la visite du roi George V et de la reine Mary pour le grand Durbar de Delhi en 1911. Ce symbole de puissance de l'empire le plus colossal que le monde ait jamais connu semblait maintenant bien dérisoire ! Les Anglais étaient passés sous la voûte et les princes devraient partir à leur tour pour mettre à l'abri leurs dernières richesses face à l'avenir incertain.

Le maharajah apercevait aussi, sur la rade, le bateau qui allait l'emmener en Europe. Pour la première fois il avait envie de partir pour ne plus jamais revenir. À soixante-dix-sept ans, il se sentait fatigué et découragé. Sa vie avait été intense, il avait profité de chaque instant, mais les derniers événements l'avaient ébranlé. Dans ses moments de mélancolie, il se souvenait des êtres aimés, et surtout de ses enfants, qu'il avait perdus. Ce fut d'abord Mahijit, au zénith de sa carrière politique, en 1932, âgé d'à peine quarante ans, victime d'un cancer foudroyant. Le deuxième fut Amarjit, le militaire, qui mourut à Srinagar d'une crise cardiaque en 1944. Il restait Paramjit, l'héritier qui ne régnerait jamais, et qui passait son temps à boire et à se faire saigner par sa maîtresse anglaise.

Et Karan. Il s'était réconcilié avec le fils à l'origine du plus grand scandale qui ait frappé la maison du Kapurthala. Mais Karan s'était racheté. Il avait réussi à augmenter la productivité des terres de l'Oudh de manière spectaculaire. Il était devenu un administrateur sérieux et tellement efficace que le maharajah avait fini par le rappeler auprès de lui, à Kapurthala, pour lui confier toutes les affaires familiales importantes. Karan était son bâton de vieillesse… Comme la vie change ! Il éprouvait aussi une grande sympathie pour sa femme, la princesse Charan. Elle venait d'apparaître sur la couverture de *Vogue* avec une bague de chez Cartier. Elle avait tout ce qui lui plaisait chez les femmes : la beauté, l'élégance et l'intelligence. Oui, Karan était son digne héritier.

Le maharajah avait également perdu de nombreux amis sur la route, comme un goutte-à-goutte constant qui rappelait la fragilité de la vie, et ce jour-là il se souvenait d'eux. La mort qui l'avait le plus frappé avait été celle de Bhupinder le Magnifique, le maharajah du Patiala, dont le cœur avait claqué à l'âge de quarante-sept ans. Neuf mois plus tard, la concubine avec laquelle il avait eu des rapports la veille de sa mort mettait au monde un enfant.

Des amis, des amours, des fils… la vie consistait en cela, à perdre. Maintenant, il était sur le point de perdre son trône, l'essence même de son être. Bientôt il ne resterait plus de place pour lui dans le monde.

Il préférait partir. Fuir, s'oublier. Se consacrer jusqu'au bout à sa vocation réelle et profonde, les femmes, les seuls êtres capables de consoler son vieux cœur blessé. Un léger espoir brillait à l'horizon et lui donnait envie de faire ce voyage. À Londres, il reverrait une Anglaise qu'il avait rencontrée à Calcutta et qui était devenue son amie… et peut-être un peu plus. Ah, ces Européennes… ! Même Nehru avait succombé au charme et à l'intelligence de l'une d'elles, qui n'était autre que l'épouse du dernier vice-roi, Edwina Mountbatten. Selon les rumeurs, ils étaient profondément amoureux, ils étaient amants et se retrouvaient lors des voyages que le Premier ministre indien faisait à l'étranger. Le temps passait, l'Histoire aussi, les personnages changeaient, mais l'amour survivait. L'Orient et l'Occident, si différents mais tellement attrayants l'un pour l'autre, comme l'homme et la femme, comme les deux faces d'un même monde.

Le maharajah avait également l'intention de se rendre en Espagne, pour écouter du bon flamenco avec Anita et son fils Ajit, attaché culturel à l'ambassade de l'Inde à Buenos Aires, mais qui viendrait à Madrid aux fêtes de San Isidro. Ajit, fils d'une Andalouse, avait hérité de sa mère le plaisir d'assister aux courses de taureaux et d'écouter du flamenco.

Cette nuit-là, le maharajah ne voulut pas descendre à la salle à manger pour dîner. Il demanda à son assistant qu'on lui apporte dans sa suite un repas léger et le pria d'ouvrir en grand les fenêtres qui donnaient sur la mer, d'où l'on apercevait les lumières du bateau qui lèverait l'ancre le lendemain. Comme toujours, la nuit était humide et chaude. Jagatjit Singh s'étendit sur le lit, écouta l'éternel croassement des corbeaux de Bombay mêlé au bruit du ventilateur qui tournait lentement. La brise agitait les rideaux, comme des fantômes dansants. Le halo de la lune décroissante se montrait dans un coin de la fenêtre.

Quand son assistant revint, accompagné du serviteur qui poussait le chariot du dîner, il trouva le maharajah dans la même position, un léger sourire aux lèvres. Allongé sur le lit, il était majestueux, comme toujours, mais parfaitement immobile, les yeux perdus à l'horizon, sans voix. Il ne respirait plus depuis quelques minutes. Le maharajah, qui avait régné le plus longtemps, s'était éteint doucement, sans bruit ni souffrance. La mort avait été bienveillante avec lui, comme lui l'avait été dans la vie.

Quelques jours après, au Kapurthala, son petit-fils et son fils Paramjit ouvraient le cortège funèbre, suivis d'une foule immense qui venait rendre un dernier hommage à l'homme qui les avait gouvernés pendant presque soixante ans. Des commerçants, des paysans, des vieillards et des sikhs aux longues barbes blanches pleuraient, inconsolables. Un vieux prêtre hindou qui marchait difficilement tenait à faire ses condoléances à la famille réunie autour du cadavre dans les jardins de Shalimar, en dehors de la ville. Le corps du maharajah gisait face au bûcher funéraire, sur une literie de paille, selon la tradition sikh qui veut que l'on naisse sans rien et que l'on meure sans rien. Cet illustre vieillard était un vieil ami du défunt et il était le conseiller des affaires religieuses, d'histoire et d'écriture védique. Il s'accroupit et pleura en silence. « Un grand homme est parti, dit-il au petit-fils, en montrant le corps du maharajah. Il a bâti l'État et l'emporte avec lui. »

Anita apprit la nouvelle dans son appartement somptueux de la rue Marqués de Urquijo, à Madrid, où un tableau magnifique de son mari en habit de gala trônait dans le salon. D'après sa servante, Anita resta tout l'après-midi devant le tableau, les mains jointes, priant pour l'homme qui avait fait d'elle une princesse, envers et contre tous, et dont l'ombre protectrice venait de s'éteindre à jamais. Anita reçut les condoléances d'amis du monde entier et le général Franco lui-même lui accorda une audience au palais du Pardo, pour lui transmettre les condoléances de l'État espagnol. Mais le vide que la mort du maharajah laissait fut impossible à combler.

La nostalgie qu'elle avait gardée de l'Inde ne l'abandonna jamais. Les Anglais n'étant plus aux commandes elle tenta plusieurs fois d'y revenir, mais la situation au Penjab était dangereuse. Et puis, « pourquoi y retourner ? » lui demandait Ajit, devenu un play-boy globe-trotter qui la tenait au courant des changements. « Il vaut mieux, écrivit son fils en 1955, que tu gardes pour toi les souvenirs des temps merveilleux que tu as vécus là-bas. Tout est changé maintenant, le spectacle est désolant. Je me demande ce que tu éprouverais si tu voyais le peu de choses qui restent de ton règne. Les chambres tristes et vides du palais, les quelques meubles non vendus recouverts de tissu sale et les fenêtres de style moghol, celles qui donnaient au nord, d'où tu rêvais de reprendre ta liberté comme un oiseau, aujourd'hui sans vitres et qui laissent passer le froid et la neige de l'hiver ou la pluie de la mousson... »

Anita ne retourna jamais au Kapurthala. Elle se réfugia dans ses souvenirs et continua de suivre les nouvelles de l'Inde. Le parti du Congrès venait d'approuver une résolution pour dépouiller les princes de tous leurs privilèges et de leurs pensions. Ajit avait raison, pourquoi revenir dans un monde qui n'existait plus ?

Le 7 juillet 1962, Anita mourut chez elle, à Madrid, dans les bras de son fils. Quand il voulut l'inhumer au cimetière de San Justo, il se heurta à un problème insoupçonné. L'Église catholique refusait de faire enterrer sa mère, invoquant qu'en épousant le maharajah Anita avait renié sa foi catholique. Même dans la mort, Anita continuait d'être persécutée par ceux qui l'avaient méprisée et laissée de côté de son vivant. Ajit dut investir une énergie considérable pour convaincre le clergé que sa mère n'avait jamais cessé d'être catholique. Il dut présenter des certificats et des documents, demander aux domestiques et aux amis d'intervenir pour faire valoir ses raisons. La cape de la Vierge qu'Anita avait offerte au peuple de Málaga, toujours dans le tiroir du presbytère, servit finalement de preuve. Elle se trouve aujourd'hui au musée de la cathédrale de Málaga, et ne fut jamais utilisée, malgré le souhait d'Anita.

Les grands pontes de l'Église donnèrent enfin leur autorisation pour l'enterrement, à condition que la tombe ne porte aucun symbole d'une autre religion. Une semaine après avoir exhalé son dernier soupir, Anita Delgado Briones put enfin reposer en paix.

# Que sont-ils devenus ?

**Paramjit**, l'héritier qui ne régna jamais, mourut en 1955 à soixante-trois ans, à Kapurthala. Il fut soigné pendant toute sa maladie par sa maîtresse anglaise Stella Mudge. Son lit avait la forme d'une gondole en souvenir de Venise, la ville où ils s'étaient connus.

Son frère **Karan** décéda en 1970, à New Delhi, d'une crise cardiaque. Martand et Arun, les fils qu'il avait eus avec lady Charan, sa très belle épouse, sont actuellement actifs dans la vie politique.

**Ajit**, le fils d'Anita, vécut en dilettante et, fidèle à ses aïeux, se consacra aux femmes, au jazz et à la gastronomie. Il avait une énorme collection de disques et jouait fort bien du saxophone. Il voulut devenir acteur et fit un séjour à Hollywood où il connut Jean Harlow et d'autres stars de l'époque. Quand il revint en Inde, il tapissa les murs de sa chambre de photos d'actrices célèbres, mais il ne se maria jamais. À la fin, il ne put réaliser son rêve d'assister aux championnats mondiaux de football en Espagne en 1982, car il mourut d'un cancer le 4 mai de cette année-là, dans une clinique de New Delhi, à l'âge de soixante-quatre ans.

**Bibi Amrit Kaur** est morte deux ans après Anita, le 5 février 1964, d'une maladie respiratoire. Elle avait soixante-quinze ans. Elle ne s'était jamais remise de l'assassinat de Gandhi en 1948 et disait que, sans lui, elle se sentait « sans gouvernail ». Sa crémation eut lieu au bord du fleuve Jamuna, dans la capitale indienne, et une foule gigantesque défila pendant des heures devant ses cendres.

En 1975, Indira Gandhi abolit les derniers privilèges qu'avaient gardés les maharajahs en échange de l'incorporation pacifique de leurs principautés à l'Union indienne. Exonérations fiscales, salaires à vie et titres furent supprimés. Les anciens princes furent la cible d'enquêtes policières et fiscales implacables qui démantelèrent leur patrimoine. Beaucoup furent obligés de vendre leurs palais, leurs meubles et leurs bijoux. Ceux qui résistèrent à ce coup de massue s'adaptèrent comme ils purent à la nouvelle époque. Certains, comme le maharajah d'Udaipur, transformèrent leurs palais en hôtels de luxe, d'autres se firent hommes d'affaires, ou encore s'occupèrent à servir les intérêts de la nouvelle Inde, comme le maharajah de Jaipur et sa femme Gayatri Devi qui furent ambassadeurs en Espagne ou le maharajah de Wankaner, qui devint conservateur et se consacra à la protection des tigres, une autre espèce en voie d'extinction.

Les jours glorieux de la splendeur des maharajahs semblent aussi loin aujourd'hui que ceux des empereurs moghols, mais il reste toujours l'éclat de leur souvenir, comme celui des bijoux qu'ils gardaient dans des coffres en bois de santal et qui continuent de scintiller, malgré la poussière et la décrépitude, au firmament de l'Histoire.

## *Deuxième épilogue*

# Un nouvel amour ?

Après la publication de la première édition du livre, je reçus un coup de téléphone d'une dame âgée, Adelina, qui disait habiter Madrid. « Je suis une nièce d'Anita Delgado, susurra-t-elle au téléphone. J'aimerais vous voir. » Nous nous donnâmes rendez-vous la semaine suivante. En attendant de la rencontrer, j'essayai de savoir qui m'avait appelé. Je n'avais jamais entendu parler d'elle, et n'avais rien lu sur une Adelina Rodriguez. Mais, par sa voix et par les détails qu'elle me donna pendant notre conversation, il s'agissait sans aucun doute de quelqu'un qui avait connu de près la princesse du Kapurthala.

Très élégante, elle me reçut dans la maison de retraite où elle vit au centre de Madrid. Fragile, grande, mince, les doigts très fins, une peau de porcelaine, elle souriait doucement et s'exprimait avec un léger accent andalou. Elle portait des bijoux hérités d'Anita. Elle avait probablement un peu plus de quatre-vingts ans.

Elle me raconta qu'elle avait connu la princesse en 1927 à Málaga, quand celle-ci avait abandonné définitivement les Indes. Elles étaient parentes car doña Candelaria, la mère d'Anita, était la tante de la grand-mère d'Adelina. En 1935, elles s'étaient retrouvées à

Paris. Anita vivait luxueusement dans un appartement de l'avenue Victor-Hugo, grâce à la pension généreuse qu'elle recevait du maharajah. Adelina habitait avec son père, un républicain qui avait dû quitter précipitamment l'Espagne.

Mais la surprise que me réservait Adelina se trouvait dans quatre grands albums de photos, aux couvertures de cuir et portant l'écusson en argent de la maison royale du Kapurthala. Des albums qui n'avaient pas été ouverts depuis les années trente. Grâce à sa gentillesse et à celle de sa sœur Pepita, certaines de ces photos sont reproduites ici.

Un de ces albums montrait souvent un personnage, un peu plus jeune qu'Anita. « C'était mon père, me chuchota Adelina. Le secrétaire de la princesse. »

Ginés Rodriguez Fernandez de Segura était issu d'une famille bourgeoise de Málaga, veuf d'une cousine d'Anita Delgado et père de trois filles. Agent de change, homme instruit qui parlait parfaitement plusieurs langues, il avait été député dans le gouvernement de Lerroux avant que la guerre civile ne l'oblige à se réfugier en France. Adelina se souvient de cette époque comme d'un exil doré : « Nous habitions avenue Marceau, très près de chez Anita, que nous voyions presque tous les jours ; nous allions faire des courses, passions Noël ensemble, nous montions à cheval au bois de Boulogne et nous allions très souvent au théâtre. Moi j'avais quinze ans et la princesse quarante. Elle était très belle et très affectueuse. »

– Votre père était-il l'amant de la princesse ? osai-je lui demander.

Adelina sourit, un peu gênée.

– Il était son secrétaire, insista-t-elle.

Mais les photos répondaient tout autre chose. On y voyait Ginés et Anita, main dans la main, sortir de l'hôtel du Palais à Biarritz ou se promener dans une rue de Londres ou de Madrid.

Adelina finit par l'admettre : Anita Delgado avait été le grand amour de son père. Ils avaient commencé leur idylle en 1936. Ils étaient seuls tous les deux à Paris. Elle, séparée, lui, veuf. Tout à coup, Anita trouva une famille et un homme qui lui fournissaient un équilibre et lui donnaient de la tendresse. L'ancienne obsession d'Anita pour Karan était devenue comme un rêve. Ils avaient totalement cessé de se voir.

Sa relation avec Ginés fut stable. Il était très présent dans sa vie, et il était fou d'elle. Il devint peu à peu son compagnon fidèle, toujours attentif et empressé. Quand la guerre espagnole se termina, ils revinrent tous les deux à Madrid. Ils habitaient « officiellement » dans des appartements différents, Ginés avec ses filles et Anita chez elle. Adelina se souvient que, le dimanche, ils sortaient dans la Mercedes 180 d'Anita et se promenaient aux environs de Madrid.

D'après Adelina, leur relation fut tenue secrète car Anita craignait toujours que le maharajah ne l'apprenne et n'annule sa pension.

En 1962, Anita Delgado s'éteignit petit à petit et puis, d'après Adelina, « elle finit par être une femme sans vie. Quand elle mourut, mon père fut brisé. Il accompagna Ajit dans sa bataille contre l'Église catholique. Mon père ne se remit jamais de l'avoir perdue ». Ginés, n'ayant plus envie de vivre, tomba malade peu de temps après, « du cœur, de quoi d'autre pouvait-il être malade ? » dit Adelina avec un sourire mélancolique. Six ans après, le 21 février 1968, il mourut d'un infarctus.

Je compris qu'Adelina avait aimé Anita comme une vraie mère et que le plus grand hommage qu'elle pouvait lui rendre, à elle ainsi qu'à son père, était de revivre pendant quelques instants les moments heureux du passé. Voilà pourquoi elle m'avait appelé, pour se souvenir, pour que cette histoire d'amour ne tombe jamais dans l'oubli.

# Remerciements

*Une passion indienne* est le résultat d'une longue et patiente enquête, réalisée grâce à l'aide et à la collaboration de nombreux amis et parents. Je voudrais tout d'abord exprimer ma gratitude à Dominique Lapierre, qui a été le premier à me raconter les anecdotes et les histoires de ses amis les maharajahs, qui ont elles aussi inspiré ce livre.

Un grand merci à ma femme Sita pour son appui et sa bonne humeur. Enceinte de cinq mois, elle a supporté stoiquement les 43 °C du Penjab pendant les mois de mars, avril et mai 2003.

Je tiens également à exprimer ma gratitude à mes éditeurs Leonello Brandolini et Antoine Caro à Paris ; Adolfo García-Ortega et Elena Ramírez à Barcelone ; Joy Terekiev à Milan ; Shekar et Poonam Malhotra à New Delhi…

Mes remerciements à Larry Levene et à Pauline Guéna pour leurs corrections.

Mes séjours en Inde sont marqués par le souvenir de la chaleureuse hospitalité dont ma femme et moi avons partout été l'objet ; merci à Kamal et Kalpana Pareek, ainsi qu'à Arvind et Jaya Shrivastava.

Je tiens à exprimer mes remerciements spécialement chaleureux à Elisa Vázquez de Gey, auteur de *Anita Delgado, maharani de Kapurthala*, pour avoir partagé ses documents. Je suis également redevable à Charles Allen qui, en collaboration avec Sharada Diwedi, est l'auteur des livres les plus intéressants et les mieux documentés sur les maharajahs comme *Lives of the Indian Princes* (Century Publishing, 1984), *A Scrapbook of British India*, *Plain Tales from the Raj*, etc.

À New Delhi, je tiens à remercier Amitabh Kant, Ashwini Kumar, Francis Wacziarg, Nilofar Khan, Rakesh et Sushila Dass et le Dr Jean-Marie Lafont. Merci également à Karan Singh, fils du maharajah du Cachemire et à Madhukar Shah Orccha, héritier de la maison d'Orccha. Toute ma reconnaissance aux membres de la familla de Kapurthala qui ont accepté mes interviews : Martand Singh, princesse Usha, rajah Birendra Singh, Vishwajit Singh, Satrujit Singh, etc.

Au Penjab, ma gratitude s'adresse à Madan Gomal Singh, ancien chef de la police de Kapurthala, et à Kunwar Mahindra Singh, neveu de Rajkumari Amrit Kaur.

À Bombay, je tiens à remercier chaleureusement Delna Jasoomoney et la chaîne d'hôtels TAJ pour leur collaboration et leur appui.

Et puis un grand merci à Aurélie Marroniez, Susana Garcès et KLM, grâce à qui toute l'enquête fut possible.

## UN PRINCE DE LÉGENDE POUR UNE DANSEUSE ANDALOUSE

Quand ils se rencontrèrent
pour la première fois,
le maharajah de Kapurthala
avait trente-six ans
et Anita Delgado seize.
Anita était une danseuse de flamenco ; le maharajah tomba follement amoureux d'elle. Il devint son Pygmalion ; il lui apprit les langues, les bonnes manières
et en fit une princesse. Le conte de fées allait finir des années plus tard par un des plus grands scandales que connurent les Indes britanniques.

C'est vêtu de cet uniforme que le maharajah apparut à Anita dans les rues de Madrid, lorsqu'il vint assister aux noces du roi Alphonse XIII. Sa silhouette splendide allait personnifier l'image de l'Inde en Europe. « On dirait un roi maure, ou peut-être cubain », dit Anita à sa sœur. Elle n'imagina pas tout de suite que cette rencontre allait bouleverser sa vie.

## LE PEUPLE LES ADORAIT

Gavé par ses nourrices depuis sa plus tendre enfance, le maharajah de Kapurthala pesait cent vingt kilos à l'âge de treize ans. Son obésité devint un problème d'État quand il s'avéra qu'il ne pouvait pas avoir d'enfants. Un ingénieur civil anglais, sur les conseils du gardien des éléphants du palais, lui construisit un lit spécial pour qu'il trouve une position lui permettant de s'accoupler. L'invention fut un grand succès. Neuf mois après l'avoir essayé, sa femme accoucha du prince héritier.

Comme il tenait à entretenir un contact étroit avec son peuple, le maharajah de Kapurthala se promenait tous les matins avec ce vélocipède français sur lequel l'ingénieur anglais lui avait fixé une ombrelle.

En 1890, l'année de la naissance d'Anita Delgado, le maharajah atteignit sa majorité.
Le voici, entouré de ses ministres, quelques jours après la cérémonie d'investiture.

## LES PRINCES INDIENS AIMAIENT LA CHASSE, LE SPORT ET LES FEMMES

Les Anglais avaient introduit en Inde le « pigsticking », la chasse au sanglier à la lance. Le maharajah de Kapurthala, malgré son obésité, était un bon chasseur. Mais il aimait surtout le tennis et fit du Kapurthala la Mecque de ce sport en Inde. Le champion français Jean Borotra y fut invité à plusieurs reprises.

Ardent francophile, le maharajah de Kapurthala se fit construire un palais de style français, inspiré des Tuileries et de Versailles. Avec ses cent huit chambres et ses jardins splendides, ce fut le foyer d'Anita Delgado pendant ses années en Inde. Le premier étage était construit à hauteur d'éléphant, pour que l'on puisse monter facilement sur le dos des pachydermes.

## TOUS VOULAIENT CONNAITRE LA FEMME ESPAGNOLE DU MAHARAJAH DE KAPURTHALA

Anita vivait à cheval entre l'Orient et l'Occident. Elle portait le sari avec la même aisance que les vêtements européens. Elle était une grande séductrice, et tellement différente des autres femmes – britanniques ou indiennes – que même les Anglais, qui la méprisaient, brûlaient d'envie de la rencontrer. Grâce à sa beauté, son charme et sons sens de l'humour, elle finit par se faire accepter au sein de ce monde rigide.

## BELLE, LIBRE ET SEULE FACE A UN MONDE INCONNU

Dès son arrivée à Kapurthala, Anita découvre que son mari a déjà quatre épouses, et un enfant avec chacune d'elles. Et qu'elle est la cinquième. (De gauche à droite, les enfants : Karan, Amarjit, Paramjit et Mahijit.) Anita avait à peu près le même âge que les enfants de son mari.

La première épouse, Harbans Kaur (photo à gauche), une indienne traditionnelle qui vivait à l'intérieur du harem, se sentit menacée par l'irruption de cette étrangère qui ne respectait pas les conventions locales.

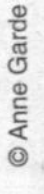

La grande amie d'Anita, son alliée inconditionnelle, fut Bibi Amrit Kaur, une cousine au troisième degré de son mari. Femme exceptionnelle, elle finit par devenir une héroïne nationale.

## LE FILS QUI NE REGNERAIT JAMAIS

Il s'appelait Ajit Singh,
mais il aimait les combats
de taureaux et la cuisine
à l'huile d'olive !
Le fils qu'Anita eut
avec le maharajah
de Kapurthala n'avait pas
les mêmes droits héréditaires
que ses demi-frères
de pur-sang indien.

Anita (deuxième en partant de la gauche)
est en vacances à Biarritz avec son fils
(à sa gauche), sa nièce et Jarmani Dass,
qui fut ministra dans le gouvernement
du Kapurthala et homme de confiance
du maharajah.

La photo de Karan (ci-contre), l'amant
d'Anita, était posée sur la table de chevet
dans l'appartement de Madrid
où elle vécut à son retour d'Inde.
C'était la première image qu'elle voyait en
se réveillant, et la dernière en se
couchant. Elle ne parlait jamais de Karan.
C'était un secret qu'elle partageait
seulement avec quelques intimes, et elle
voulut le garder jalousement
dans son cœur jusqu'à la fin.

# ILS GOUVERNAIENT DANS LE FASTE ET L'APPARAT

Dans le centre de la ville, la salle du Durbar, mot d'origine perse qui signifie « réunion », était le siège du gouvernement local. Le maharajah, entouré de ses ministres et conseillers, recevait les représentants religieux, les chefs de village, des délégués des différents corps de métiers, etc. Il y résolvait les conflits, dictait des lois, encourageait les débats et donnait des conseils.

Les maharajahs du Punjab étaient très connus en Europe, car ils voyageaient assidûment. Si Bhupinder Singh le Magnifique (à gauche sur la photo), maharajah de Patiala, et Jagatjit Singh, de Kapurthala, se ressemblaient à s'y méprendre, ils étaient loin de mener la même existence. Jagatjit tombait facilement amoureux et conservait l'amitié des femmes après avoir rompu avec elles. Bhupinder vivait en monarque absolu et n'aimait que le sexe. Neuf mois (jour pour jour) après sa mort, naquit son dernier rejeton.

## LA FIN D'UN MONDE

La presse du monde entier se faisait l'écho des visites du maharajah et de sa femme, voyageurs infatigables. Cet article d'un numéro du Washington Post de 1918 pose la question : « La polygamie peut-elle résoudre le problème de l'excédent de femmes après la guerre ? »

THE WASHINGTON POST: SUNDAY, MAY [illegible]

# Polygamy To Relieve The Surplus of Women After the War?

*The Embarrassing Problem of the Widows and Old Maids and Its Extraordinary Suggested Remedy Discussed by the Favorite Wife (Formerly the Famous Spanish Beauty Senorita Delgado) of the Maharajah of Kapurthala Who Has Four Wives and Numerous Concubines*

Les derniers temps.
À l'hôtel Savoy de Londres en 1924 (photo ci-contre) et en 1925 à New Delhi (photo du bas).
On voit le couple tendu, peu avant le retour définitif d'Anita en Europe.

# Table

*Première partie* :
La vie est un conte de fées ....................................13

*Deuxième partie* :
Le Seigneur du Monde ..........................................103

*Troisième partie* :
« Je suis la princesse de Kapurthala » ..................165

*Quatrième partie* :
La roue du karma tourne pour tout le monde .......243

*Cinquième partie* :
Le doux crime de l'amour ....................................335

*Épilogue* :
« Qui séchera nos larmes ? » ................................407

Que sont-ils devenus ? ..............................................431

*Deuxième épilogue* :
Un nouvel amour ? ..................................................433

« LES GRANDS ROMANS » DE POINTS
DES ROMANS QUI TRAVERSENT L'HISTOIRE

## Le sari rose

### Javier Moro

Le destin tient parfois à un regard. Quand Sonia, étudiante italienne à Cambridge, rencontre celui de Rajiv, jeune indien discret, elle ne se doute pas qu'au-delà d'un homme, c'est une nation entière qu'elle va épouser. Rajiv, petit-fils de Nehru, fils d'Indira Gandhi, est promis à devenir le leader politique de l'Inde. Un amour qui fera d'elle l'unique héritière de la dynastie des Gandhi.

*« Une saga passionnante. »*

*Elle*

COMPOSITION : NORD COMPO
IMPRESSION : CPI BRODARD ET TAUPIN À LA FLÈCHE
DÉPÔT LÉGAL : JANVIER 2014. N° 115590 (3002602)
IMPRIMÉ EN FRANCE